HEUTE ABEND

by

MAGDA KELBER

Illustrated by
CARL FELKEL

BOOK ONE

GINN AND COMPANY LTD.
QUEEN SQUARE LONDON, W.C.1

GINN AND COMPANY LTD., LONDON

First published 1938
Eleventh impression 1953

105303

PRINTED IN GREAT BRITAIN
BY R. & R. CLARK, LIMITED, EDINBURGH

PREFACE

FORTUNATELY the days are past when the language student emerged from his studies with a sound knowledge of grammatical rules—declensions, conjugations, word order and, above all, the subjunctive—and with a wealth of information about the animals of the farmyard and his great aunt's umbrella, but with an utter helplessness when it came to buying a stamp at the post office in foreign lands. The other extreme of linguistic method is, alas, still with us. " Why bother about grammar ? After all, the native speaks his language without knowing the rules ! " The hopeful questioner forgets that the native spends, say, the first ten years of his life acquiring the use of the essentials of his language, and the rest of his life learning to understand its finer and subtler points.

This book attempts to strike the balance between the essentials of grammar and the essentials of conversational vocabulary. Grammatical rules are, after all, not chemical formulae with which to concoct a synthetic language but guides to the understanding of the living language. Great emphasis has therefore been laid on the reading matter, and there is a lot of it right from the beginning. By the time the text of each lesson has been read, translated, re-read, repeated after the teacher with books closed, retold from memory and perhaps dictated in parts, the relevant grammar will not need very much more explaining, and the exercises will then serve to fix a few points more firmly and supply additional practice.

Each chapter has five parts : reading matter, a complete vocabulary for every chapter, grammatical explanations, exercises and finally songs, poems, rhymes, etc. Every fifth chapter is given to revision, and contains no new grammar and very few new words. Much use has been made of rhymed lessons. They do not claim to be poetry, but the greater ease with which they impress themselves on the memory should justify them, and even make up for occasional unavoidable poetic licence in grammatical construction. The revision vocabularies make it as easy as possible for the student to make sure of his knowledge. Unfortunately a language cannot be spoken without words, and there is no other way of learning words except learning them. The grammar has been explained in English as it seems a waste of time, especially for the evening student, to be burdened with the unnecessary difficulties involved in a rigid use of the direct method. Grammatical tables at the end of the book bring together for revision and reference the essentials of grammar dealt with in the course. The exercises give scope for conversation, composition and short talks which will help more than anything else to make the acquired knowledge come to life. Finally, the songs, rounds, poems, etc., at the end of every chapter should prove to every student that learning a language is immense fun, and that a language is learnt to be used immediately as a key to another nation's heritage. The vocabulary to songs, etc., is separate from the lesson vocabularies so that they can be omitted if necessary without interrupting the course.

Complete English-German and German-English vocabularies are included at the end, and in them plural forms and tenses of strong and mixed verbs as well as any irregularities are indicated. Chapter one is preceded by a summary of the alphabet in roman and Gothic print and a short guide to pronunciation. Pronunciation can, of course, never be described adequately. The teacher will always have to supply the essential guidance. The examples in the summary are chosen from the first chapter so as to make the use of this table possible at the earliest possible stage. Picture vocabularies follow the grammatical tables, and they will, it is hoped, tempt the student into revising and enlarging his vocabulary in an entertaining and painless fashion.

The author makes appreciative acknowledgement to Miss Lucy Elkan, Mr. F. Clarke and the printer's reader, for the great care with which they have read the proofs and for their many suggestions in detail which have made for the improvement of the book; and to Messrs. Rudolf Koch, Leipzig, publishers of Arno Holz's *Märkisches Städtchen*.

M. KELBER

Inhalt

Das Alphabet

(For English meanings of examples see vocabulary, pp. 4–5)

a 𝔞 𝔄	a	long as in father	Tag, Vater, Gras, Nase, Vase, Glas, Haar, was, das, ja, rar, Bart
		short	Mann,[1] Mark, Wasser,[1] Zigarre, Zigarette, danke, warm, kalt, alt, schwarz, hart, lang, arm, stark, Kaffee
b 𝔟 𝔅	be	soft as in blue	Bett, Bart, Buch, bitte, billig, blau, braun.
		hard as in ripe	gelb [2]
c 𝔠 ℭ	tse	very rare ; tse before *e* and *i* ; k before *a*, *o* and *u*	Café
ch 𝔠𝔥	tse-ha	soft after *e*, *i*, all modified vowels, and after consonants	Mädchen, weich, reich, nicht
		hard after *a*, *o*, *u*, *au*	Tochter, Buch
d 𝔡 𝔇	de	soft as in door	der, die, das, Durst, danke, dünn, dick
		hard as in part	Wind, Mädchen, und [1]
e 𝔢 𝔈	e	long and closed (é)	Tee, Kaffee, Wiedersehen, sehr
		short and open as in etcetera	Geld, nett, gelb, es, Sonne, Junge, Morgen, Mädchen, er

[1] A double consonant usually shortens the preceding vowel.

[2] All consonants are hard at the end of a syllable.

f 𝔣 𝔉	ef	as in finger	Frau, Fenster, frisch, fein
g 𝔤 𝔊	ge	soft as in gold	Gras, Glas, Geld, guten Morgen, grün, grau, gelb, gross
		hard like *k*	Tag, billig (see note 2, p. ix)
		ng like *ng* in singing	Junge, Hunger, lang
h 𝔥 ℌ	ha	like *h* in hot	Hund, Haus, Hunger, hart, Hut
		not sounded after vowels	Kuh, Kohle, Wiedersehen, sehr [1]
i 𝔦 ℑ	ee	short as in wind	Wind, Winter, Tisch, Zigarre, Zigarette, bitte, frisch, billig
i(ie) 𝔦𝔢	ee	long as in tea	die, wie, sie, Wiese
j 𝔧 𝔍	yot	like *y* in young	Junge, ja
k 𝔨 𝔎	ka	like *k* in king	Kaffee, Kuh, Kohle, danke
ck 𝔠𝔨	tse-ka	like *ck* in thick	dick
l 𝔩 𝔏	el	like *l* in million	Kohle, Geld, Stuhl, kalt, alt, blau, klein, Glas, lang, gelb
m 𝔪 [𝔐]	em	like *m* in mother	Morgen, Mann, Mädchen, Mutter, Maus, warm, arm
n 𝔫 𝔑	en	like *n* in sun	Sonne, Wind, Mann, Sohn, Mädchen, Hund, Winter, Wein
o 𝔬 𝔒	o	long as in tableau	Sohn, Kohle, gross, rot
		short as in dot	offen, Sonne, Morgen, Tochter
p 𝔭 𝔓	pe	like *p* in price	Preis
q 𝔮 𝔔	ku	very rare ; like *kv*	Quelle (spring)

[1] An "h" usually lengthens the preceding vowel.

r 𝔯 ℜ	er	*must* be sounded either as frontal (Scottish) *r* or as guttural (French) *r*	Morgen, Frau, Gras, Bart, Tür, Haar, Rhein, Durst, Preis, Zigarre, Zigarette, Mark, Wiedersehen, warm, frisch, schwarz, grün, gross, grau, hart, braun, rot, treu, reich, arm, rar, stark, wer, er, sehr
s ſ 𝔖	es	soft as in these	Sonne, Sohn, Nase, Vase, Wiedersehen, sauer, sie, sehr
s 𝔰 ß		hard as in grass	Eis, Gras, Haus, Maus, Glas, Fenster, Wasser, Durst, Preis, heiss, weiss, gross, was, das, es (see note 2, p. ix)
sch ſch	es-tse-ha	like *sh* in fresh	schön, frisch, schwarz
st ſt	es-te	like *sht* at the beginning of the syllable, otherwise *s-t*	Stuhl, stark ist, Durst
sp ſp	es-pe	like *shp* at the beginning of the syllable, otherwise *s-p*	spät
t 𝔱 𝔗	te	like *t* in tea	Tag, Tochter, Mutter, Vater, Wetter, Tee, Bett, Bart, Tür, Winter, Durst, Tisch, Zigarette, Hut, bitte, kalt, teuer, alt, hart, nett, rot, treu, bitter
u 𝔲 𝔘	u	like *oo* in root short as in bush	Kuh, Stuhl, Hut, gut Junge, Mutter, Hund, und, Hunger, Buch

v 𝔳 𝔙	fau	like *f*	Vater, vier (exception: Vase like Engl. *v*)
w 𝔴 [𝔚]	ve	like *v* in vine	Wein, Wind, Wetter, Winter, Wasser, Wiedersehen, warm, weiss, schwarz, weich, was
x 𝔵 𝔛	iks	very rare	
y 𝔶 𝔜	ypsilon	very rare; like *ü*	
z 𝔷 ℨ	tset	like *ts* in tse-tse fly	schwarz, zu, Zigarre, Zigarette

DIPHTHONGS

ei ei	i	like *i* in ice	Eis, Wein, Rhein, Preis, fein, heiss, weiss, klein, weich, reich, nein, ein
ai ai	i	like *i* in ice	Kaiser; Mai
eu eu	oy	like *oy* in boy	teuer, neu, treu
äu äu	oy	like *oy* in boy	läuten (to ring)
au au	ou	like ou in house	Haus, Frau, Maus, blau, grau, braun

MODIFIED VOWELS (der Umlaut)

ä ä 𝔄̈	like *a* in vary	Mädchen, spät
ö ö 𝔒̈	long like French *eu* (try to say e[1] with protruding lips)	König, schön
	short like colonel	können (can)
ü ü 𝔘̈	(try to say ee with protruding lips: green—grün)	
	long (French *u*)	Tür, grün, für, süss
	short	dünn, Brünnlein

[1] As in "sehr."

DAS ERSTE KAPITEL

DAS CAFÉ (S. S. 262)

PERSONEN: Frau Klein; Herr Weiss; Frau Schmitz; Herr Wiese; Fritz; Liese. Der Hund Spitz.

Herr Weiss: Die Sonne ist heiss, der Tag ist fein.
Ah, das ist gut: hier ist Frau Klein.
Guten Morgen, Frau Klein!

Frau Klein: Guten Morgen, Herr Weiss!

Herr Weiss:
Der Morgen ist fein.
Die Sonne ist warm.
Hier ist der Stuhl.
Heiss ist der Tag.
Das Bier ist gut.

Frau Klein:
Der Tag ist heiss.
Der Wind ist frisch.
Das ist der Tisch.
Das Eis ist kalt.
Ist es nicht alt?

Herr Weiss: Nein, es ist frisch und gut und nass.
Frau Klein: Hier ist das Geld. Bitte, ein Glas.

[*Frau Schmitz und Fritz, Herr Wiese und Liese approach from different sides.*]

Frau Klein:
Wer ist die Frau?
Und wer ist der Junge?
Wer ist der Mann?
Und wer ist das Mädchen?

Herr Weiss:
Das ist Frau Schmitz.
Das ist der Sohn Fritz.
Das ist Herr Wiese.
Die Tochter Liese.

Frau Klein: Frau Schmitz ist die Mutter; was ist Herr Wiese?

Herr Weiss:
Er ist der Vater.

Frau Klein:
Und was ist Liese?

[*Enter the four.*]

Frau Klein: Guten Morgen, Frau Schmitz!
Frau Schmitz: Guten Tag, Frau Klein!
Frau Klein: Das Wetter ist schön.
Frau Schmitz: Ja, es ist fein.
Herr Weiss: Guten Tag, Herr Wiese!
Herr Wiese: Guten Tag, Herr Weiss!
Herr Weiss: Die Sonne ist warm.
Herr Wiese: Ja, sie ist heiss.
Frau Schmitz: Guten Morgen, Liese!
Frau Klein: Guten Morgen, Fritz!
Herr Wiese: Ist das der Hund?
Fritz: Ja, das ist Spitz.

Frau Klein, Herr Wiese, Liese:	*Fritz, Frau Schmitz, Herr Weiss:*
Ist der Hund schwarz?	Nein, er ist weiss.
Ist der Tee kalt?	Nein, er ist heiss.
Der Hunger ist gross.	Der Durst ist stark.
Der Wein ist teuer.	

Herr Weiss: Der Preis ist zwei Mark.
Frau Schmitz: Der Wein ist sauer.
Frau Klein: Gut ist das Bier.
Herr Wiese: Hier ist das Geld;
bitte, Bier für vier!
Herr Weiss: Hier ist der Stuhl,
hier ist der Tisch.
Alle: Das Glas ist gross,
das Bier ist frisch.

[*They all sit.*]

Frau Klein, Herr Wiese, Liese:	*Fritz, Frau Schmitz, Herr Weiss:*
Wie ist das Gras?	Das Gras ist grün.
Wie ist der Kaffee?	Er ist sehr dünn.
Was ist nicht blau?	Frau Wieses Nase.
Und was ist grün?	Grün ist die Vase.
Wie ist das Haus?	Es ist gross und blau.
Und wie ist die Maus?	Sie ist klein und grau.
Der Stuhl ist hart.	Weich ist das Bett.
Lang ist der Bart.	Das Mädchen ist nett.

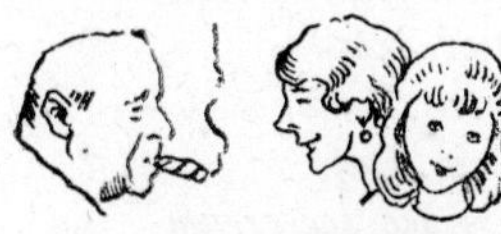

Das Fenster ist offen.	Die Tür ist zu.
Der Hund ist braun.	Gelb ist die Kuh.
Wie ist das Buch?	Es ist rot und neu.
Wie ist der Hund?	Natürlich—treu.
Die Kohle ist schwarz.	Sie ist nicht weiss.
Der Winter ist kalt.	Er ist nicht heiss.
Das Wasser ist frisch.	Es ist nicht warm.
Herr Weiss ist reich.	Er ist nicht arm.
Wie ist das Geld?	Das Geld ist rar.
Dick ist der Mann.	Dünn ist das Haar.
Das Bier ist bitter.	Süss ist der Wein.
Berlin ist schön.	Schön ist der Rhein.
Die Zigarre ist lang.	Die Zigarette ist gut.
O, es ist spät!	

Herr Weiss (zu *Herrn Wiese*): Hier ist der Hut.

Herr Wiese: Auf Wiedersehen, und danke schön!

Die anderen: Guten Morgen, Herr Weiss, auf Wiedersehen

Herr Weiss: Guten Tag, Frau Klein, guten Tag, Frau Schmitz, auf Wiedersehen, Liese und Fritz!

VOKABELN (VOCABULARY)

der Bart, *beard*
„ Durst, *thirst*
„ Herr, *Mr.*, *gentleman*
„ Hund, *dog*
„ Hunger, *hunger*
„ Hut, *hat*
„ Junge, *boy*
„ Kaffee, *coffee*
„ Mann, *man*
„ Morgen, *morning*
„ Preis, *price*, *prize*
„ Rhein, *Rhine*
„ Sohn, *son*
„ Stuhl, *chair*
„ Tag, *day*
„ Tee, *tea*
„ Tisch, *table*
„ Vater, *father*
„ Wein, *wine*
„ Wind, *wind*
„ Winter, *winter*

die Frau, *woman*, *Mrs.*
„ Kohle, *coal*
„ Kuh, *cow*
„ Mark, *Mark*
„ Maus, *mouse*
„ Mutter, *mother*
„ Nase, *nose*
„ Persón,[1] *person*
„ Persónen, *persons*, *characters*
„ Seite, *page*, *side*

die Sonne, *sun*
„ Tochter, *daughter*
„ Tür, *door*
„ Vase, *vase*
„ Zigárre, *cigar*
„ Zigarétte, *cigarette*

das Bett, *bed*
„ Bier, *beer*
„ Buch, *book*
„ Café, *Café*
„ Eis, *ice*, *ice-cream*
„ Fenster, *window*
„ Geld, *money*
„ Glas, *glass*
„ Gras, *grass*
„ Haar, *hair*
„ Haus, *house*
„ Kapítel, *chapter*
„ Mädchen, *girl*
„ Wasser, *water*
„ Wetter, *weather*

alt, *old*
arm, *poor*
billig, *cheap*
bitter, *bitter*
blau, *blue*
braun, *brown*
dick, *thick*, *stout*
dünn, *thin*
fein, *fine*

[1] Stress marks are given only when the accent does not fall on the first syllable. They are not part of the spelling except in " Café ".

frisch, *fresh*
gelb, *yellow*
grau, *grey*
gross, *big*, *great*, *tall*
grün, *green*
gut, *good*
hart, *hard*
heiss, *hot*
kalt, *cold*
klein, *small*
lang(e), *long*
nass, *wet*
natürlich, *natural*(*ly*)
nett, *nice*
neu, *new*
offen, *open*
rar, *rare*
reich, *rich*
rot, *red*
sauer, *sour*
schön, *beautiful*, *fine*
schwarz, *black*
spät, *late*
stark, *strong*
süss, *sweet*
teuer, *dear*
treu, *faithful*, *loyal*
warm, *warm*
weich, *soft*
weiss, *white*
zu, *closed*

alle, *all* (pl.)
das, *this*, *that*
der, die, das, *the*

drei, *three*
ein, *a*, *one*
eins, *one*
er, *he*
der, die, das erste, *the first*
es, *it*
fünf, *five*
für, *for*
hier, *here*
ja, *yes*
nein, *no*
nicht, *not*
sehr, *very*
sie, *she*
und, *and*
vier, *four*
was? *what?*
wer? *who?*
wie? *how? what colour, shape, size, etc.?*
zu, *to*, *too*
zwei, *two*

auf Wiedersehen, *good-bye*, *au revoir*
bitte, *please*
danke, *thank you*
danke schön, *thank you very much*
die anderen, *the others*
ein Glas Bier, *a glass of beer*
guten Morgen, *good morning*
guten Tag, *good day*, *how do you do?*
zu Herrn Wiese, *to Mr. Wiese*

Grammatik

I. There are three genders in German as in English: masculine, feminine and neuter, but they are used rather differently. Not only living things can be masculine or feminine but inanimate objects may be masculine, feminine or neuter, and there is no rule that will explain to you why the table should be masculine (*der* Tisch), the nose feminine (*die* Nase), and the beer neuter (*das* Bier). The only safe way is to learn every noun with its article.

II. To these three genders correspond three pronouns: he—*er*; she—*sie*; it—*es*. *Er* and *sie* must be used also when they refer to inanimate objects.

Der Hund ist klein und *er* ist treu.
Der Stuhl ist alt, *er* ist nicht neu.
Die Frau ist arm, *sie* ist nicht reich.
Die Kohle ist hart, *sie* ist nicht weich.
Kalt ist *das* Eis, *es* ist nicht heiss.

III. Interrogative pronouns:

Wer? stands for who?

Wie? stands for how? what colour, shape, size, etc.? It refers to quality.

Was? stands for what?

IV. Note the gender of Mädchen: *das* Mädchen.

The syllable *-chen* is a diminutive syllable (das Bettchen —the little bed), and the gender of such diminutive nouns is always neuter, *e.g.*: der Tisch, das Tischchen; die Maus, das Mäuschen.

The noun frequently modifies the vowel. Thus: das Haus, das Häuschen; das Glas, das Gläschen, etc.

As an alternative *-lein* can be used. Thus: das Tischlein, das Bettlein, etc.

AUFGABEN (*die Aufgabe*—the exercise)

I. Ask each other:

Was ist auf deutsch (in German): the sun, the day, the ice, etc.?

Was ist: the little man, the little book, the little chair, the little son, the little dog, the little hat, the little window?

II. Ask each other:

Ist das der Tisch? Ja, das ist der Tisch. Nein, das ist nicht der Tisch, das ist der Stuhl, etc.

III. Ask each other:

Ist die Sonne warm? Ja, sie ist warm; etc.

IV. Read the nouns given on pp. ix-xii as examples of pronunciation, with their articles.

V. Answer the following questions:

1. Wie ist das Wetter? 2. Ist der Kaffee stark? 3. Was ist sauer? 4. Ist der Stuhl hart? 5. Wer ist der Vater? 6. Was ist Frau Schmitz? 7. Wie ist das Bier? 8. Was ist schön? 9. Wer ist gross? 10. Ist die Zigarre in England teuer? 11. In Deutschland? 12. Wer ist reich? 13. Wie ist der Hund?

VI. Complete the following sentences so that they rhyme:

— Stuhl ist hart, — Bett ist — .
— Vater ist arm, — Weiss ist — .
— Bier ist kalt, — Kaffee ist — .
— Kohle ist schwarz, — Haar ist — .
Wie ist — Mann? — ist sehr alt.
Wie ist — Wind? — ist sehr — .

Wie ist — Vase? — ist schön und neu.
Wie ist — Hund? — ist klein und —
Wie ist — Haus? — ist gross und grau.
Wie ist — Nase? — ist dick und — .
Wie ist — Buch? — ist billig und gut.
— Wein ist alt, neu ist — Hut.
— Sonne ist heiss, — Morgen ist schön.
Guten Tag, — Morgen, — Wiedersehen.

VII. Count from *eins* to *acht*.
Ask: Was ist eins und eins? etc.

VIII. Substitute *er*, *sie* or *es* for the nouns in the following sentences:

1. Das Fenster ist offen, die Tür ist zu.
2. Der Wind ist frisch und das Wasser ist kalt.
3. Der Tee ist dünn, der Kaffee ist stark.
4. Das Gras ist grün, die Kuh ist weiss.
5. Das Bier ist kalt, die Sonne ist heiss.
6. Der Rhein ist schön, das Wetter ist gut.

IX. Answer the following questions (Example: Wie ist der Wein? Er ist alt und süss und teuer):

1. Wie ist die Zigarette? 2. Wie ist die Mutter? 3. Wie ist das Haus? 4. Wie ist der Winter? 5. Wie ist der Junge? 6. Wie ist das Geld?

X. Answer the following questions (Example: Ist der Kaffee stark? Nein, er ist nicht stark, er ist dünn):

1. Ist der Hund gross und braun? 2. Ist das Haus gross und alt? 3. Ist das Wasser frisch und kalt? 4. Ist die Zigarre billig und gut? 5. Ist der Vater dick und reich? 6. Ist das Haar fein und weiss? 7. Ist die Tür offen und das Fenster zu? 8. Ist der Durst gross und der Hunger stark?

XI. Translate into German:

" Good morning, Mr. White!"
" How do you do, Mrs. Small?"
" The weather is fine."
" Yes, the sun is very warm."
" Here is a chair. A glass of wine?"
" No, an ice, please."
" Here is the ice. It is very cold and sweet."
" Thank you. It is very good. Is Fritz here?"
" No, he is not here. The girl is here."
" How old is she?"
" She is three."
" She is very tall."
" Yes, and very sweet."
" She is like (*wie*) her (the) mother."
" Isn't she like her (the) father?"
" Is her (the) father tall?"
" Yes, he is tall like his (the) daughter."
" Oh it is late. What is the price of (*für*) the ice?"
" One (*eine*) Mark, please."
" Here is the money."
" Thank you very much. Good-bye, Mrs. Small."
" Good-bye, Mr. White."

Learn this dialogue by heart and act it.

XII. Read the lesson in parts, learn and act it.

A NURSERY RHYME

Eins, zwei, drei,
alt ist nicht neu,
neu ist nicht alt,
warm ist nicht kalt,
kalt ist nicht warm,
reich ist nicht arm.

Kanon für drei Stimmen

Round for Three Parts (Voices)

Himmel und Erde, sie müssen vergeh'n.
Aber die Musici bleiben besteh'n.

der Himmel, *heaven, sky*
die Erde, *earth*
sie, *they*
müssen, *must*
vergehen, *pass away*

aber, *but*
die Musici, *the musicians*
bleiben, *remain*
bestehen, *exist*

DAS ZWEITE KAPITEL

DAS RADIO

Ich habe ein Radio. Haben Sie ein Radio? Nein, Sie haben kein Radio? Sie haben es gut. Wie bitte? Sie glauben das nicht? O ja, Sie haben es gut. Hier ist ein Stuhl, nehmen Sie Platz. Rauchen Sie? Eine Zigarette? Hier, nehmen Sie eine. Sie sind gut. Sie sind englisch, nicht deutsch. Ich liebe sie sehr. Sie auch? Gut. Also, nun hören Sie. Ich habe ein Radio, und ich habe die Radiozeitung. Ich liebe Musik, gute Musik, klassische Musik. Heute Abend um acht ist ein Konzert. Das Berliner Radioorchester spielt Beethoven, Mozart, etc.—gut, sehr gut. Ich sitze und warte, noch eine Minute und das Konzert beginnt. Ah, nun kommt der Ansager: "Hier ist der Deutschlandsender. Wir bringen ein Konzert. Das Radioorchester spielt. Wir beginnen." Und sie beginnen. Das Orchester spielt die Symphonie Nummer zwei in D von Beethoven. Kennen Sie die Symphonie? Ah, wundervoll, das Adagio. Das Orchester spielt sehr, sehr gut, ich rauche meine Zigarette und bin glücklich, sehr glücklich.

Die Tür geht auf. O Himmel, es ist Eva, meine Tochter. Kennen Sie Eva? Nein? Haben Sie eine Tochter? Nein? Sie haben keine Tochter? O, Sie haben es gut.

Eva sagt, sie liebt Musik. Und sie sagt, meine Musik ist keine Musik. Also, sie kommt in das Zimmer, hört eine Minute Beethoven und dann sagt sie: "O, Vater, wie schrecklich! Immer klassisch und immer klassisch! Und hier in Hamburg spielen sie so gute Musik. Hier: Acht Uhr, Tanzmusik, Orchester Schwarz. Sie spielen wundervoll!" Also, wir hören das Orchester Schwarz. Natürlich. Ich habe nichts gegen Walzer und Polka, und sie spielen gut, das ist wahr. Aber nun kommt Jazz — wo ist mein Hut, wo ist mein Stock? Ich gehe ein wenig in die frische Luft. Mein Freund, Sie haben kein Radio und Sie haben keine Tochter, Sie haben es gut, glauben Sie es!

Um neun komme ich zurück. Ich gehe in das Zimmer. Es ist still. Meine Tochter ist nicht hier. Das Radio spielt nicht. Gut. Wo ist die Zeitung? Hier: Neun Uhr, ein Schubertkonzert von Köln. "Hier ist der Reichssender Köln. Wir beginnen das Konzert." Eine Stimme draussen: "Schnell, schnell, oder wir kommen zu spät". Himmel, das ist mein Sohn Peter, und hier ist auch sein Freund Paul, natürlich. Kennen Sie Peter? Nein? Nun, Peter liebt Sport und er hört Sport, immer Sport. "Guten Abend, Vater, wie spät ist es? Eine Minute nach neun? Der internationale Boxkampf in Hamburg beginnt um neun. Schnell, wo ist der Reichssender Hamburg? Ah, hier, sie beginnen eben. Gut, es ist nicht zu spät." Die zwei sind glücklich. "Eine Zigarette, Paul? Wie? Nichtraucher? Nun, Peter hier ist ein Raucher, und er raucht nicht zu

wenig. Eine Zigarette, Peter?" "Danke, Vater, danke schön. Ah, das ist wundervoll. Es ist sehr gut zu hören, nicht wahr? Wir haben es gut, wir haben ein Radio." Wir haben es gut, ja? Wo ist mein Hut, wo ist mein Stock? Vielleicht spielt mein Bruder ein wenig Schach. Er hat kein Radio, und er hat keine Tochter, und sein Sohn ist sehr klein und hört das Radio nicht. Mein Bruder hat es gut, nicht wahr?

Und so geht es immer. Meine Frau hört morgens, sie ist allein, sie hat es gut. Niemand kommt und stört sie. Mein Sohn hört Sport und meine Tochter hört Tanzmusik. Und dann Peters Freundin und Evas Freund! Sie alle kommen und hören mein Radio. Sie alle sagen, mein Radio ist wundervoll. Und ich? Nun, ich zahle für das Radio, natürlich. Ich bin der Vater! Nun sagen Sie: habe ich es gut oder nicht? Haben Sie es gut oder nicht?

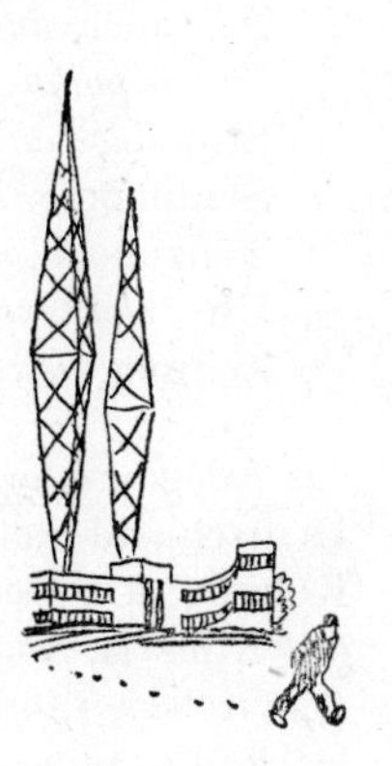

VOKABELN

der Abend, *evening*
,, Ansager, *announcer*
,, Boxkampf, *boxing-match*
,, Bruder, *brother*
,, Deutschlandsender, *German National Transmitter*
,, Freund, *friend* (masc.)
,, Himmel, *heaven*, *sky*
,, Jazz, *jazz*
der Kampf, *fight*, *struggle*
,, Nichtraucher, *non-smoker*
,, Platz, *place*, *seat*
,, Raucher, *smoker*
,, Reichssender, *German transmitter*
,, Reichssender Köln, *the Regional Programme from Cologne*
,, Sender, *transmitter*

der Sport, *sport*
,, Stock, *stick*
,, Walzer, *waltz*

die Freundin, *friend* (fem.)
,, Luft, *air*
,, Minúte, *minute*
,, Musík, *music*
,, Nummer, *number*
,, Polka, *polka*
,, Stimme, *voice*
,, Symphoníe, *symphony*
,, Tanzmusik, *dance music*
,, Uhr, *clock*, *watch*
,, Zeitung, *newspaper*

das Adágio, *adagio*
Deutschland (neut.), *Germany*
Köln (neut.), *Cologne*
das Konzért, *concert*
,, Orchéster, *orchestra*
,, Radio, *radio*, *wireless set*
,, Reich, *empire*, *state*
,, Schach, *chess*
,, Zimmer, *room*

begínnen, *begin*
bringen, *bring*
gehen, *go*, *walk*
glauben, *believe*, *think*
haben, hat, *have*, *has*
hören, *hear*, *listen to*
kennen, *know*
kommen, *come*
lieben, *love*, *like*
nehmen, nimmt, *take*, *takes*
rauchen, *smoke*
sagen, *say*
sitzen, *sit*
spielen, *play*
stören, *disturb*
warten, wartet, *wait*, *waits*
zahlen, *pay*

Berlíner, *Berlin* (adj.)
deutsch, *German*
englisch, *English*
glücklich, *happy*
internationál, *international*
klassisch, *classical*
schnell, *quick*
schrecklich, *terrible*
still, *quiet*, *still*
wahr, *true*
wenig, *little* (*amount*)
wundervoll, *wonderful*

aber, *but*
acht, *eight*
alléin, *alone*
also, *therefore*, *well then*
auch, *also*, *too*
dann, *then*
draussen, *outside*
eben, *just*
gegen, *against*
heute, *to-day*
heute Abend, *to-night*
ich, *I*
immer, *always*

in, *in*, *into*
kein, keine, *no*, *not a*
mein, meine, *my*
morgens, *in the morning*
nach, *after*, *past*
neun, *nine*
nichts, *nothing*
niemand, *nobody*
noch, *still*, *yet*
nun, *now*, *well*
oder, *or*
sein, seine, *his*
sie, *she*, *they*
Sie, *you*
so, *so*, *thus*, *such*
um, *at*, *around*
vielléicht, *perhaps*
von, *from*, *of*
wir, *we*
wo, *where*
der, die, das zweite, *the second*

die Tür geht auf, *the door opens*
es ist schön, nicht wahr?, *it is nice, isn't it?*
guten Abend, *good evening*
ich habe nichts gegen Walzer, *I have nothing against waltzes*
ich komme zurück, *I come back*
nehmen Sie Platz!, *take a seat!*
neun Uhr, *nine o'clock*
sie beginnen eben, *they are just beginning*
Sie haben es gut, *you are lucky*
um acht Uhr, *at eight o'clock*
wie bitte?, *I beg your pardon?*
wie spät ist es?, *what time is it?*
wir haben es gut, ja? *so we are lucky, are we?*
wir kommen zu spät *we are too late*

Grammatik

I. The indefinite article; mein, sein and kein

Ein Stuhl—a chair; *ein* Konzert—a concert; *eine* Minute—a minute. For masculine and neuter nouns the indefinite article " a " is *ein*. For feminine nouns it is *eine*. The possessive adjectives *mein*—my, and *sein*—his, follow the same rule. Thus: *meine* Mutter, *mein* Vater, *mein* Radio; *seine* Tochter, *sein* Sohn, *sein* Zimmer.

For " not a " or " no " there is a separate word: *kein*, which in the feminine is *keine*. Thus: *keine* Tochter, *kein* Sohn, *kein* Radio.

II. The present tense of the verb

Ich liebe Musik. Wir beginnen das Konzert. Die Musik beginnt. Sie kennen die Symphonie.

The personal pronouns are: *ich*—I (small letter); *Sie*—you (capital letter); *wir*—we; *sie*—they; *er*—he; *sie*—she; *es*—it. For the first person singular (*ich*) the verb ends in *-e*: ich liebe. For the third person singular (*er, sie, es*) the verb ends in *-t*: er kommt, sie geht, es beginnt. The equivalent ending in English is *-s*; he comes, she goes, etc. For all other persons the verb ends like the infinitive in *-en*: wir spielen; Sie kennen es; sie kommen.
The question is formed by simple inversion: kennen Sie—do you know? (know you?). The imperative is different from the interrogative only in intonation: hören Sie!—hear, listen! hören Sie?—do you hear? The negation is formed by adding *nicht*: wir hören ihn nicht—we do not hear him (we hear him not). There is no equivalent for the English progressive form: I am coming, are you going? etc. Do not attempt to translate these phrases literally. You have to say: ich komme; gehen Sie? etc. The nearest equivalent is obtained by the use of the adverb *eben*—just: er kommt eben—he is just coming.
Verbs, the stem of which ends in *-t* (or *-d*), add in the third person singular *-et* to the stem instead of *-t*: warten—er wartet. Some verbs have slight irregularities in the 3rd person singular: nehmen—er, sie, es *nimmt*. These irregularities will always be pointed out in the vocabularies of each lesson as well as in the vocabulary at the end of the book.

The verbs *haben*—to have and *sein*—to be:

Haben is regular except for the 3rd person singular: ich habe, Sie haben, wir haben, sie haben, but: er, sie, es *hat*.

Sein is, as in English, irregular throughout the present tense: ich bin—I am; er, sie, es ist—he, she, it is; wir sind—we are; sie sind—they are; Sie sind—you are.

III. Word order

In Hamburg spielen sie so gute Musik. Vielleicht spielt mein Bruder ein wenig Schach. Das Konzert beginnt um acht Uhr.

In the main clause the verb must be the second idea. When a clause does not begin with the subject, the subject follows the verb. Only a few conjunctions like *und* and *aber* do not affect the word order: Und dann beginnt der Kampf. Aber mein Bruder spielt nicht.

IV. Adjectives

Die frische Luft; das neue Radio; der alte Freund; aber: die Luft ist frisch; das Radio ist neu; der Freund ist alt.

Adjectives preceding the noun in the nominative, and preceded by the definite article, end in *-e*.

V. Adverbs

Adjectives can be used as adverbs without any alteration. Thus: Sie spielen *gut*—they play well. Ich höre *wundervoll*—I hear wonderfully.

Aufgaben

I. Use the nouns in the lesson with: a, my, not a, his.

II. Ask each other:

Was ist auf deutsch: a glass, my dog, his nose, etc.?

III. Example: Ich höre das Konzert; er hört das Konzert; wir hören das Konzert.

Do the same with the following sentences:

1. Ich (rauchen) eine gute Zigarre. 2. Ich (lieben) das Bier kalt. 3. (Sitzen) ich hier? 4. (Stören) ich nicht? 5. Ich (zahlen) für Sie. 6. Ich (sagen): Danke

schön. 7. Ich (kommen) vielleicht heute Abend. 8. Ich (glauben) es nicht. 9. Ich (hören) es nicht gut. 10. Ich (haben) keine Tochter. 11. Ich (sein) Nichtraucher. 12. Ich (warten) eine Minute. 13. Ich (nehmen) Platz.

IV. Ask each other:

Was ist auf deutsch: he comes, I go, does he play? do you hear? come! they do not come, etc.?

V. Answer the following questions:

1. Haben Sie ein Radio? 2. Kennen Sie das deutsche Bier? 3. Rauchen Sie eine Zigarette? 4. Lieben Sie die Tanzmusik? 5. Haben Sie eine Tochter? 6. Ist der Junge nett? 7. Ist das Mädchen schön? 8. Wie alt ist das Haus? 9. Ist das Zimmer heute kalt? 10. Spielen Sie Schach? 11. Lieben Sie Sport? 12. Ist der Reichssender Köln gut? 13. Spielt das englische Radioorchester gut? 14. Ist die Symphonie schön? 15. Lieben Sie das englische Wetter?

VI. Substitute the correct form of the German verb:

1. Sie (comes) in das Zimmer. 2. Das Orchester (plays) sehr gute Musik. 3. (Pay), bitte! 4. Was (say) Sie? 5. (Come) Sie heute Abend? 6. Er (has) nichts gegen Walzer und Polka, aber er (likes) Jazz nicht. 7. (Disturb) ich Sie nicht? 8. Die Zeitung (comes) heute spät. 9. Der Junge (smokes) sehr wenig. 10. Ich (go) ein wenig in die frische Luft. 11. (Know) Sie meine Tochter? 12. Mein Freund (takes) die Radiozeitung.

VII. Ask each other:

Was ist auf deutsch: the strong man, the green grass, etc.?

VIII. Example: Das Konzert ist schön. Es beginnt. Das schöne Konzert beginnt.

Do the same with the following sentences:

1. Das Bier ist frisch. Es kommt.
2. Der Vater ist reich. Er zahlt.
3. Das Orchester ist gut. Es spielt Jazz.
4. Die Musik ist klassisch. Der Vater liebt sie.
5. Die Symphonie ist lang. Wir hören sie.
6. Das Zimmer ist gross. Wir gehen in das Zimmer.

IX. Conversation

Ask each other the following and similar questions:

1. Haben Sie ein Radio? 2. Hat der Vater ein Radio? 3. Was ist heute Abend um acht Uhr? 4. Wer spielt? 5. Wie lang wartet der Vater? 6. Was sagt der Ansager? 7. Wie spielt das Orchester? 8. Was raucht der Vater? 9. Warum (*why*) ist der Vater glücklich? 10. Wer kommt in das Zimmer? 11. Liebt Eva klassische Musik? 12. Was spielen sie in Hamburg? 13. Liebt der Vater Tanzmusik? 14. Was tut (*does*) der Vater? 15. Wann kommt der Vater zurück? 16. Wie ist das Zimmer? 17. Was bringt der Reichssender Köln? 18. Wer kommt nun in das Zimmer? 19. Wann beginnt der internationale Boxkampf? 20. Ist Peter Nichtraucher? 21. Wann hört die Mutter? 22. Hat sie es gut? Warum? 23. Lieben seine Freunde sein Radio? 24. Was tut der Vater?

X. Translate into German:

"Good evening. Here you are. How nice."

"Good evening. It is cold outside to-day, isn't it?"

"Here, take a seat; the room is beautifully warm."

"Thank you. Do you smoke? I have a cigar here. Or will you (do you) smoke a cigarette?"

"Thank you very much, I will have (take) a cigarette."

"Is that the new wireless? Does it work (go) well?"

"Yes, it is very good. Have you a wireless?"

"Yes, but my set is old. My son and my daughter listen in to (hear) dance music, and they like it. I listen in a little, but not [to][1] dance music. I do not like it. What do you listen to?"

"I listen to music. I like good music, and the station at Cologne is very good. They are having a concert now. Classical music, I believe. Fine, isn't it?"

"I don't like classical music. Are you listening?"

"Yes, I am listening, but you don't disturb me (*mich*). Don't go."

"I am going. My wife is waiting, and my brother is coming to-night. So good-bye."

"Good-bye."

Learn and act this dialogue.

XI. Read the lesson from line 9 and change it into the 3rd person: Er hat ein Radio, und er hat die Radiozeitung, etc.

NURSERY RHYME (*cont.*)

Eins, zwei, drei,
alt ist nicht neu,
arm ist nicht reich,
hart ist nicht weich,
frisch ist nicht faul,
Ochs ist kein Gaul.

Eins, zwei, drei,
alt ist nicht neu,
sauer ist nicht süss,
Händ' sind keine Füss',
Füss' sind keine Händ'.
Das Lied hat ein End'.

faul, *lazy, rotten*
der Ochs, *ox*
der Gaul, *horse*

die Hände, *hands*
die Füsse, *feet*
das Lied, *song*
das Ende, *end*

XII. Proverb (das Sprichwort)

Keine Antwort ist auch eine Antwort.

die Antwort, *answer*

[1] Do not translate words in square brackets.

Kanon für drei Stimmen

Caldara

Mit uns ſpringet, mit uns ſingt, daß es immer ſchöner klingt.

La la la la la la la la la la la la la la la

la la la la la la la la la la la la

Mit uns springet, mit uns singt,
dass es immer schöner klingt.

dass, *that* (conj.)
klingen, *sound*
mit, *with*
schöner, *more beautiful*
singen, *sing*
singt!, *sing!* (Imperative pl.)
springen, *spring*, *jump*
spring(e)t, *spring!* (Imperative pl.)
uns, *us*

DAS DRITTE KAPITEL

EIN ABEND BEI MÜLLERS

WIR gehen heute Abend aus, wir gehen zu Müllers. Um acht Uhr treffen wir Peter. Es ist fünf Minuten vor acht Uhr. Die Strasse ist dunkel und still. Wir gehen auf und ab und warten. Wir warten auf Peter. Er ist noch nicht hier.

"Huh, wie kalt es ist heute Abend, nicht wahr? Ich friere."

"Ja, ich auch. Aber es ist kein Wunder, es ist der zweite Oktober. Wo ist Peter? Er kommt natürlich wieder zu spät."

"Ist es schon acht Uhr?"

"Meine Uhr sagt zehn Minuten nach acht, aber ich glaube, sie geht vor. Sehen Sie die grosse Uhr dort?"

"Dort ist es fünf Minuten nach acht, aber sie geht oft nach."

"Ah, gut, hier ist Peter, sehen Sie ihn? Er kommt dort um die Ecke."

Peter kommt schnell und begrüsst uns.

"Guten Abend, wie geht es? Warten Sie schon lang auf mich? Komme ich zu spät wie immer? Schrecklich! Kalt heute Abend, nicht wahr?"

"Ja, gehen wir schnell, der Ostwind ist bitter kalt."

"Kennen Sie das Haus?"

" Ja, es ist Kaiserstrasse Nummer zweiundzwanzig (22). Die Kaiserstrasse ist die erste Strasse links von hier."

" Wie dunkel es ist. Sehen Sie die Nummern?"

" Nein, nicht sehr gut. Aber hier ist das erste Haus, Kaiserstrasse eins."

Wir zählen: eins, zwei, drei . . . zwanzig, einundzwanzig . . .

" Ah, hier ist Nummer zweiundzwanzig."

" Die Lampe brennt, das rote Licht sieht freundlich aus, nicht wahr?"

Wir läuten die Glocke. Eine Tür geht, und Hans, der grosse Junge, kommt und macht die Tür auf. Wir gehen in das Haus und Herr Müller kommt und begrüsst uns.

" Guten Abend, Sie sind es, das ist nett. Wie geht es?"

" Danke, sehr gut. Aber es ist kalt heute, nicht wahr?"

" Ja, bitter kalt. Machen wir die Tür schnell wieder zu, der Wind ist schrecklich. Und kommen Sie schnell in das Zimmer, meine Frau ist dort. Sie wartet schon auf Sie."

Wir gehen in das Zimmer und Frau Müller begrüsst uns.

" Ah, hier ist es wundervoll warm und gemütlich."

" Bitte, nehmen Sie Platz."

" Danke, Sie sind sehr freundlich."

Wir nehmen Platz und sprechen miteinander.

" Ist das das neue Radio? Es sieht sehr schön aus. Geht es gut?"

" Ja, es geht sehr gut. Hier, hören Sie!"

Herr Müller dreht es an.

" Hier ist der Reichssender Köln. Sie hören 20 Minuten Tanzmusik. Das Orchester Weiss spielt."

" Hören Sie Weiss gern?" fragt mich Herr Müller.

" O ja, ich höre ihn sehr gern, ich finde, das Orchester spielt wundervoll."

" Ich höre ihn nicht gern, ich höre gern Sport ", sagt mein Freund, " Sie auch?"

Herr Müller lacht:

" Wie meine Familie hier. Meine Frau liebt Tanzmusik, und mein Sohn hört Sport, Abend für Abend. Ich höre gern Musik, aber ich höre nicht oft."

Er dreht das Radio wieder ab.

" Spielen wir ein wenig Karten, ja?"

Natürlich spielen wir, wir alle spielen gern Karten. Wir spielen Bridge, einmal, zweimal, dreimal und noch einmal und noch einmal. Ich habe gute Karten und gewinne das erste Spiel. Aber das zweite Spiel verliere ich. Hans spielt sehr gut, viel zu gut für mich, er gewinnt das dritte und das vierte Spiel. Auch Frau Müller spielt nicht schlecht. Aber Hans gewinnt. Er hat achthundertfünfzig Punkte, Frau Müller hat vierhundertsiebzig und ich habe nur hundertsechzig. Hans bekommt ein Stück Schokolade.

" Er spielt viel zu viel, der Junge ", sagt Herr Müller. " Er und seine Mutter spielen Abend für Abend. Ich sage, es ist nicht gut für ihn, aber was kann ich machen?"

Frau Müller fragt uns:

" Wer trinkt gern Kaffee? Oder trinken Sie gern Tee? Oder vielleicht ein Glas Bier? Oder vielleicht ein Glas Wein?"

"Kaffee für mich, bitte, es ist zu kalt für Bier und Wein."

"Stark oder schwach?"

"Ich trinke ihn gern stark."

"Und ich trinke ihn gern schwach. Es ist schon spät und ich schlafe oft nicht gut."

"Nehmen Sie Zucker?"

"Ja, bitte, ein Stück."

"Milch?"

"Ja, bitte, ein wenig."

Herr Müller bringt Zigaretten und Zigarren.

"Rauchen Sie?"

"Ja, danke schön, ich rauche gern und viel."

"Nein, danke, ich bin Nichtraucher."

Der Kaffee ist sehr gut. Wir trinken und sitzen und rauchen und sprechen miteinander. Es ist schon spät. Das Radio bringt schon das Nachtprogramm von Stuttgart.

"Nun haben Sie vielen Dank, wir müssen wieder gehen."

"Kommen Sie bald wieder, und wir spielen dann wieder Bridge. Vielleicht gewinnen Sie das Stück Schokolade das nächste Mal."

"Gute Nacht, schlafen Sie gut."

"Auf Wiedersehen."

VOKABELN

der Dank, *thanks*
„ Kaiser, *emperor* (*Caesar*)
„ Október, *October*
„ Ostwind, *east wind*
„ Punkt, *point*
„ Zucker, *sugar*

die Ecke, *corner*
„ Famílie, *family*
„ Glocke, *bell*
„ Karte, *card*, *ticket*
„ Lampe, *lamp*
„ Milch, *milk*

die Nacht, *night*
,, Schokoláde, *chocolate*
,, Strasse, *street*

das Bridge, *bridge* (*cards*)
,, Licht, *light*
,, Mal (das nächste Mal), *time* (*the next time*)
,, Prográmm, *programme*
,, Spiel, *game*, *play*
,, Stück, *piece*
,, Wunder, *wonder*

ab'drehen,[1] *turn off*
an'drehen, *turn on*
auf'machen, *open*
aus'gehen, *go out*
aus'sehen, sieht aus, *look*, *appear*
begrüssen, *greet*
bekómmen, *get*, *receive*
brennen, *burn*
finden, findet, *find*
fragen, *ask*
frieren, *freeze*, *be cold*
gewínnen, *win*
lachen, *laugh*
läuten, läutet, *ring*
machen, *make*, *do*
nach'gehen, *go after*, *lose* (*of watch*)
schlafen, schläft, *sleep*
sehen, sieht, *see*
sprechen, spricht, *speak*, *talk*
treffen, trifft, *meet*
trinken, *drink*
verlíeren, *lose*
vor'gehen, *go before*, *gain* (*of watch*)
zählen, *count*
zu'machen, *close*

dunkel, *dark*
freundlich, *kind*, *friendly*
gemütlich, *comfortable*
nächst, *next*, *nearest*
schlecht, *bad*
schwach, *weak*
viel, *much*

aus, *out of*, *from*
bald, *soon*
bei, *by*, *at*, *near*, *with*
da, *there*, *then*
dort, *there*
dreimal, *three times*
einmal, *once*
gern, *gladly*, *with pleasure*
ihn, *him*
links, *on the left*
mich, *me*
miteinander, *with one another*
noch einmal, *once more*
noch nicht, *not yet*
oft, *often*
schon, *already*
um, *round*, *at* (*time*)
uns, *us*

[1] Mark after the prefix indicates a separable verb. It is not part of the spelling.

vor, *before, in front of*
wieder, *again*
zweimal, *twice*

Abend für Abend, *evening after evening*
gehen wir! *let us go!*
gute Nacht, *good night*
haben Sie vielen Dank, *very many thanks*
hören Sie! *listen!*
"ich friere"; "ich auch", "*I am freezing*"; "*and so am I*"
ich höre ihn gern, *I like to hear him*
kein Wunder, *no wonder*
5 Minuten vor 8, *5 minutes to 8*
Sie sind es, *it is you*
spielen wir Karten, ja? *let us play cards, shall we?*
um die Ecke, *round the corner*
was kann ich machen? *what can I do?*
wie geht es? *how are you?*
wie immer, *as always*
wir gehen auf und ab, *we go up and down*
wir müssen gehen, *we must go*
wir sprechen miteinander, *we talk to one another*
wir warten auf ihn, *we wait for him*

Grammatik

I. The numbers

1. Cardinal numbers:

eins, zwei, drei, vier, fünf, sechs, sieben, acht, neun, zehn, elf, zwölf, dreizehn, vierzehn, fünfzehn, *sechzehn*, *siebzehn*, achtzehn, neunzehn, zwanzig.
zehn, zwanzig, *dreissig*, vierzig, fünfzig, *sechzig*, *siebzig*, achtzig, neunzig, hundert.
einundzwanzig, zweiunddreissig, dreiundvierzig, sechsundsechzig.
hundert, zweihundert, tausend; vierhundertfünfundzwanzig. *N.B.*—No *und* after hundert.

2. Ordinal numbers:

der *erste*, zweite, *dritte*, vierte, fünfte, sechste, siebente,

achte, neunte, zehnte, elfte, zwölfte, dreizehnte, vierzehnte, etc.
der zwanzigste, der einundzwanzigste, der dreissigste, der fünfzigste, etc.

II. The accusative pronouns

Analyse the following English sentences:

He walks in the street. I see him walking in the street. She sings a song. We hear her sing a song. I meet my friend at eight. He meets me at eight.

The German equivalents for the English direct object (accusative) pronouns are:

mich, *me*; uns, *us*; ihn, *him*; sie, *her*, *them*; Sie, *you*; es, *it*

The accusative is different from the nominative only for the 1st person singular and plural (*ich* and *wir*) and for the 3rd person masculine singular (*er*).

III. Separable verbs

Er macht die Tür auf. Ich komme um neun Uhr zurück. Ich drehe das Radio an. Es sieht freundlich aus.

The infinitives of these verbs are: aufmachen, zurückkommen, andrehen, aussehen, etc. When they are used in the simple tenses, and in a main clause, the prefix separates from the stem verb and comes last in the clause.

IV. Plural of feminine nouns

Most feminine nouns form their plural by adding *-n* or *-en* to the singular: die Karte, die Karten; die Frau, die Frauen.

Nouns ending in *-e*, *-er* and *-el* add -n only: die Kohle, die Kohlen; die Nummer, die Nummern.

Nouns ending in *-in* double the -n: die Freundin, die Freundinnen.

Form the plural of the following:

die Nase, die Vase, die Tür, die Kohle, die Zigarre, die Zigarette, die Zeitung, die Minute, die Symphonie, die Uhr, die Stimme, die Strasse, die Ecke, die Lampe, die Glocke, die Familie, die Schokolade.

A number of feminine nouns are irregular. Those already introduced are:

die Mutter, die Mütter	die Kuh, die Kühe
die Tochter, die Töchter	die Luft, die Lüfte
die Maus, die Mäuse	die Mark, die Mark
die Nacht, die Nächte	die Polka, die Polkas

Irregularities in the plural will always be indicated in the vocabularies of the lessons as well as in the vocabulary at the end of the book.

Aufgaben

I. Example: Ich gehe; gehen Sie? Er geht nicht. Do the same with the following:

treffen; frieren; läuten; finden; fragen; lachen; gewinnen; trinken; bringen; schlafen; sprechen; zumachen; ausgehen; andrehen.

II. Example: Wir kennen ihn. Kennt er uns? Sie kennt mich nicht. Do the same with the following:

hören; lieben; warten auf; stören; treffen; sehen; begrüssen; fragen; finden.

III. Form sentences with the following pronouns:

ich; mich; Sie; er; ihn; wir; uns; sie; es.

IV. Give the correct form of the verb:

1. Die Tür (aufgehen) schnell. 2. Der Vater (zurückkommen) um acht Uhr. 3. Wir (ausgehen) heute Abend. 4. Die alte Frau (aussehen) freundlich. 5. Meine

Uhr (vorgehen) nicht. 6. Sein Sohn (aufmachen) das Fenster. 7. Der junge Mann (aufmachen) die Tür. 8. Wir (andrehen) das Licht. 9. Meine Freundin (abdrehen) das Radio. 10. Bitte, (zumachen) Sie die Tür! 11. Bitte, (abdrehen) Sie das Radio nicht! 12. (Vorgehen) meine Uhr? 13. Wir (auf und abgehen). 14. Er (aussehen) sehr glücklich.

V. Put the following sentences into the plural:

1. Ich nehme die Karte und spiele. 2. Die Tür ist nicht offen, sie ist zu. 3. Ich habe die Zigarre gern. 4. Sie sieht die Zeitung immer morgens. 5. Die Lampe brennt nun sehr hell. 6. Er läutet die Glocke. 7. Die Mutter kommt und bringt die Tasse. 8. Die Nacht ist kalt und dunkel. 9. Ich kenne die Tochter gut. 10. Ist die Zigarette zu stark? 11. Nein, danke, sie ist nicht zu stark für mich. 12. Die Uhr geht vier Minuten vor. 13. Meine Freundin kommt spät zurück.

VI. Lesen Sie:

11, 15, 20, 21, 25, 17, 28, 30, 45, 50, 75, 100, 150, 250, 888, the 2nd, the 5th, 7th, 3rd, 9th, 13th, 20th, 15th, 21st, 29th, 31st, 23rd, 99th.

5 minutes to 8. 10 minutes past 3. 20 minutes past 5. 7 minutes to 6. At 9 o'clock. At 7. At 5. At 1.

VII. Fragen Sie einander:

Was ist fünf und fünf? Was ist zweimal drei? etc.

VIII. Lesen Sie Kapitel drei in der dritten Person Plural:

Sie gehen heute Abend aus, etc.

IX. Translate into German (Was ist auf deutsch?):

I am meeting Peter to-night at seven o'clock. I am cold. The wind is cold, and it is dark. Peter is not here yet. He is late. Ah, here he is.

"Good evening. My watch is not going. What time is it?"

"It is three minutes past seven. Three minutes late. Not bad for you, is it? And I believe my watch is fast. How are you?"

"Very well, thank you. What are we doing to-night?"

"Do you know the new Café?"

"No, I don't know it. Where is it?"

"It is only ten minutes from here. I know it very well, and I like it. They have a dance orchestra there, and the coffee is very good, too."

"Very well, let's go."

"I believe they have chess as well."

"Good. Let's go quickly, it is terribly cold here. I am freezing."

Translate, learn and act this dialogue.

X. Ein Dialog in Reimen

Personen: *Herr Müller, Frau Müller, Liese und Peter.*

"Guten Abend, Liese, und wo ist Peter?"
"Guten Abend, Frau Müller. Peter kommt später."
"Wie geht es? Sie sehen sehr gut aus."
"Danke, sehr gut." "Kommen Sie schnell in das Haus.
Hier ist mein Mann." "Guten Abend, wie nett!"
"Wo ist die kleine Eva?" "Sie ist schon zu Bett, dort schläft sie schon lang sehr süss und gut."
"Walter, bitte, hier ist Lieses Hut."
"Nun kommen Sie schnell, wie kalt Sie sind!"
"Kein Wunder, das ist der Oktoberwind."
"Eine Tasse Kaffee? Ein Gläschen Wein?"
"Die Glocke läutet, kann es Peter sein?"

Alle: Die Nacht ist dunkel, der Wind ist kalt.
Peter läutet die Glocke. Frau Müller kommt bald.
"Guten Abend, Peter, nun kommen Sie schnell."
"Ein Glas Bier, dunkel oder hell?

Oder eine Tasse Kaffee?
Oder vielleicht eine Tasse Tee?"
" Kaffee für mich, bitte, stark und heiss,
und nicht zu viel Milch." "Ist das zu weiss?"
" Nein, danke, das sieht sehr gut aus."
" Wie geht es? Wie ist das neue Haus?"
" Das neue Haus? O, es ist sehr, sehr schön.
Sie müssen kommen und es seh'n.
Nummer fünf, Friedrich Schillerstrasse.
Kennen Sie sie?" "Liese, noch eine Tasse?"
" Nein, danke, wir müssen wieder gehen."
" So bald schon? Also, auf Wiedersehen."
" Auf Wiedersehen, und schlafen Sie gut."
" Gute Nacht, Frau Müller. Wo ist mein Hut?"
" Gute Nacht, und kommen Sie gut nach Haus (home)."
Alle: Die Türe ist zu, die Szene ist aus.

Learn and act this scene.

Kanon für zwei Stimmen

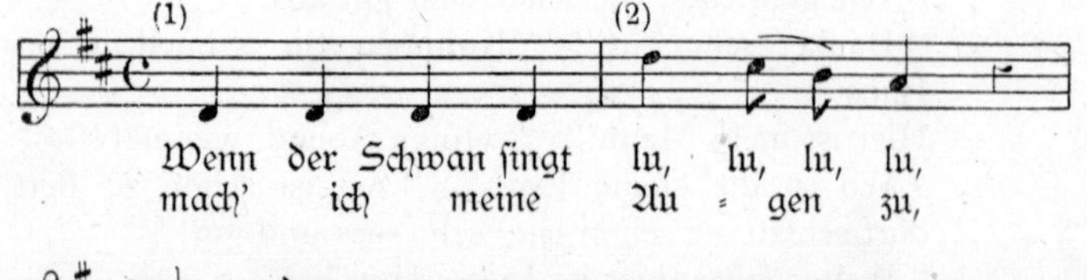

Wenn der Schwan singt lu, lu, lu, lu,
mach' ich meine Augen zu, Augen zu, Augen zu.

der Schwan, *the swan* die Augen, *eyes*
singen, *to sing* wenn, *when*

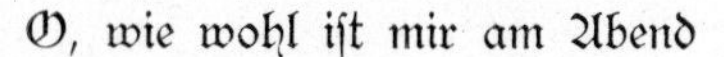

O, wie wohl ist mir am Abend, mir am Abend,

wenn zur Ruh' die Glocken läuten, Glocken läuten,

O, wie wohl ist mir am Abend, mir am Abend,
wenn zur Ruh' die Glocken läuten,
bim bam, bim bam, bim bam.

am Abend, *in the evening*
bim bam, *ding dong*
mir, *to me*
mir ist wohl, *I am well*
die Ruhe, *rest*
wenn, *when*
wohl, *well*
zur Ruhe, *to (the) rest*

DAS VIERTE KAPITEL

WIE WIR WOHNEN (S. S. 260)

FRAU MEYER besucht Frau Schmidt. Schmidts haben jetzt ein Haus und einen Garten. Meyers haben eine kleine Wohnung und sie haben keinen Garten.

"Guten Tag, Frau Schmidt."

"Guten Tag, wie geht es?"

"Danke, gut. Und das ist also das neue Haus? Es sieht sehr nett aus. Sind Sie glücklich hier?"

"Glücklich? Ja, das sind wir. Mein Mann sagt jeden Tag: Ist es nicht wundervoll hier? Wir haben ein Haus und einen schönen Garten und frische Luft und Stille. Es ist wahr, wir haben einen weiten Weg in die Stadt, aber es macht nichts. Wir haben die Strassenbahn und den Omnibus, und in zwanzig Minuten sind wir dort."

"Haben Sie viel Platz hier? Sie kennen meine kleine Wohnung. Sie ist so klein, viel zu klein für meine Familie. Ich habe keinen Platz für mein Obst, meine Kohlen und meine Kartoffeln, und mein Mann hat nicht genug Platz für sein Klavier."

"O ja, wir haben genug Platz hier. Wollen Sie das Haus sehen? Ich zeige es immer sehr gern, wir sind so stolz auf unser Haus!"

" O ja, Sie müssen es mir natürlich zeigen, ich finde ein Haus immer interessant. Wo wollen wir beginnen?"

" Ich denke, wir wollen den Keller zuerst sehen. Kommen Sie, hier links ist die Treppe. Fallen Sie nicht, hier ist es etwas dunkel. Können Sie sehen?"

" Ja, danke, ich kann gut sehen. So, nun sind wir unten. Hier haben Sie auch das elektrische Licht."

" Ja, sehen Sie: hier links habe ich meine Waschküche und hier rechts einen grossen Keller für meine Kohlen und meinen Koks, und hier noch einen kleinen Keller für Obst, Butter, Kartoffeln, Milch usw. (und so weiter). Es ist hier natürlich immer schön kühl."

" Ja, einen Keller vermisse ich sehr, er ist so sehr praktisch, nicht wahr? Wir haben nur einen kleinen Raum für Holz und Kohlen, das ist nicht genug."

" Nun gehen wir in die Küche. Hier rechts ist die Treppe. Gehen Sie zuerst, und ich drehe das Licht wieder ab. So, da sind wir wieder. Hier links ist die Tür, das ist meine Küche. Sie ist nicht sehr gross, aber sie ist hell und freundlich. Ich habe einen elektrischen Herd."

" Finden Sie ihn praktisch?"

" Nein, ich habe ihn nicht so gern wie meinen alten Gasherd. Aber die Elektrizität ist hier billig, und das ist natürlich ein Punkt."

" Ja, Sie haben recht. Aber ich finde meinen Gasherd auch billig und sehr praktisch. Wie heizen Sie das Haus, haben Sie Zentralheizung oder Öfen?"

" Wir haben Zentralheizung. Die Zimmer haben keine Öfen. Mein Mann hat den offenen Kamin sehr gern, er kennt die offenen Feuer von England, aber wir können das hier nicht haben."

"Nein, Sie haben recht, das offene Feuer sieht warm und gemütlich aus, aber die Winter hier sind zu kalt für den offenen Kamin. Finden Sie die Zentralheizung warm genug?"

"Ja, sie ist warm genug, aber sie ist natürlich nicht so romantisch wie das offene Feuer und nicht so gemütlich wie ein Ofen. Den schönen, alten Kachelofen von zu Hause vermissen wir oft."

"Und hier rechts ist das Esszimmer, wie ich sehe. Es sieht auch sehr hell und gemütlich aus."

"Das Esszimmer hat eine grosse Tür in das Wohnzimmer. Wir haben die Tür immer offen und das Zimmer ist dann zweimal so hell und freundlich."

Die Glocke läutet.

"O, ich glaube, das ist mein Junge. Es ist Viertel nach vier, und die Schule ist aus. Können Sie noch ein wenig bleiben und hier mit uns Kaffee trinken? Ja, haben Sie Zeit? Mein Mann kommt auch bald nach Hause, er kommt jetzt immer schon um Viertel vor fünf. Wir können dann miteinander trinken. Ich habe auch einen guten Kuchen, einen frischen Obstkuchen."

"Das ist sehr freundlich. Ich bleibe sehr gern."

"Das ist nett. Fritz kann die Schlafzimmer oben zeigen, und ich gehe und mache den Kaffee."

"Guten Tag, Fritz, wie geht es?"

"Danke gut, Frau Meyer. Ist unser Haus nicht schön? Wollen Sie mein Zimmer sehen? Sie müssen es sehen, es ist fein."

Fritz führt Frau Meyer durch das Haus und zeigt die Schlafzimmer und sein Zimmer oben.

Um dreiviertel fünf kommt Herr Schmidt nach Hause.

" Ist der Kaffee fertig? Ich habe einen schrecklichen Hunger und Durst. Ah, und da ist Frau Meyer, wie nett. Wie finden Sie das Haus? Ist es nicht wundervoll?"

" Ja, es ist sehr schön. Wir wollen auch ein Haus kaufen, so bald wir können. Aber jetzt sagt mein Mann immer: Wir haben nicht so viel Geld wie Schmidts, wir sind nicht so reich, wir können es noch nicht machen."

Alle lachen und Frau Schmidt bringt den Kaffee. Sie trinken den Kaffee und essen den guten, frischen Obstkuchen. Um Viertel nach sechs geht Frau Meyer wieder. Der Omnibus geht um halb sieben und bringt sie wieder nach Hause. Ich denke, Meyers haben auch bald ein Haus, denken Sie das nicht auch?

VOKABELN

der Garten, *garden*
,, Gasherd, *gas oven*
,, Herd, *oven*
,, Kachelofen, *tiled stove*
,, Kamín, *chimney*, *fireplace*
,, Keller, *cellar*
,, Koks, *coke*
,, Kuchen, *cake*
,, Mann, *husband*
,, Ofen, *stove*
,, Omnibus, *'bus*
,, Platz, (*space*), *room*
,, Raum, *room*
,, Weg, *way*

die Butter (kein Pl.), *butter*
,, Elektrizität (en), *electricity*
,, Kartóffel (n), *potato*
,, Küche (n), *kitchen*
,, Schule (n), *school*
,, Stadt (''e), *town*
,, Stille (kein Pl.), *quiet*
,, Strassenbahn (en), *tram*
,, Treppe (n), *staircase*
,, Waschküche (n), *wash-house*
,, Wohnung (en), *flat*
,, Zeit (en), *time*
,, Zentrálheizung (en), *central heating*

das Esszimmer, *dining-room*
,, Feuer, *fire*
,, Gas, *gas*
,, Holz, *wood*
,, Klavíer, *piano*
,, Obst, *fruit*
,, Schlafzimmer, *bedroom*
,, Wohnzimmer, *sitting-room*

besúchen, *visit*
bleiben, *remain*
denken, *think*
essen, isst, *eat*
fallen, fällt, *fall*
führen, *lead*
heizen, *heat*
kaufen, *buy*
können, kann, *can*
müssen, muss, *must*
vermíssen, *miss*
wohnen, *live, dwell*
wollen, will, *will, want to*
zeigen, *show*

eléktrisch, *electric*
fertig, *ready*
hell, *light*
interessánt, *interesting*
kühl, *cool*
praktisch, *convenient*
romántisch, *romantic*
stolz (auf + acc.), *proud (of)*
weit, *far*

durch (acc.), *through*

etwas, *something, somewhat*
genúg, *enough*
jed-er, -e, -es, *every, each*
jetzt, *now*
mir (dat.), *to me*
nur, *only*
oben, *above, upstairs*
rechts, *on the right*
unser, -e, *our*
unten, *below*
zuérst, *first, at first*

es macht nichts, *it does not matter*
ich habe ihn gern, *I like him*
ich habe ihn nicht so gern wie sie, *I do not like him so well as her*
ich bleibe sehr gern, *I am very pleased to stay*
jeden Tag (acc.), *every day*
nach Hause, (*towards*) *home*
sehen Sie! *look!*
Sie haben recht, *you are right*
so bald wir können, *as soon as we can*
das ist also das neue Haus? *this is the new house then?*
und so weiter, usw., *and so on, etc.*
wie ich sehe, *as I see*
wir haben einen weiten Weg in die Stadt, *it's a long way to town*
zu Hause, *at home*

Grammatik

I. The accusative

Sie haben einen Garten. Wir haben den Omnibus. Sie haben ein Haus. Wir haben eine Wohnung.

Analyse these sentences.

Masculine nouns, when used as the direct object (or accusative), change the article *der* to *den*. Correspondingly ein becomes einen, kein—keinen, mein—meinen, sein—seinen. Feminine and neuter nouns do not change their article.

Irregular : der Junge, den Junge*n* ; der Herr, den Herr*n*.

The accusative is used after some prepositions, *e.g.* für and durch : für mich, ihn, uns ; durch den Garten (*cf.* Kapitel 9).

II. The adjective in the accusative

Wir haben einen schönen Garten. Sie haben eine grosse Wohnung. Kennen Sie das neue Haus?

The adjective also ends in *-en* when it precedes a masculine noun in the accusative, but it does not change before a feminine or neuter noun.

N.	der schöne Tag	die offene Tür	das neue Haus
A.	den schönen Tag	die offene Tür	das neue Haus

III. The clock

A quarter past two: Viertel nach zwei, oder Viertel drei (a quarter on the way to three).

A quarter to two: Viertel vor zwei, oder dreiviertel zwei (three-quarters on the way to two).

Half past two : halb drei (half on the way to three).

IV. Plural of masculine and neuter nouns

The article in the plural is *die*. Kein becomes keine, mein—meine, sein—seine.

Nouns ending in *-el*, *-en*, *-er* do not change in the plural, except that some modify the stem vowel.

Nouns of this type from lessons 1-4:

der Ansager, die Ansager
,, Himmel
,, Kaiser
,, Keller
,, Kuchen
,, Morgen
,, Raucher
,, Sender
,, Walzer
,, Winter

das Fenster, die Fenster
,, Feuer
,, Kapitel
,, Mädchen
,, Orchester
,, Viertel
,, Wasser
,, Wetter
,, Wunder
,, Zimmer

der Bruder, die Brüder
,, Garten, ,, Gärten
,, Ofen, ,, Öfen
,, Vater, ,, Väter

Most other masculine and neuter nouns add *-e*, and some modify the vowel. Nouns of this type from lessons 1-4:

der Abend, die Abende
,, Freund
,, Herd
,, Hund
,, Kamin
,, Omnibus,
die Omnibusse
,, Preis
,, Punkt
,, Tag
,, Tisch
,, Weg
,, Wein
,, Wind

das Gas, die Gase
,, Haar
,, Klavier
,, Konzert
,, Programm
,, Spiel
,, Stück

der Bart, die Bärte
,, Hut, ,, Hüte
,, Kampf, ,, Kämpfe
,, Platz, ,, Plätze
,, Raum, ,, Räume
,, Sohn, ,, Söhne
,, Stock, ,, Stöcke
,, Stuhl, ,, Stühle

Exceptions from lessons 1-4:

der Herr,	die Herren	das Adagio,	die Adagios
„ Junge,	„ Jungen	„ Bett,	„ Betten
„ Kaffee,	„ Kaffees *	„ Buch,	„ Bücher
„ Mann,	„ Männer	„ Café,	„ Cafés
„ Tee,	„ Tees *	„ Geld,	„ Gelder
		„ Glas,	„ Gläser
		„ Gras,	„ Gräser
		„ Haus,	„ Häuser
		„ Holz,	„ Hölzer
		„ Radio,	„ Radios

* The plural means *kinds of coffee, kinds of tea*

Such irregularities in the plural will always be indicated in the vocabularies of each chapter as well as in the vocabulary at the end of the book.

V. The adjective ends in *-en* in the plural when it is preceded by the article or its equivalent:

die schönen Häuser, keine grossen Gärten, meine jungen Söhne, seine kleinen Töchter, *but* alte Männer.

VI. Können, wollen, müssen

können, *can, to be able to*
wollen, *will, to want, intend to*
müssen, *must, to have to*

The first and third persons singular are irregular:

ich kann, *I can*	er, sie, es kann, *he, she, it can*
ich will, *I want to*	er, sie, es will, *he, she, it wants to*
ich muss, *I must*	er, sie, es muss, *he, she, it must*

Ich kann (will, muss) heute Abend ausgehen.
Wir wollen unsere Freunde besuchen.
Er kann die teueren Zigarren nicht kaufen.

Word order

The infinitive (without *zu*—to, as in English have to, want to, be able to) stands at the end of its clause.

Aufgaben

I. Read the following nouns in the nominative, accusative and plural:

Der Vater, das Zimmer, der Garten, das Haus, die Mutter, die Frau, das Mädchen, das Fenster, der Hund, der Tag, der Tisch, mein Freund, seine Freundin, das Spiel, kein Weg, ein Abend, mein Hut, der Stuhl.

Use these nouns in the accusative in simple sentences.

II. Example: Ich habe den Garten. Er hat keinen Garten. Haben Sie einen Garten? Auch mit:

1. Ich treffe den Freund. 2. Ich begrüsse den Sohn. 3. Ich finde den Hut. 4. Ich frage den Vater. 5. Ich habe einen weiten Weg. 6. Ich bringe das Buch. 7. Ich rauche die Zigarette. 8. Ich kaufe den jungen Hund. 9. Ich besuche den deutschen Freund.

III. Put the following sentences into the plural:

1. Die Familie hat ein Haus. 2. Der Junge hat die Strassenbahn gern. 3. Das Mädchen macht die Haustür auf. 4. Der kleine Junge geht in die Schule. 5. Das grosse Wohnzimmer sieht hell und gemütlich aus. 6. Das englische Haus hat keinen Kachelofen. 7. Der Vater liebt das offene Feuer. 8. Das neue Klavier ist sehr teuer. 9. Die Frau hat einen teueren Gasherd, aber sie hat ihn nicht sehr gern. 10. Ich kenne die Wohnung nicht sehr gut.

IV. Put the following sentences into the singular:

1. Die grossen Fenster sind immer offen. 2. Meine Brüder spielen sehr gut Schach. 3. Die deutschen Sender sind oft sehr interessant. 4. Wir spielen gern Bridge. 5. Die Gärten hier sind sehr alt. 6. Die

neuen Bücher sind sehr interessant. 7. Die englischen Feuer sehen gemütlich und romantisch aus. 8. Die Plätze für die Konzerte sind teuer.

V. Lesen Sie auf deutsch:

5.10 A.M., 3.50 P.M., 1.55, 7.5, 11.55, 10.15, 7.30, 8.15, 2.45, 12.15, 11.45, 8.18, 1.30.
8, 18, 80, 800 ; 7, 17, 70, 700 ; do the same with 5, 9, 2, 3, 6, 4. The 3rd, 5th, 7th, 11th, 20th, 21st, 30th, 31st.

VI. Begin the sentence with the words in italic:

1. Wir haben *jetzt* einen grossen Garten. 2. Sie sehen die Waschküche *links*. 3. Meine Mutter spielt *morgens* oft Klavier. 4. Wir sind *in zwanzig Minuten* dort. 5. Sie müssen es uns *natürlich* zeigen. 6. Mein Mann sagt es auch *jeden Tag*. 7. Die Zentralheizung ist nicht *so gemütlich wie der Kachelofen*. 8. Das kleine Mädchen geht *morgens um acht Uhr* in die Schule.

VII. Give the right form of the verb:

1. Der kleine Fritz (fallen) oft, er (gehen) viel zu schnell. Er (können) noch nicht so schnell gehen, er (sein) noch sehr jung.
2. Meine Mutter (haben) viel Obst für den Winter.
3. Ich (können) heute Abend nicht kommen, ich (müssen) zu Hause bleiben.
4. Er (wollen) jeden Tag kommen, aber er (können) keine Zeit finden.
5. Der Junge (zumachen) das offene Fenster.
6. Wann (zurückkommen) Sie heute Abend?
7. Meine Freundin (ausgehen) heute.
8. Das neue Haus (aussehen) sehr gemütlich und praktisch.
9. Bitte, (andrehen) Sie das Licht, ich (können) nicht gut sehen, es (sein) schon sehr dunkel.

10. (Sprechen) der junge Mann deutsch? Ja, er (sprechen) ein wenig, aber nicht so gut wie Sie. Sie (sprechen) sehr gut, nicht wahr? Nein, Sie (haben) nicht recht, ich (können) nur ein wenig sprechen.

VIII. Try to turn every sentence in "Wie wir wohnen" into a question and answer them in chorus:

Besucht Frau Meyer Frau Schmidt? Haben Schmidts eine Wohnung? Haben Meyers einen Garten? etc.

IX. Describe your own house in a few sentences, and answer the other students' questions about it.

X. Was ist auf deutsch:

"Are you a long way from (have you a long way to) the town?"
"Yes, it takes (I have) 25 minutes to go. But we have 'buses and trams; they are very quick."
"Where do you live now?"
"We have a house. It is new and very convenient."
"Yes, I like the new houses, too. My brother has a flat. Have you seen it (do you know it)?"
"No, I haven't seen (don't know) it yet. Is it nice?"
"Yes, very nice, I think. Of course it is very small, and he has not much room."
"Has he a large family?"
"No. He has a small boy and a girl. The boy is two, and the girl is five. They're sweet. I am very fond of them."
"You must [come and] see my house as soon as you can."
"Thank you very much. I will come, and you must show it to me (*mir*). I always find houses very interesting."
"Well then, good-bye, and come soon!"
"Good-bye. I will come as soon as I can."

Learn and act this dialogue.

Ein Gedicht

Herbstlied

Bunt sind schon die Wälder,
gelb die Stoppelfelder
und der Herbst beginnt.

Rote Blätter fallen,
graue Nebel wallen,
kühler weht der Wind.

J. G. von Salis-Seewis
(1762–1834)

die Blätter, *leaves*
bunt, *many-coloured*
das Gedicht (e), *poem*
der Herbst, *the autumn*
kühler, *cooler*
das Lied (er), *the song*
der Nebel (—), *mists*
die Stoppelfelder, *the stubble-fields*
die Wälder, *the woods*
wallen, *float*
wehen, *blow*

Kanon für vier Stimmen

Froh zu sein, bedarf es wenig, und wer froh ist, der ist König.

Froh zu sein, bedarf es wenig,
und wer froh ist, der ist König.

froh, *glad*, *happy*
bedarf, *needs*
der König (e), *king*
der ist König, *he is king*

DAS FÜNFTE KAPITEL

EIN TRAUM

SCHWARZ ist die Nacht, die Luft ist heiss,
da liegt und schläft und träumt Herr Weiss.

" Mein Café ist offen, das Wetter ist gut.
Wo ist mein Hut, mein Sommerhut,
der gelbe Sommerhut, Frau, ist er nicht hier?
Und hier kommt Herr Wiese für sein Bier.
Ein Glas, zwei Glas, drei Glas, Herr Wiese?
Wo ist die schöne Tochter Liese?
Wie bitte, wie, Sie sind nicht Herr Wiese?
Sie sind es, Sie, mein Fräulein Liese?
Wie schön ist der Morgen, ist das nicht wahr?
Wie warm ist die Sonne, wie schön das Haar.
Ich liebe Sie, hören Sie, mein Kind?
O, Liese, Liese, wie schön Sie sind!
Ach, da ist Frau Schmitz und Paul und Peter.
Gehen Sie, Liese, ich sehe Sie später.
Frau Schmitz, Kaffee oder Wein oder Tee?
Sie rauchen Zigarren? Ach so, ich seh'.

Und die Jungen wollen mein Radio hören?
Da will ich sie natürlich nicht stören.
Wie bitte? Berliner Tanzmusik?
Ich glaube, Sie haben heute kein Glück.
Wir haben hier keine Elektrizität,
und für Gas ist es heute schon zu spät.
Der Gasmann kommt jeden Tag viele Male
und fragt, wann ich das Geld bezahle.
Achthundertfünfundsechzig Mark,
finden Sie nicht auch, das ist zu stark?
Ich habe kein Geld, ich bin nicht so reich.
Was? Die Kartoffeln sind nicht weich?
Frau, ist der Gasherd wieder so schlecht?
Ja, hier ist es heiss, da haben Sie recht.
Wo ist meine Frau? Ich muss sie sehen.
Was habe ich? Ich kann nicht gehen.
Keine Kartoffeln, kein Bier, kein Tee,
keine frische Milch für den Kaffee,
kein Wein, kein Eis und auch kein Kuchen.
Wo ist mein Hund? Ich muss ihn suchen.
Wo ist mein Spitz? Ich will ihn fragen.
Dort steigt er in einen Strassenbahnwagen —
oder ist es vielleicht ein Omnibus?
O Liese, Liese, nur einen Kuss!

So viele Leute steigen aus,
und sie alle kommen in mein Haus.
Frau, wir müssen viel, viel Kaffee kochen,
die Leute bleiben hier auf Wochen.
O Himmel, Himmel, was will ich machen?
Sagen Sie, Liese! Wie, Sie lachen?
Wie? Was? Ich bin hier? Ich bin zu Haus?
Dann: gute Nacht. Mein Traum ist aus."

Die Nacht ist schwarz, die Luft ist heiss,
aber nun träumt nicht mehr Herr Weiss.

Vokabeln

der Kuss, Küsse, *kiss*
,, Sommerhut, -hüte, *summer hat*
,, Strassenbahnwagen (—), *tram car*
,, Traum, die Träume, *dream*

die Woche (n), *week*

das Fräulein (—), *Miss*
,, Kind, die Kinder, *child*

die Leute (pl.), *people*

aus'steigen, *get out*

kochen, *cook*
liegen, *lie*
steigen, *climb*
suchen, *seek*
träumen, *dream*

auf Wochen, *for weeks*
das ist (zu) stark, *that is too much*
ich habe kein Glück, *I am unlucky*
nicht mehr, *no longer*
wann? *when?*
was habe ich? *what have I? what's the matter with me?*

Revision of Vocabulary

1. der Ansager, die Ansager
2. „ Himmel
3. „ Kaiser
4. „ Keller
5. „ Kuchen
6. „ Morgen
7. „ Oktober
8. „ Raucher
9. „ Sender
10. „ Sommer
11. „ Strassenbahnwagen
12. „ Walzer
13. „ Winter

14. „ Abend, die Abende
15. „ Freund
16. „ Herd
17. „ Hund
18. „ Kamin
19. „ Preis
20. „ Punkt
21. „ Tag
22. „ Tisch
23. „ Weg
24. „ Wein
25. „ Wind

26. „ Bruder, die Brüder
27. „ Garten
28. „ Ofen
29. „ Vater

30. der Bart, die Bärte
31. „ Hut
32. „ Kampf
33. „ Kuss
34. „ Platz
35. „ Raum
36. „ Sohn
37. „ Stuhl
38. „ Traum

39. „ Gasmann, die -männer

40. „ Herr, die Herren
41. „ Junge, die Jungen

42. „ Kaffee, die Kaffees
43. „ Tee

44. „ Omnibus, die Omnibusse

45. „ Dank (kein Pl.)
46. „ Durst
47. „ Hunger
48. „ Jazz
49. „ Koks
50. „ Sport
51. „ Zucker

52. die Ecke, die Ecken
53. „ Familie
54. „ Frau
55. „ Freundin (-nen)
56. „ Glocke
57. „ Karte
58. „ Kartoffel
59. „ Kohle
60. „ Küche
61. „ Lampe
62. „ Minute
63. „ Nase
64. „ Nummer
65. „ Person
66. „ Radiozeitung
67. „ Schokolade
68. „ Schule
69. „ Seite
70. „ Sonne
71. „ Stimme
72. „ Strasse
73. „ Strassenbahn
74. „ Symphonie
75. „ Treppe
76. „ Tür
77. „ Uhr
78. „ Vase
79. „ Waschküche
80. „ Woche

Revision of Vocabulary

1. announcer, announcers
2. heaven, sky
3. emperor
4. cellar
5. cake
6. morning
7. October
8. smoker
9. transmitter
10. summer
11. tram-car
12. waltz
13. winter
14. evening, evenings
15. friend
16. oven
17. dog
18. chimney, fireplace
19. price, prize
20. point
21. day
22. table
23. way
24. wine
25. wind
26. brother, brothers
27. garden
28. stove
29. father
30. beard, beards
31. hat
32. fight, struggle
33. kiss
34. place
35. room
36. son
37. chair
38. dream
39. gas-man, -men
40. Mr., gentleman, -men
41. boy, boys
42. coffee, coffees
43. tea
44. 'bus, 'buses
45. thanks
46. thirst
47. hunger
48. jazz
49. coke
50. sport
51. sugar
52. corner, corners
53. family
54. Mrs., wife, woman
55. friend (*fem.*) friends
56. bell
57. card, ticket
58. potato
59. coal
60. kitchen
61. lamp
62. minute
63. nose
64. number
65. person
66. *Radio Times*
67. chocolate
68. school
69. page, side
70. sun
71. voice
72. street
73. tramway
74. symphony
75. staircase
76. door
77. clock, watch
78. vase
79. wash-house
80. week

81. die Wohnung
82. „ Zeit
83. „ Zeitung
84. „ Zentral-heizung
85. „ Zigarette
86. „ Zigarre

87. „ Mutter, die Mütter
88. „ Tochter

89. „ Kuh, die Kühe
90. „ Luft
91. „ Maus
92. „ Nacht
93. „ Stadt

94. „ Polka, die Polkas

95. „ Butter (kein Plural)
96. „ Elektrizität
97. „ Mark
98. „ Milch
99. „ Musik
100. „ Stille

101. das Fenster, die Fenster
102. „ Feuer
103. „ Fräulein
104. „ Kapitel
105. „ Mädchen
106. „ Orchester
107. „ Wasser
108. „ Wetter
109. „ Wunder
110. das Zimmer

111. „ Bier, die Biere
112. „ Gas
113. „ Haar
114. „ Klavier
115. „ Konzert
116. „ Mal (einmal usw.)
117. „ Programm
118. „ Reich
119. „ Spiel
120. „ Stück

121. „ Geld, die Gelder
122. „ Kind
123. „ Licht

124. „ Buch, die Bücher
125. „ Glas
126. „ Gras
127. „ Haus
128. „ Holz

129. „ Bett, die Betten

130. „ Adagio, die Adagios
131. „ Café
132. „ Radio

133. „ Bridge (kein Plural)
134. „ Eis
135. „ Glück
136. „ Obst
137. das Schach

138. die Leute (kein Sing.)

139. ab'drehen
140. an'drehen
141. auf'machen
142. aus'gehen
143. aus'sehen, sieht aus
144. aus'steigen
145. beginnen
146. begrüssen
147. bekommen
148. besuchen
149. bleiben
150. bringen
151. denken
152. ein'steigen
153. essen, isst
154. fallen, fällt
155. finden, findet
156. fragen
157. frieren
158. führen
159. gehen
160. gewinnen
161. glauben
162. haben, hat
163. heizen
164. hören
165. kaufen
166. kennen
167. kochen
168. kommen
169. können, kann
170. lachen
171. läuten, läutet
172. lieben
173. liegen

81. flat, dwelling
82. time
83. newspaper
84. central heating
85. cigarette
86. cigar
87. mother, mothers
88. daughter
89. cow, cows
90. air
91. mouse
92. night
93. town
94. polka, polkas
95. butter (no plural)
96. electricity
97. Mark
98. milk
99. music
100. quiet, stillness
101. window, windows
102. fire
103. Miss, young lady
104. chapter
105. girl
106. orchestra
107. water
108. weather
109. wonder
110. room
111. beer, beers
112. gas
113. hair
114. piano
115. concert
116. time (one time, etc.)
117. programme
118. kingdom, state
119. play, game
120. piece
121. money, monies
122. child
123. light
124. book, books
125. glass
126. grass
127. house
128. wood
129. bed, beds
130. adagio adagios
131. café
132. wireless, -set
133. Bridge (cards)
134. ice, ice-cream
135. luck, happiness
136. fruit
137. chess
138. people
139. turn off
140. turn on
141. open
142. go out
143. look, appear
144. get out
145. begin
146. greet
147. get, receive
148. visit
149. remain
150. bring
151. think
152. get in
153. eat
154. fall
155. find
156. ask
157. freeze, to be cold
158. lead, guide
159. go
160. win
161. believe
162. have
163. heat
164. hear, listen
165. buy
166. know
167. cook, boil
168. come
169. be able to, can
170. laugh
171. ring
172. love
173. lie

174. machen
175. müssen, muss
176. nach′gehen
177. nehmen, nimmt
178. rauchen
179. sagen
180. schlafen, schläft
181. sehen, sieht
182. sein, ist
183. sitzen
184. spielen
185. sprechen, spricht
186. steigen
187. stören
188. suchen
189. träumen
190. treffen, trifft
191. trinken
192. verlieren
193. vermissen
194. vor′gehen
195. warten, wartet (auf, acc.)
196. wohnen
197. wollen, will
198. zahlen
199. zählen
200. zeigen
201. zu′machen

202. allein
203. alt
204. arm
205. billig
206. bitter
207. blau
208. braun
209. deutsch
210. dick
211. dunkel
212. dünn
213. elektrisch
214. englisch
215. fein
216. fertig
217. freundlich
218. frisch
219. gelb
220. gemütlich
221. glücklich
222. grau
223. gross
224. grün
225. gut
226. hart
227. hell
228. interessant
229. kalt
230. klassisch
231. klein
232. kühl
233. lang
234. nächst
235. nass
236. natürlich
237. nett
238. neu
239. offen
240. praktisch
241. rar
242. recht
243. reich
244. romantisch
245. rot
246. sauer
247. schlecht
248. schnell
249. schön
250. schrecklich
251. schwach
252. schwarz
253. spät
254. stark
255. still
256. stolz
257. süss
258. teuer
259. treu
260. viel, viele
261. wahr
262. warm
263. weich
264. weiss
265. weit
266. wenig
267. wundervoll
268. zu

269. aber
270. alle
271. also
272. auch
273. aus
274. bald
275. bei
276. da
277. dann
278. doch
279. dort
280. draussen
281. durch
282. eben
283. einmal
284. etwas
285. für
286. gegen
287. genug
288. gern
289. heute
290. heute Abend

174. make, do
175. must
176. go after, lose (watch)
177. take
178. smoke
179. say, tell
180. sleep

181. see
182. be
183. sit
184. play
185. speak

186. climb
187. disturb
188. seek
189. dream
190. meet
191. drink
192. lose
193. miss
194. go in front, gain (watch)
195. wait (for)
196. live, dwell
197. will, want
198. pay
199. count
200. show
201. close

202. alone
203. old
204. poor
205. cheap
206. bitter
207. blue
208. brown
209. German
210. thick, stout
211. dark
212. thin
213. electric
214. English
215. fine, nice
216. ready
217. kind, friendly
218. fresh
219. yellow
220. comfortable
221. happy
222. grey
223. large, big
224. green
225. good
226. hard
227. light, bright
228. interesting
229. cold
230. classical
231. small
232. cool
233. long
234. next, nearest
235. wet
236. natural
237. nice
238. new
239. open
240. convenient
241. rare
242. right
243. rich
244. romantic
245. red
246. sour
247. bad
248. quick
249. beautiful, fine
250. terrible
251. weak
252. black
253. late
254. strong
255. quiet, still
256. proud
257. sweet
258. dear
259. faithful
260. much, many
261. true
262. warm
263. soft
264. white
265. far, wide
266. little
267. wonderful
268. closed
269. but
270. all (pl.)
271. therefore
272. also
273. out of
274. soon
275. by, near
276. there, then
277. then
278. yet
279. there
280. outside
281. through
282. just
283. once
284. something, somewhat
285. for
286. against
287. enough
288. gladly
289. to-day
290. to-night

291. hier
292. immer
293. in
294. jeder
295. jetzt
296. links
297. mit
298. morgen
299. nach
300. nicht
301. nichts
302. niemand
303. noch
304. noch einmal
305. noch nicht
306. nun
307. nur
308. oben
309. oder
310. oft
311. rechts
312. schon
313. sehr
314. so
315. um
316. unten
317. vielleicht
318. von
319. vor
320. wann?
321. was
322. wer?
323. wie
324. wieder
325. wo
326. wohl
327. zu
328. zuerst
329. zurück
330. Abend für Abend
331. auf Wiedersehen
332. bitte
333. danke
334. danke schön
335. das ist (zu) stark
336. das nächste Mal
337. die Tür geht auf
338. die Uhr geht vor (nach)
339. er ist nicht so gross wie ich
340. es macht nichts
341. gute Nacht
342. guten Abend
343. guten Morgen
344. guten Tag
345. haben Sie vielen Dank
346. "ich friere", "ich auch"
347. ich gehe heute Abend aus
348. ich gehe nach Hause
349. ich habe es (ihn) gern
350. ich habe es gut, ja?
351. ich habe ihn nicht so gern wie sie
352. ich habe (kein) Glück
353. ich höre es (ihn) gern
354. ich komme zurück
355. ich komme zu spät
356. ich nehme Platz
357. jeden Tag
358. kein Wunder
359. nehmen Sie Platz!
360. nicht wahr?
361. schlafen Sie gut
362. sehen Sie!
363. sie alle
364. sie beginnen eben
365. Sie haben recht
366. Sie sind es
367. so bald wir können
368. um acht Uhr
369. um die Ecke
370. und so weiter
371. was habe ich?
372. wie bitte?
373. wie geht es?
374. wie ich sehe
375. wie immer
376. wir gehen auf und ab
377. wir sprechen miteinander
378. wir warten auf ihn
379. zu Hause

291. here
292. always
293. in
294. every, each
295. now
296. on the left
297. with
298. in the morning
299. after, past
300. not
301. nothing
302. nobody
303. still, yet
304. once more
305. not yet
306. now
307. only
308. above, upstairs
309. or
310. often
311. on the right
312. already
313. very
314. so, thus
315. at, round
316. below, downstairs
317. perhaps
318. of, from
319. before
320. when?
321. what
322. who?
323. how, as
324. again
325. where
326. probably, well
327. to, too
328. first, at first
329. back
330. evening after evening
331. good-bye (" so long ")
332. please
333. thank you
334. thank you very much
335. that is (too) bad
336. the next time
337. the door opens
338. the watch gains (is fast), loses (is slow)
339. he is not as tall as I am
340. it does not matter, makes no difference
341. good night
342. good evening
343. good morning
344. good day, how do you do?
345. very many thanks
346. " I am cold ", " so am I "
347. I am going out to-night
348. I go home
349. I like it (him)
350. I am lucky, am I not?
351. I don't like him as well as her
352. I am (un)-lucky
353. I like to hear it (him)
354. I come back
355. I am too late
356. I take a seat
357. every day
358. no wonder
359. take a seat!
360. is it not so?
361. sleep well
362. look!
363. they all
364. they are just beginning
365. you are right
366. it is you
367. as soon as we can
368. at eight o'clock
369. round the corner
370. etc.
371. what is the matter with me?
372. I beg your pardon
373. how are you?
374. as I see
375. as always
376. we go up and down, to and fro
377. we talk together
378. we are waiting for him
379. at home

AUFGABEN

I. Give the correct form of the verb and correct endings:

1. D— klein— Junge (haben) ein— gross— Hunger. 2. D— alt— Mann (nehmen) d— deutsch— Zigarre und (rauchen) sie. 3. D— nett— klein— Hund (warten) auf d— Jungen. 4. (Ausgehen) Sie heute Abend? Ja, ich (wollen) ausgehen. (Können) Sie auch kommen? Nein, danke, ich (müssen) heute Abend zu Hause bleiben. 5. D— dick— deutsch— Mann (treffen) sein— klein— Freundin um sieben Uhr. 6. D— klein— Kind (sehen) d— Uhr, aber es (kennen) sie noch nicht. 7. D— neu— Hut (aussehen) schön. 8. D— Glocke (läuten). Mein— Freunde (kommen). Ich (gehen) und (aufmachen) die Tür. 9. Mein Vater (finden) d— englisch— Wetter sehr schlecht. Er (sagen), es (sein) zu kalt für ihn. 10. Wo (schlafen) d— nett— klein— Mädchen? (Schlafen) sie allein? Ja, sie (sein) zehn Jahre (years) alt, und (können) gut allein schlafen. 11. Wann (müssen) ich aussteigen? Sie (aussteigen) in 10 Minuten. 12. Bitte, wo (sein) die Kaiserstrasse? (Wohnen) Sie dort? Nein, ich (wohnen) nicht dort, aber meine Freundin (wohnen) dort und ich (wollen) sie besuchen. 13. (Vorgehen) meine Uhr wieder? Es ist schrecklich, einmal (vorgehen) sie und dann (nachgehen) sie wieder. 14. Es (sein) dunkel, ich (wollen) das Licht andrehen. O ja, bitte, (andrehen) Sie es. Nun (können) ich wieder gut sehen.

II. Connect the following groups of words in simple sentences:

1. Kaffee, heiss, stark, Tee, schwach, dünn, kalt, gern haben, lieben.
2. Reich, arm, glücklich, viel Geld, kaufen, die teueren Zigarren, Radio, Klavier, Haus, Garten.
3. Haus, neu, alt, gemütlich, warm, kalt, Ofen, Feuer,

Zentralheizung, Zimmer, Familie, gross, klein, Hund, Maus, Kuh, Katze.

4. Wetter, gut, schlecht, England, Deutschland, Wind, Sonne, Sommer, heiss, kalt, Oktober, Nacht, lang, dunkel, Tag, warm.

5. Zimmer, Fenster, Tür, Tisch, Stuhl, Radio, Klavier, Bett, Feuer.

III. Put the following sentences into the plural:

1. Ich kenne das neue Haus noch nicht. 2. Der kleine Junge dreht die elektrische Lampe ab, und das Zimmer ist dunkel. 3. Der grüne Hut sieht nett aus, er ist ein Sommerhut. Ich denke, ich will ihn kaufen. Ist er wohl teuer? Ich will den jungen Mann dort fragen. Er kann mir den Preis vielleicht sagen. Der Preis ist 4 Mark 85. Ich habe nicht viel Geld (kein Pl.), aber ich denke, ich kann ihn kaufen. Ich habe ihn sehr gern, ich finde, er ist zu schön. 4. Das Buch ist sehr interessant. Mein Freund kennt es, aber ich kenne es noch nicht. Ich habe ein Buch gern, Sie auch? Mein Freund hier liebt Bücher nur wenig. Er liebt die Zeitung, er findet die Sportzeitung immer interessant. Mein Bruder hat Sport auch sehr gern, aber ich nicht.

IV. Put the following sentences into the singular:

1. Die Kartoffeln sind heute nicht weich, und die Kuchen sind nicht frisch. 2. Die Glocken läuten, die Türen gehen auf, und die Freunde kommen in die Häuser und in die Zimmer. Wir haben Tische und Stühle. Die Stühle sind weich und gemütlich. Wir sitzen abends und rauchen, sprechen, spielen und hören die interessanten Radioprogramme. Morgens sind die Väter nicht zu Hause. Sie kommen abends nach Hause. Die Frauen sind morgens allein zu Hause und kochen. Sie gehen aus und kaufen Butter, Milch, Zucker usw. Sie hören

Radio, wenn sie können. Aber sie müssen schnell sein, die Männer haben Hunger, wenn sie kommen, und die Kinder haben auch Hunger. 3. Wir können die Uhren nicht gut sehen. Wie spät ist es? Wir glauben, es ist halb neun, aber vielleicht gehen die Uhren vor. Wir wollen die Frauen dort fragen. "Bitte, wie spät ist es?" "Es ist fünf Minuten nach ½ 9." "Danke schön."

V. Substitute pronouns for nouns in the following sentences:

1. Der Junge kennt den Mann nur wenig. 2. Die Frauen haben die neuen Häuser sehr gern. 3. Ich sehe den alten Mann oft, aber er kennt mich nicht. Er kennt meinen Vater und meine Mutter, aber mich und meinen Bruder kennt er noch nicht. 4. Ich will das neue Buch heute Abend bringen. 5. Der Gasmann kommt viel zu oft; er will Geld haben. 6. Die Mutter hat einen Keller, und sie findet den Keller sehr praktisch. 7. Herr Weiss hat einen schrecklichen Traum. Haben Sie oft Träume? Ja, ich habe viele Träume, und ich habe Träume nicht gern.

VI. Lesen Sie auf deutsch:

6.10 A.M., 7.50 A.M., 1.5 P.M., 11.55 P.M., 7.45, 6.30, 8.15, 9.30, 12.45, 11.15, 10.30. 7, 17, 70, 700; auch mit: 3, 4, 6, 9, 8. The 1st, 9th, 11th, 3rd, 15th, 25th, 2nd, 21st, 30th.

VII. Describe in a few sentences:

(*a*) Ein Abend zu Hause
(*b*) Mein Haus oder meine Wohnung
(*c*) Ein Café, das ich kenne

Keep to simple sentences and to the vocabulary that you know. Ask each other questions about it.

VIII. Revise the songs and Nursery Rhyme in the first four chapters.

Ein Lied

Wenn der Topf aber nun ein Loch hat

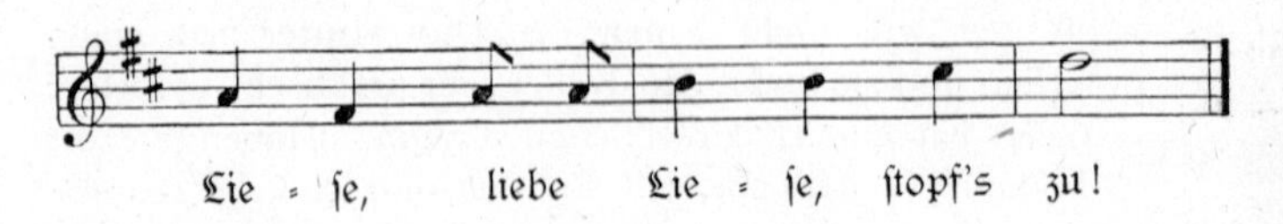

Wenn der Topf aber nun ein Loch hat, lieber Heinrich, lieber
Heinrich?
Stopf's zu, liebe, liebe Liese, liebe Liese, stopf's zu!

Womit soll ich's denn aber zustopfen, lieber Heinrich, lieber
Heinrich?
Mit Stroh, liebe, liebe Liese, liebe Liese, mit Stroh!

Wenn das Stroh aber nun zu lang ist? usw.
Schneid's ab! usw.

Womit soll ich's denn aber abschneiden? usw.
Mit dem Messer! usw.

Wenn das Messer aber nun stumpf ist? usw.
Mach' es scharf! usw.

Womit soll ich's denn aber scharf machen? usw.
Mit dem Stein! usw.

Wenn der Stein aber nun trocken ist? usw.
Mach' ihn nass! usw.

Womit soll ich ihn aber nass machen? usw.
Mit Wasser! usw.

Womit soll ich denn aber Wasser holen? usw.
Mit dem Topf! usw.

Wenn der Topf aber nun ein Loch hat? usw.
Lass' es sein, dumme, dumme Liese, dumme Liese, lass' es sein

der Topf (″e), *the pot, saucepan*
das Loch (″er), *hole*
stopf's zu!, *stop it (up)! mend it!*
womit, *with what (wherewith)*
soll, *shall*
ich's—ich es
zu'stopfen, *to stop (up), mend*
das Stroh, *straw*
ab'schneiden, schneidet ab, *cut off*
das Messer (—), *knife*
stumpf, *blunt*
scharf, *sharp*
trocken, *dry*
mach'—mache, *make!*
der Stein (e), *stone*
holen, *fetch*
lass' es sein, *leave it (be)!*
dumm, *stupid, silly*

DAS SECHSTE KAPITEL

ROTKÄPPCHEN: EIN MÄRCHEN

KENNEN Sie das nette, kleine Mädchen auf dem Bild? Natürlich kennen Sie es, es ist Rotkäppchen. Auf dem Kopf hat sie das rote Käppchen von der Grossmutter, und in der Hand hat sie einen Korb. In dem Korb hat sie Kuchen und Wein, und sie ist auf dem Weg zu der Grossmutter. Die Grossmutter ist alt und krank und wohnt in einem kleinen Haus mitten im Wald unter drei grossen Bäumen. Rotkäppchen geht im Wald unter den Bäumen und hört die Vögel und sieht den blauen Himmel und ist sehr glücklich.

Da sieht sie ein Tier kommen. Sie kennt es nicht, aber es ist der Wolf. Sie hat keine Angst vor ihm. Der Wolf sagt mit einer freundlichen Stimme: "Guten Morgen, Rotkäppchen, was tust du hier im Wald an einem so schönen Tag?" Rotkäppchen antwortet: "Ich gehe zu der Grossmutter und bringe ihr Kuchen und Wein, denn sie ist alt und krank. Kennst du sie? Sie wohnt in dem kleinen Haus mitten im Wald unter den drei grossen Bäumen." Der Wolf sagt zu ihr: "Ja, ich kenne sie gut. Aber willst du ihr nicht einige Blumen bringen? Siehst du die Blumen vor deinen Füssen? Die Grossmutter hat frische Blumen gern." Und Rotkäppchen beginnt Blumen zu pflücken. Bald hat sie einen schönen, grossen Strauss von Waldblumen.

Der Wolf aber geht allein zu dem kleinen Haus unter den drei Bäumen mitten im Wald. Er geht zu der Tür und klopft. Eine Stimme ruft aus dem Zimmer: "Wer ist da?" Der Wolf antwortet mit einer süssen Kinderstimme: "Ich bin es, dein Rotkäppchen. Ich bringe dir Wein und Kuchen von meiner Mutter." Die Grossmutter ruft: "Mache die Tür auf und komme herein. Ich liege im Bett und kann die Tür nicht aufmachen." Der Wolf macht die Tür auf, springt schnell zu dem Bett und frisst die arme Grossmutter ganz. Dann denkt er: "Ah, das ist gut, sehr gut. Das Bett ist weich und warm, ich will darin liegen und auf Rotkäppchen warten." Er zieht die Decke zu den Ohren, liegt ganz still und wartet auf das kleine Mädchen.

Rotkäppchen hat nun viele Blumen, und sie geht auch zu dem kleinen Haus unter den drei grossen Bäumen mitten im Wald. Sie geht zu der Haustür und klopft. Eine Stimme ruft aus dem Zimmer: "Wer ist da?" Rotkäppchen antwortet: "Ich bin es, dein Rotkäppchen. Ich bringe dir Kuchen und Wein von meiner Mutter." Die Stimme ruft: "Mache die Tür auf und komme herein, denn ich liege im Bett und kann die Tür nicht aufmachen." Rotkäppchen macht die Tür auf und geht zu dem Bett. Sie sagt: "Guten Morgen, Grossmutter, wie geht es dir? Aber Grossmutter, warum hast du so grosse Augen?" Der Wolf antwortet: "Dass ich dich besser sehen kann." "Grossmutter", sagt das kleine Mädchen, "warum hast du so grosse Ohren?" "Dass ich dich besser hören kann." "Grossmutter, warum

hast du eine so grosse Nase?" "Dass ich dich besser riechen kann." "Grossmutter, warum hast du einen so grossen Mund?" "Dass ich dich besser fressen kann!" Und der Wolf springt aus dem Bett und frisst das arme Rotkäppchen ganz. Dann denkt er: "Ah, das ist gut, sehr gut. Nun bin ich aber müde und will schlafen. Das Bett ist weich und warm. Ich will darin liegen und lang und gut schlafen."

Nicht lange danach kommt der Förster zu dem kleinen Haus unter den drei grossen Bäumen mitten im Wald. Der Förster kennt die Grossmutter ganz gut und er denkt: "Die Grossmutter ist krank. Ich will gehen und sehen, wie es der alten Frau geht." Er klopft, aber er bekommt keine Antwort. Er hört nur das laute Schnarchen aus dem Zimmer. Er denkt: "Was ist das? Die Grossmutter schnarcht? Das ist mir neu!" Er klopft noch einmal, aber er bekommt wieder keine Antwort. Er macht die Tür auf und sieht den Wolf in dem Bett. Da nimmt er sein Gewehr und will schiessen. Aber er denkt: "Die Grossmutter ist nicht in dem Zimmer und nicht in dem Bett—ist sie vielleicht in dem Wolf? Vielleicht ist sie in dem Wolf, und vielleicht lebt sie noch." Auf einem Stuhl neben dem Bett sieht er ein Messer. Er nimmt es und schneidet damit den Wolf auf. (Der Wolf schläft und schnarcht.) Der Förster macht ein Loch und sieht bald eine kleine rote Kappe. Er denkt: "Ah, das ist wohl das kleine Rotkäppchen?" Er macht das Loch etwas grösser und zieht und zieht und zieht—und heraus kommt Rotkäppchen. Sie lebt noch und sagt zu ihm: "Schnell, schnell, die Grossmutter ist auch in dem Wolf". Der Förster macht das Loch noch grösser (der Wolf schläft und schnarcht), und bald sieht er eine weisse Kappe. (Die Grossmutter hat eine weisse Bettkappe.) Er zieht und zieht und zieht noch einmal—und heraus kommt die Grossmutter. Der Förster sagt: "Wie geht es Ihnen, sind Sie

sehr schwach?" "Ah," sagt die Grossmutter, "es ist schrecklich in dem Wolf. Aber die frische Luft tut mir gut. Es geht mir schon viel besser."

Der Förster geht und holt viele grosse, schwere Steine aus dem Garten. Damit füllt er den Wolf, und dann findet er eine Nadel und einen Faden und näht den Wolf damit wieder zu. (Der Wolf schläft und schnarcht.) Endlich wacht der Wolf auf. Er hat einen grossen Durst und will Wasser trinken. Er springt aus dem Bett und geht aus dem Zimmer und aus dem Haus und sucht den Brunnen vor dem Haus. Er will trinken, aber die Steine in ihm sind zu schwer, und er muss in dem Brunnen ertrinken. Rotkäppchen aber und die Grossmutter und der Förster sind sehr glücklich. Sie essen den Kuchen und trinken den Wein, und sie tanzen und springen und singen: "Der Wolf ist tot, der Wolf ist tot!"

Vokabeln

der Brunnen (—), *well*
,, Förster (—), *forester*

,, Faden (̈), *thread*
,, Vogel (̈), *bird*

,, Stein (e), *stone*

,, Baum (̈e), *tree*
,, Fuss (̈e), *foot*

der Kopf (̈e), *head*
,, Korb (̈e), *basket*
,, Strauss (̈e), *bunch, bouquet*
,, Wolf (̈e), *wolf*

,, Mund (̈er), *mouth*
,, Wald (̈er), *wood*

die Antwort (en), *answer*
,, Blume (n), *flower*

die Decke (n), *blanket, cover*
„ Kappe (n), *cap*
„ Nadel (n), *needle*

„ Angst (''e), *fear, anxiety*
„ Hand (''e), *hand*

„ Grossmutter (''), *grandmother*

das Käppchen (—), *little cap*
„ Märchen (—), *fairy tale*
„ Messer (—), *knife*
„ Rotkäppchen, *Little Red Riding-hood*

„ Gewéhr (e), *gun, rifle*
„ Tier (e), *animal*

„ Auge (n), *eye*
„ Ohr (en), *ear*

„ Bild (er), *picture*
„ Loch (''er), *hole*

antworten, antwortet, *answer*
auf'schneiden, *cut open*
auf'wachen, *wake up*
ertrínken, *drown, be drowned*
fressen, frisst, *eat (of animals)*
füllen, *fill*
heráus'kommen, *come out*
heréin'kommen, *come in*
klopfen, *knock*
leben, *live, be alive*
nähen, *sew*
pflücken, *pick*
riechen, *smell*
rufen, *call*
schiessen, *shoot*
schnarchen, *snore*
schneiden, schneidet, *cut*
singen, *sing*
springen, *spring, jump*
tanzen, dance
ziehen, *pull*

besser, *better*
grösser, *bigger*
krank, *ill*
laut, *loud*
müde, *tired*
schwer, *heavy*
tot, *dead*

an, *at*
bis, *till*
darín, *therein*
dass, *that, so that* (conj.)
denn, *for, because*
einige, *a few*
ganz, *whole, quite*
mitten in, *in the middle of*
neben, *next to, near*
unter, *under*
warúm, *why*
wenn, *when* (conj.)

sie hat Angst vor dem Wolf, *she is afraid of the wolf*
wie geht es Ihnen? *how are you?*

Grammatik

I. The dative case

In dem Haus; in dem Garten; mit einer süssen Stimme; unter den Bäumen.

The article changes in the dative from *der* and *das* to *dem*, and from *die* to *der*. In the plural the article is *den* and the noun ends in *-n*. The adjective ends in *-en* in singular and plural.

Nom.	der schöne Tag	die alte Stadt	das neue Haus
Acc.	*den* schöne*n* Tag	die alte Stadt	das neue Haus
Dat.	*dem* schöne*n* Tag	*der* alte*n* Stadt	*dem* neue*n* Haus

Nom.	die schöne*n* Tage, Städte, Häuser
Acc.	die schöne*n* Tage, Städte, Häuser
Dat.	*den* schöne*n* Tage*n*, Städte*n*, Häuser*n*

Monosyllabic masculine and neuter nouns may add *-e*: in dem Haus*e*.

Corresponding to *dem*, *der* and *den* we form the following: einem, einer; jedem, jeder; keinem, keiner, keinen; meinem, meiner, meinen; seinem, seiner, seinen; unserem, unserer, unseren.

The dative is used:

(*a*) after the following prepositions: an, auf, aus, bei, in, mit, mitten in, nach, neben, unter, von, vor, zu.

Contractions: an dem, in dem, zu dem, usw. can become *am*, *im*, *zum*, usw.

(*b*) as *indirect object*, answering the question: to whom? Ich bringe es der Mutter. Ich bringe es ihr.

Dative pronouns

ich—*mir*; du—*dir*; er—*ihm*; sie—*ihr*; es—*ihm*; wir—*uns*; Sie—*Ihnen*; sie—*ihnen*.

Prepositions and pronouns

Er geht mit dem Vater—er geht mit ihm. Er steht vor der Mutter—er steht vor ihr. Er kommt zu dem Kind —er kommt zu ihm. *But:*

Er schreibt mit dem Bleistift (*pencil*)—er schreibt damit. Er steht vor der Tür—er steht davor. Er ist in dem Haus—er ist darin. Ich spiele mit den Karten—ich spiele damit.

When the pronouns refer to objects and not to persons the prefix *da-* takes their place and forms one word with the prepositions. Thus:

dabei, damit, danach, davon, davor, daneben.

With prepositions beginning with a vowel the prefix is *dar-*. Thus:

daraus, darauf, darin, darunter, daran.

Irregular nouns: der Junge, den Junge*n*, dem Junge*n*; der Herr, den Herr*n*, dem Herr*n*.
Adjectives used as nouns retain the adjective declension.

II. "du"

The familiar *du* is used when speaking to children, to relatives, to intimate friends and to animals.

The *verb*: Add -st to the stem:

du gehst, du sagst, du kaufst, usw.

Irregularities of the 3rd person singular are shared by the *du* form:

er schläft, du schläfst; er nimmt, du nimmst; er sieht, du siehst; er kann, du kannst; du willst, du musst.

The verbs *sein* and *haben:*

du bist; du hast.

Imperative: gehe, komme, schlafe, sei, habe, nimm, iss! usw. This *-e* is often omitted: geh', komm', usw.

Pronouns: *Nom.* du, *Acc.* dich, *Dat.* dir.

Possessive: *Nom.* dein, deine, dein; *Acc.* deinen, deine, dein; *Dat.* deinem, deiner, deinem. *Plural:* *Nom.* and *Acc.* deine, *Dat.* deinen.

III. Adjectives end in *-e* in the nominative and accusative plural when not preceded by the aricle or its equivalent:

die schön*en* Blumen, die gross*en* Augen, usw. *but*: schön*e* Blumen, gross*e* Augen, usw.

Aufgaben

I. Fragen Sie einander:

Wo ist der Hund, das Haus, die Blume? usw.

II. Give correct endings:

1. Sehen Sie d— schön— gross— Haus auf d— neu— Bild? 2. Wir hören d— klein— Vögel in d— grün— Wald singen. 3. Mein— deutsch— Freunde wohnen in ein— gemütlich— Haus vor d— alt— Stadt. 4. Er macht d— gross— Loch mit ein— gut—, scharf— Messer. 5. D— Vögel sitzen auf d— Bäumen und singen wunderschön— Lieder. 6. Kennen Sie d— Blumen und d— Tiere in d— Wäldern? Nein, ich kenne sie nicht sehr gut, ich wohne in ein— gross— Stadt, und an mein— Haus ist kein Garten. Aber ich habe frisch— Blumen aus d— Wald sehr gern. 7. Wo ist Fritz? Er ist noch in d— Wohnzimmer, er sitzt an d— gross— Tisch mitten in d— Zimmer und macht sein— deutsch— Aufgaben. 8. Bringen Sie d— alt— Mann ein— weich— Stuhl, er ist müde und will ein wenig sitzen.

III. Lesen Sie Kapitel 2 mit *du* für *Sie*.

IV. Give the correct form of the verb:

1. Ich (fragen) ihn nach dem Weg, aber er (antworten) mir nicht. Vielleicht (kennen) er den Weg nicht, oder vielleicht (hören) er nicht gut. 2. Die kleine graue Maus (fressen) den frischen Kuchen sehr gern, aber sie (können) ihn nicht haben, denn ich (essen) ihn auch gern, und ich (wollen) ihn heute Abend essen. 3. Wann (aufwachen) Sie am Morgen? Ich (aufwachen) immer sehr früh, und (können) nicht mehr schlafen und doch (sein) ich sehr müde. Ich (aufwachen) immer sehr spät und (kommen) oft zu spät. Meine Uhr (nachgehen) oft. 4. Das kleine Mädchen (haben) Angst vor dem grossen Hund, aber er (sein) freundlich und (haben) kleine Kinder gern. 5. (Kommen) du heute Abend mit uns? Wir (wollen) Schmidts besuchen. Ja, danke, ich (kommen) sehr gern. (Kennen) du Frau Schmidt? Ja, ich (kennen) sie gut, und ich (haben) sie sehr gern. 6. (Leben) seine Grossmutter noch? Ja, sie (sein) 77 Jahre alt, aber sie (sehen) und (hören) noch gut, und sie (können) noch gut gehen. 7. (Können) ich für Sie zahlen? Danke schön, das (sein) sehr nett von Ihnen. 8. (Nähen) das nette kleine Mädchen gern? Ja, ich (glauben), sie (nähen) gern, aber nicht sehr gut. 9. Er (sprechen) nicht laut genug, ich (können) ihn nicht gut hören. 10. (Können) du englisch sprechen? Ja, ich (sprechen) ein wenig, aber (wollen) du nicht deutsch sprechen? Du (müssen) deutsch sprechen, wenn du in Deutschland (sein).

V. Substitute pronouns for the nouns in the following sentences:

1. Der Junge kommt zu seiner Mutter und bringt ein Glas Wasser. 2. Ich will es meinem Vater sagen, wenn er zurückkommt. 3. Die Frau spricht oft mit dem Jungen; ich denke, sie hat den Jungen gern. 4. Ich sitze auf dem Stuhl an dem Tisch und spiele mit den Karten. 5. Der Vater ist sehr stolz auf seinen Garten. Er zeigt

ihn seinem englischen Freund, und der Freund findet den Garten sehr interessant. 6. Meine Mutter kocht immer auf dem Kohlenherd, aber ich koche mit Gas. Kochen Sie mit Elektrizität? 7. Der Vater spielt oft mit seinen Kindern, und die Kinder spielen natürlich immer sehr gern mit ihrem Vater. 8. Ich fülle das Glas mit Wasser und bringe es dem kleinen Kind. 9. Der junge Mann tanzt immer mit dem jungen Mädchen; sie tanzen gut, nicht wahr? 10. Wie geht es dem alten Mann? Danke, es geht ihm nun viel besser.

VI. Was ist auf deutsch:

"How do you do, Eva."
"Good evening, Peter."
"How are you?"
"I am much better now, thank you. It is very cold to-night, isn't it? And how are you?"
"I am always well, thank you."
"Are you never (*nie*) ill?"
"No, I don't think so (I think not)."
"Oh, you are lucky, aren't you?"
"Yes, you're right."
"What do you want to do to-night? Do you want to go out?"
"I don't think so. The weather is so bad and the wind so cold. Let us stay at home and (let us) play something. Will you stay here?"
"I will (yes), thank you. Are your (*Ihre*) mother and your (*Ihr*) brother at home?"
"Yes, mother and Fritz are at home. Perhaps they will play cards with us. I will go and ask them."

Use first Sie and then du. Learn and act this dialogue.

VII. Tell the story of Rotkäppchen, each saying one sentence in turn. Act it!

Nursery Rhyme

Mein Vater kaufte sich ein Haus.
Bei dem Haus da war ein Garten.
In dem Garten war ein Baum.
Auf dem Baum da war ein Nest.

In dem Nest da war ein Ei.
In dem Ei da war ein Dotter.
In dem Dotter war ein Hase,
der beisst dich in die Nase.

kaufte, *bought*
sich, *himself*
war, *was*
das Nest (er), *nest*
das Ei (er), *egg*
das Dotter (—), *yolk*
der Hase (n), *hare*
beissen, *bite*

Sprichwörter

Reden ist Silber, Schweigen ist Gold.
Eile mit Weile.
Es ist nicht alles Gold, was glänzt.
Ende gut, alles gut.
Ein Sperling in der Hand ist besser als eine Taube auf dem Dach.
Morgenstund' hat Gold im Mund.

reden, redet, *talk*
das Silber, *silver*
schweigen, *to be silent*
das Gold, *gold*
eilen, *hurry*
die Weile, *while*
mit Weile, *slowly*
alles, *all*, (sing.) *everything*
glänzen, *glitter*
das Ende (n), *end*
der Sperling (e), *sparrow*
die Hand (¨e), *hand*
besser als, *better than*
die Taube (n), *pigeon*, *dove*
das Dach (¨er), *roof*
die Stunde (n), *hour*

Kanon für drei Stimmen

Karl Gottlieb Hering (1766 bis 1833)

C-a-f-f-e-e, trink' nicht so viel Caffee.
Nicht für Kinder ist der Türkentrank,
schwächt die Nerven, macht dich blass und krank.
Sei doch kein Muselmann, der ihn nicht lassen kann.

der Türkentrank (″e), *Turkish drink*
schwächen, *to weaken*
der Nerv (en), *nerve*
blass, *pale*
dich, *thee*
der Muselmann (″er), *Moslem*
lassen, *leave*
der ihn nicht lassen kann, *who cannot leave it*

DAS SIEBENTE KAPITEL

WEIHNACHTEN IN DEUTSCHLAND: EIN BRIEF

München, den 25. Dezember 1938.

Liebe Frau Doktor!

Heute muss ich Ihnen endlich einen langen Brief schreiben. Die letzten Tage waren so schön und interessant, und wir hatten keine Zeit für Briefe. Aber nun habe ich eine Stunde für mich. Mein Mann liest die Zeitung, meine Freundin will eine Stunde schlafen. So kann ich Ihnen endlich schreiben. Also, hören Sie mir geduldig zu.

Wir kamen am 20. Dezember hier an. Die Überfahrt war ganz schrecklich, aber wir wollen nicht davon sprechen. Das Haus hier sah schon ganz weihnachtlich aus. Im Wohnzimmer hing der Adventskranz von der Decke. Das ist ein Tannenkranz mit vier roten Kerzen und roten Bändern. Am Sonntag Abend brannten die Kerzen auf dem Kranz, und wir sangen die schönen deutschen Weihnachtslieder, " Stille Nacht " usw. Sie kennen sie ja besser als ich. Im Kinderzimmer hatten die Kinder ihren Adventskalender. Das ist auch eine sehr nette Idee: Der Kalender sieht wie ein Haus aus, und er hat 24 kleine Fenster für die 24 Tage im Dezember vor dem Heiligen Abend. Jeden Tag machen die Kinder ein Fenster auf und hinter jedem Fenster ist ein Bild,—ein Engel, eine Kerze, ein Stern usw. Am Heiligen Abend kamen sie zu der Tür, und da fanden sie das Christkind in der Krippe von Bethlehem. Ich muss im nächsten Jahr einen Kalender für unsere Kinder machen, er gefällt ihnen sicher sehr gut.

Am Nachmittag vor dem Heiligen Abend gingen wir mit den Kindern zum Weihnachtsmarkt. Da konnte man bunte Kerzen, goldene Nüsse und goldene Sterne für den Weihnachtsbaum kaufen und schöne grosse und kleine Weihnachtsbäume. Hier in München sah man auch viele Krippenfiguren. Das sind kleine Figuren aus Holz, die unter dem Weihnachtsbaum stehen, Joseph und Maria, das Christkind in der Krippe, die Hirten, und die drei Könige aus dem Morgenland mit ihren Kamelen, dazu natürlich der Ochs und der Esel und viele, viele Schafe.

Um sechs Uhr pünktlich kamen wir nach Hause zurück. Wir warteten noch auf einige Freunde, sassen im Kinderzimmer und sangen einige Weihnachtslieder. Aber die Kinder waren viel zu aufgeregt, und mit dem Singen war es nicht sehr viel. Endlich läutete eine kleine Glocke im Wohnzimmer. Die Mutter kam und machte die Tür auf und da stand der Weihnachtsbaum in der Ecke bei dem grossen Fenster. Alle seine Kerzen brannten, und es waren sehr viele, bunte Kerzen. Das ganze Zimmer war hell davon. Der Baum sah ganz wunderschön aus mit seinen roten Äpfeln, seinen goldenen Nüssen, den goldenen Sternen und den vielen Lichtern. Darunter stand die Krippe mit den schönen, alten Figuren. Joseph und Maria sassen in einem kleinen Haus, und neben ihnen waren der Ochs und der Esel. Vor ihnen stand die Krippe mit dem Kind. Vor dem Haus standen die Hirten mit ihren Schafen und Hunden, und von links kamen die drei Könige aus dem Morgenland mit ihren Kamelen. Der Vater las die Weihnachtsgeschichte aus der grossen, dicken Familienbibel, und wir alle sangen "Stille Nacht". Dann führte uns die Mutter zu dem grossen Tisch mit den vielen schönen Geschenken. Wir alle fanden wunderschöne Geschenke. Ich muss sie Ihnen zeigen, wenn wir nach Hause kommen.

Um 11 Uhr gingen wir zum Dom. Da standen auch zwei grosse Weihnachtsbäume links und rechts vom Altar, und wir hörten und sangen viele Weihnachtslieder. Auf den Strassen sah man viele glückliche Menschen, und in vielen Fenstern sah man hinter den Vorhängen Weihnachtsbäume mit Kerzen und Lichtern.

Heute Morgen wachten wir spät auf und kamen zu spät zum Frühstück. Aber das machte nichts, denn niemand kam pünktlich, alle schliefen zu lang. Zum Frühstück hatten wir den Weihnachtsstollen. Das ist ein Kuchen ähnlich wie unser "Yule loaf" zu Hause. Am Morgen sassen wir und lasen unsere neuen Bücher, und dann gingen wir ein wenig aus. Die Luft war frisch und kalt und tat uns gut. Zum Mittagessen assen wir die Weihnachtsgans. Sie war natürlich auch sehr gut. Wir hatten nur leider keinen grossen Hunger. Es ist hier wie zu Hause: Man isst den ganzen Tag, Kuchen, Obst und viele gute Dinge, die wir in England nicht kennen. Ich denke, ich will ein Kochbuch kaufen, und im nächsten Jahr kann ich alle diese guten

Dinge selbst backen und kochen. Wollen Sie dann zu uns kommen und uns helfen, sie zu essen?

Ich höre Schritte auf der Treppe. Das ist wohl meine Freundin, sie kommt von ihrem Schlaf zurück. Mein Mann ist auch mit seiner Zeitung fertig. Bald ist es Zeit zur nächsten Programmnummer: dem Nachmittagskaffee.

Schreiben Sie uns bitte bald, wenn Sie Zeit haben. Geht es Ihnen allen gut? Mit den besten Wünschen für das neue Jahr und mit vielen Grüssen, Ihre

ELISABETH MÜLLER

VOKABELN

der Advéntskalender (—), *Advent calendar*
,, Dezémber (—), *December*
,, Engel (—), *angel*
,, Esel (—), *ass, donkey*
,, Kaléndar (—), *calendar*
,, Weihnachtsstollen (—), *Yule loaf*

,, Brief (e), *letter*
,, Dom (e), *cathedral*
,, König (e), *king*
,, Mittag (e), *midday, noon*
,, Nachmittag (e), *afternoon*
,, Schritt (e), *step, stride*
,, Sonntag (e), *Sunday*
,, Stern (e), *star*

,, Apfel ("), *apple*

,, Altár ("e), *altar*
,, Gruss ("e), *greeting*

der Kranz ("e), *wreath*
,, Vorhang ("e), *curtain*
,, Weihnachtsmarkt ("e), *Christmas fair*
,, Wunsch ("e), *wish*

,, Doktor (en), *doctor*
,, Hirte (n), *shepherd* (n acc. and dat.)
,, Ochs (en), *ox*

,, Schlaf (kein Plural), *sleep*

die Bibel (n), *Bible*
,, Decke (n), *ceiling*
,, Figúr (en), *figure*
,, Geschíchte (n), *story*
,, Idée (n), *idea*
,, Kerze (n), *candle*
,, Krippe (n), *crib, manger*
,, Prográmmnummer (n), *item on the programme*

die Stunde (n), *hour*
„ Tanne (n), *fir-tree*
„ Überfahrt (en), *crossing*
„ Weihnachten (—), *Christmas*

„ Gans ("e), *goose*
„ Nuss ("e), *nut*

das Kinderzimmer (—), *nursery*
„ Mittagessen (—), *lunch*

„ Ding (e), *thing*
„ Frühstück (e), *breakfast*
„ Geschénk (e), *present*
„ Kamél (e), *camel*
„ Schaf (e), *sheep*

„ Lied (er), *song*

„ Band ("er), *ribbon, band*
„ Kochbuch ("er), *cookery book*
„ Land ("er), *country*

„ Morgenland, *orient*

an'kommen, *arrive*
gefällen, gefällt (Dat.), *please*
hängen (hangen, *arch.*), *hang*
helfen, hilft (Dat.), *help*
lesen, liest, *read*
schreiben, *write*
stehen, *stand*
zu'hören, *listen*

ähnlich, *similar*
aufgeregt, *excited*
bunt, *many-coloured*
gedúldig, *patient*
golden, *golden*
heilig, *holy*
letzt, *last*
lieb, *dear*
pünktlich, *punctual*
sicher, *certain*
weihnachtlich, *Christmas-like*
wunderschön, *lovely*

dies-er, -e, -es, *this*
endlich, *at last*
hinter, *behind*
Ihr (e), *your*
leider, *unfortunately*
man, *one* (*you, people, they*)
wohl, *I suppose*

ähnlich wie, *similar to*
besser als, *better than*
dazu, *in addition to that*
den ganzen Tag, *all day*
der Heilige Abend, *Christmas Eve*
heute Morgen, *this morning*
es gefällt mir, *I like it* (*it pleases me*)
es waren viele Kerzen, *there were many candles*
ich habe eine Stunde für mich, *I have an hour to myself*
sie will eine Stunde schlafen, *she wants to sleep for an hour*
zum Frühstück, *for breakfast*

Grammatik

The imperfect (past) tense

There are two types of verbs in German as well as in English, weak verbs and strong verbs.

I. *Weak verbs* form their imperfect tense by adding *-te*, *-test* or *-ten* to the stem. In English they add *-ed*. Thus: ask—I ask*ed*; fragen—ich frag*te*, du frag-*test*, er, sie, es frag*te*; wir, Sie, sie frag-*ten*.

Do the same with sagen, wohnen, lieben, rauchen, kaufen.

II. *Strong verbs* do not depend on an ending but change the stem in the imperfect tense:

come—came.
ich komme;
ich kam, du kamst, er, sie, es kam,
wir, Sie, sie kamen

There is no rule as to which verbs are strong or weak, and in what way strong verbs will alter their stem. They simply have to be learned—just as in English. At the end of the book there is a list of strong verbs (p. 251). Verbs that occur in this book and which are not included in that list are weak.

Here is a list of all the strong verbs contained in lessons 1 to 8:

beginnen, begann
bekommen, bekam
bleiben, blieb
ertrinken, ertrank
essen, ass
fallen, fiel
finden, fand
fressen, frass
frieren, fror

liegen, lag
gefallen, gefiel
gehen, ging
gewinnen, gewann
hängen (hangen, *arch.*), hing
helfen, half
kommen, kam
lesen, las
nehmen, nahm

hängen, hängte (transitive).
hangen, hing (intransitive)

riechen, roch	sprechen, sprach
rufen, rief	springen, sprang
schiessen, schoss	stehen, stand
schlafen, schlief	steigen, stieg
schreiben, schrieb	treffen, traf
sehen, sah	trinken, trank
singen, sang	verlieren, verlor
sitzen, sass	ziehen, zog

III. Some verbs are irregular: they take both the weak ending and a change of the stem:

brennen	brannte	bringen	brachte
kennen	kannte	denken	dachte

The verbs *können*, *wollen* und *müssen* are weak, but they have no Umlaut in the imperfect:

ich konnte; du konntest; er, sie, es konnte; wir, Sie, sie konnten
ich musste; du musstest; er, sie, es musste; wir, Sie, sie mussten
ich wollte; du wolltest; er, sie, es wollte; wir, Sie, sie wollten

The verbs *haben* und *sein*:

ich hatte; du hattest; er, sie, es hatte; wir, Sie, sie hatten
ich war; du warst; er, sie, es war; wir, Sie, sie waren

Verbs whose stem ends in *-t* or *-d* insert *e* between stem and ending:

warten—ich wartete; du wartetest; er, sie, es wartete; wir warteten, usw. Similar: läuten, antworten.

Aufgaben

I. Lesen Sie das zweite Kapitel im Imperfekt. Beginnen Sie mit Zeile (line) 12: Gestern Abend um acht Uhr war ein Konzert, usw.

II. Lesen oder schreiben Sie im Präsens und Imperfekt:

1. Der Junge (kommen) und (nehmen) die Zeitung. Er (lesen) einige Minuten, dann (andrehen) er das Radio. Ein Orchester (spielen) Tanzmusik. Er (zuhören) ein wenig, und dann (gehen) er aus dem Zimmer. 2. Ich (essen) gern Obst. Ich (trinken) auch gern Milch, Sie auch? Ja, aber ich (haben) auch ein Glas Wein gern und ein Stück Kuchen. Ich (lieben) den englischen Tee, aber ich (trinken) ihn sehr schwach und ich (nehmen) keine Milch dazu. Ich (haben) den deutschen Kaffee sehr gern. Ich (trinken) ihn stark mit wenig Milch und viel Zucker. 3. Die alte Frau (sein) schwach, sie (können) in der Nacht oft nicht schlafen, und ihre Tochter (kommen) und (bleiben) bei ihr. Sie (träumen) oft schrecklich und (aufwachen) am Morgen sehr müde. Der Doktor (müssen) jeden Tag zu ihr kommen, aber er (helfen) ihr nicht viel. Niemand (können) ihr viel helfen. Sie (sein) schon 81 Jahre alt. 4. Der Vater (gehen) mit seinem kleinen Jungen zum Markt. Der Junge (sein) natürlich sehr glücklich und sehr aufgeregt und er (sprechen) viel und schnell. Sein Vater (haben) nicht oft Zeit für ihn. Sie (wollen) Obst und Butter für die Mutter kaufen. Sie (finden) bald, was sie (wollen) und der Vater (zahlen). Sie (haben) einen Korb, und der Junge (bringen) der Mutter den Korb. Er (sein) sehr stolz, und die Mutter (lachen) über ihre zwei Männer. 5. Weihnachten in Deutschland (gefallen) mir sehr gut. Ich (lieben) den Weihnachtsmarkt, und ich (haben) es gern, wenn die Kerzen (brennen). Wir alle (essen) natürlich viel zu viel, aber es (machen) nichts, Weihnachten (kommen) nur einmal im Jahr.

III. Schreiben Sie im Plural:

1. Der Brief brachte mir einen Gruss von meinem Freund. 2. Auf dem Weihnachtsmarkt kaufte ich eine

Figur für die Krippe. Nun steht sie unter dem Weihnachtsbaum im Wohnzimmer. Sie gefällt mir sehr gut. 3. Das kleine Mädchen hilft der Mutter in der Küche, und der kleine Junge hilft dem Vater in dem Garten. 4. Ich schreibe meiner Mutter eine Karte: "Ich komme am Sonntag um ½ 8 Uhr in Köln an". 5. Der deutsche Weihnachtsbaum ist ähnlich wie der englische Weihnachtsbaum. Aber auf einem englischen Weihnachtsbaum sieht man (kein Plural!) keinen Apfel und keine goldene Nuss. Unter dem Baum sieht man auch keine Krippe. 6. Der kleine Junge macht das Fenster in dem Adventskalender auf und sieht darin einen kleinen Engel. Der Engel gefällt ihm.

IV. Give the correct endings:

D— aufgeregt— Kinder kommen sehr pünktlich nach Hause zurück. D— breit— Strassen sehen weihnachtlich aus. Hinter d— hell— Fenster— sieht man am Abend gross— und klein— Weihnachtsbäume mit rot— Äpfel—, golden— Nüsse—, golden— Sterne— und viel— Kerzen. Unter d— Weihnachtsbaum stehen d— Krippenfiguren: Joseph und Maria und d— Kind in d— Krippe, d— gross— Ochs und d— braun— Kuh, gross— und klein— Schafe und alt— und jung— Hirten. Draussen vor d— Tür stehen d— drei reich— Könige aus d— Morgenland mit ihr— schön— Geschenken. Von d—weiss— Decke in d—gemütlich—Wohnzimmer hängt d— grün— Tannenkranz. Er hat vier rot— Kerzen und schön— rot— Bänder. Wenn d— Kerzen brennen, singen wir d— alt— Weihnachtslieder. Wir haben in England wie in Deutschland sehr schön—, alt— Weihnachtslieder, aber viel— Leute kennen sie nicht. Vor Weihnachten gehen d— klein— Jungen und Mädchen von Haus zu Haus und singen d— Lieder mit ihr— hell— Stimmen, und d— freundlich— Leute geben ihnen etwas Geld oder Schokolade, oder vielleicht ein Stück Kuchen oder ein— rot— Apfel. Machen d— deutsch— Kinder das auch?

V. Lesen Sie Nummer IV im Imperfekt.

VI. Was ist auf deutsch:

This year I went to Germany in the summer. I went for four weeks. The weather was very good. I had a lot of (much) sun and after a few days I was quite brown. I visited my friends in Cologne. They have a house outside (*vor*) the town, with a nice little garden. I often sat in the garden and read English and German books. We often went out in (*an*) the evening, and I saw a lot (much) of the town. It is a beautiful town, and I liked it very much. It has a fine cathedral with lovely many-coloured windows. I often heard good music there, and on Sundays the men and boys sang very well. I liked the market, too. I bought a great many things there, and I was very proud, for I had to speak German of course. I could not speak much, but the people were very friendly and helped me. Next year I am going again. Perhaps I shall be able to (can) speak a little better then!

VII. Fragen Sie einander:

Was ist auf deutsch: I came, he went, usw.?
Was ist das Imperfekt von bringen, sprechen, usw.?

VIII. Konversation.

Fragen Sie einander über Kapitel 7:
Was muss Frau Müller tun? usw.

IX. Erzählen Sie (tell):

Was tat Frau Müller an Weihnachten?

X. In a few simple sentences describe Christmas Day at your home, and ask each other questions about it.

Ein Weihnachtslied

Stille Nacht, heilige Nacht

Stille Nacht, heilige Nacht,
alles schläft, einsam wacht
nur das traute, hochheilige Paar.
Holder Knabe im lockigen Haar,
schlaf' in himmlischer Ruh.

Stille Nacht, heilige Nacht,
Hirten erst kundgemacht
durch der Engel Hallelujah.
Tönt es laut von fern und nah
Christ, der Retter ist da.

Stille Nacht, heilige Nacht,
Gottes Sohn, o wie lacht
Lieb' aus deinem göttlichen Mund,
da uns schlägt die rettende Stund',
Christ, in deiner Geburt.

einsam, *lonely*
wacht, *watches*
traut, *dear*
das Paar, *the pair, couple*
hold, *gentle*
der Knabe (n), *boy* (n acc. and dat.)
lockig, *curly*
himmlisch, *heavenly*
die Ruhe, *rest, peace*
kundgemacht, *made known*
tönen, *sound, ring out*
fern, *far*
nah, *near*
der Retter, *the saviour*
Gott, *God*
göttlich, *godly, divine*
da, *as*
rettend, *saving*
die Liebe, *love*
schlagen, schlägt, *strike*
die Geburt (en), *birth*

DAS ACHTE KAPITEL

FRITZ LANGEMANNS SONNTAG

SIE wollen wissen, was man am Sonntag in Deutschland tut? Nun, ich weiss auch nicht, der eine tut dies und der andere das. Wissen Sie was, ich will Ihnen erzählen, was mein Freund Fritz Langemann gestern tat. Gestern war Sonntag, nicht wahr? Welchen Tag haben wir heute? Dienstag? Nein, vorgestern also war Sonntag. Ich weiss genau, was er tat. Er erzählte es mir alles genau am Montag Morgen im Büro. Sie wissen, man arbeitet am Montag Morgen nie sehr viel in einem Büro, auch in Deutschland nicht.

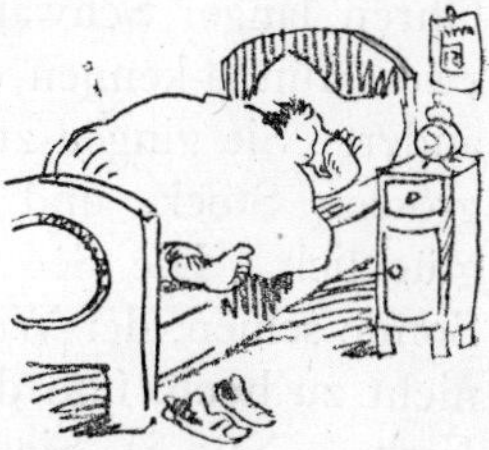

Mein Freund Fritz stand natürlich am Sonntag spät auf, das ist nur menschlich. In der Woche muss er jeden Tag um 7 Uhr aufstehen, aber am Sonntag sieht man ihn nicht vor neun Uhr. Und auch das ist nicht sehr spät, oder denken Sie? Dann sitzt er immer lange über seinem Frühstück. Letzten Sonntag sass er bis zehn Uhr. Sein Freund Paul kam um zehn Uhr zu seinem Haus, und da sass er noch am Tisch. Es roch nach guten Dingen im Haus, Bohnenkaffee und Kuchen — Apfelkuchen war es, glaube ich. Da sass er gemütlich und las seine Briefe. Wir haben Post am Sonntag bei uns in Deutschland, müssen Sie wissen. Frau Langemann — das ist seine Mutter — brachte Paul auch eine Tasse Kaffee, das war sehr nett von ihr, nicht wahr? "Wie ist das Wetter heute Morgen?" fragte Fritz. "Fein", sagte Paul, "sonnig und nicht zu kalt. Willst du mit-

kommen?" Und er kam. Paul hatte seinen Nero, den kleinen Foxterrier, Sie kennen ihn vielleicht, und Langemann brachte seinen Dachshund. Kennen Sie ihn? Er ist der richtige Dachshund, lang, braun, dünn, O-Beine, lange Ohren, langer Schwanz—reine Rasse, wie Sie sehen. Die zwei Hunde kennen einander gut, und sie spielten miteinander. Sie gingen zur See. Den Hunden gaben sie einen grossen Stock, und sie spielten damit und waren ganz glücklich. Die See sah letzten Sonntag schön aus. Die Sonne schien, der Wind kam von Süden, die Wellen gingen nicht zu hoch, und das Wasser hatte eine schöne, tiefblaue Farbe. Nun ja, Sie kennen die See von zu Hause, sie ist wohl nicht viel anders bei Ihnen.

Zum Mittagessen war er pünktlich wieder zu Hause. Am Sonntag ist die ganze Familie zum Mittagessen zu Hause, aber an Wochentagen ist das anders. Sein Vater kommt spät von der Fabrik, seine Schwester kommt spät von der Schule, und sein Bruder isst im Geschäft. Er arbeitet in einem Warenhaus, müssen Sie wissen. Kennen Sie C. & A. am Marktplatz? Dort arbeitet er im Büro. Aber am Sonntag essen sie alle miteinander zu Hause. Letzten Sonntag sassen sie wie immer lange über dem Essen. Sein Bruder erzählte viele komische Dinge aus dem Geschäft. Er ist nett, der Junge, und er kann sehr komisch sein, wenn er will. Und dann gingen die zwei Brüder zum Fussballspiel. O ja, wir spielen Fussball am Sonntag, wussten Sie das nicht? Am Samstag hat niemand Zeit dafür. Es war vorgestern das internationale Spiel Deutschland gegen England. Ich verstehe nichts von Fussball, und ich weiss nicht, warum alle diese vielen Menschen gehen und drei Stunden lang frieren. Aber Fritz sagte, das Spiel war wundervoll, und die Deutschen gewannen natürlich. Ich glaube, wir hatten gestern einige sehr gute Spieler dort. Kennen Sie unsere Spieler? Nein? Ich kenne sie auch nicht, aber das macht nichts. Unser Freund Fritz kennt sie natürlich alle genau.

Dann gingen sie wieder nach Hause zum Nachmittagskaffee. Sie hatten wieder guten Apfelkuchen. Seine Mutter kocht und bäckt sehr gut, wissen Sie. Sie sprachen natürlich nur von Fussball. Sein Vater hörte das Spiel im Radio, und er wollte nun alles genau hören. Die zwei Jungen erzählten ihm auch alles genau. Aber endlich war es seiner Mutter und Schwester zu viel und sie wollten Karten spielen. So spielten sie Rommé, und Frau Langemann gewann natürlich, wie immer. Sie spielt sehr gut. Dann ging unser Freund aus. Um $\frac{1}{2}$ 7 traf er Hanna, seine Freundin. Kennen Sie sie? Nein? Sie ist sehr nett, gross, blond, blaue Augen, rote Wangen usw. — richtig deutsch, wissen Sie. Sie sahen einen Kriminalfilm im Königskino, und er gefiel ihnen sehr gut. Danach wollten sie natürlich noch nicht nach Hause gehen. So sassen sie noch ein wenig im Kaisercafé und tanzten auch ein wenig. Fritz erzählte mir nicht, wann er nach Hause kam. Aber es war nicht zu früh, das weiss ich. Er sah am Montag Morgen müde aus, unser Langemann. Aber das macht natürlich nichts, morgen ist Mittwoch, übermorgen Donnerstag, Freitag zählt nicht, und dann kommt wieder ein Samstag und wieder ein Wochenende. Man kann in der Woche genug schlafen, das Wochenende ist dafür zu gut, glauben Sie das nicht auch?

Ja, das war Fritz Langemanns Sonntag. Was denken Sie, war er so gut wie ein Sonntag in England, oder schlechter, oder besser? Welcher Sonntag gefällt Ihnen besser, der englische oder der deutsche?

Vokabeln

der Dachshund (e), *dachshund*
„ Dienstag (e), *Tuesday*
„ Donnerstag (e), *Thursday*
„ Film (e), *film*
„ Freitag (e), *Friday*
„ Kriminálfilm (e), *thriller*
„ Mittwoch (e), *Wednesday*
„ Montag (e), *Monday*
„ Samstag (e), *Saturday*
„ Wochentag (e), *week-day*

„ Fussball (''e,) *football*
„ Marktplatz (''e), *market place*
„ Schwanz (''e), *tail*

„ Foxterrier (—), *foxterrier*

„ Mensch (en, en), *person*

„ Bohnenkaffee (kein Pl.), *real coffee*
„ Süden (kein Pl.), *south*

die Bohne (n), *bean*
„ Fabrik (en), *factory*
„ Farbe (n), *colour*
„ Post (en), *post*

die Rasse (n), *race, breed*
„ Schwester (n), *sister*
„ See (n), *sea*
„ Wange (n), *cheek*
„ Welle (n), *wave*

das Bein (e), *leg*
„ Fussballspiel (e), *football match*
„ Geschäft (e), *business*

„ Essen (—), *eating, meal*

„ Warenhaus (''er), *department store*

„ Wochenende (n), *week-end*

„ Büró (s), *office*
„ Kino (s), *cinema*

„ Rommé (kein Pl.), *Rummy*

arbeiten, arbeitet, *work*
auf'stehen, *get up*
erzählen, *tell, relate*
mit'kommen, *come with somebody*

scheinen, schien, *shine*, *seem*
tun, tut, tat, *do*
verstéhen, verstand, *understand*
wissen, weiss, wusste, *know*

anders, *different*, *otherwise*
früh, *early*
genáu, *exact*
hoch, *high*
komisch, *comical*, *funny*
menschlich, *human*
rein, *pure*, *clean*
richtig, *proper*, *right*
schlechter, *worse*
sonnig, *sunny*
tief, *deep*
tiefblau, *deep blue*
welch-er, -e, -es, *which*

auch nicht, *not either*
gestern, *yesterday*
nie, *never*
über, *over*
übermorgen, *the day after to-morrow*
vorgestern, *the day before yester-day*
bei uns, Ihnen, *with us*, *you*
dies und das, *this and that*
drei Stunden lang, *for 3 hours*
es ist mir zu viel, *it is too much for me*
ich verstehe nichts davon, ich auch nicht, *I know nothing about it*, *neither do I*
nun ja, *very well*
wissen Sie was, *I tell you what*

Grammatik

I. Kennen und wissen

Ich kenne den Mann, aber ich weiss nicht, wo er wohnt
Kennen Sie die Strasse? Wissen Sie, wie alt sie ist?

Kennen: to know a person or a concrete object.
Wissen: to know a fact, an abstract thing.

Conjugation of wissen

ich weiss; er, sie, es weiss
du weisst
wir, Sie, sie wissen

ich wusste; er, sie, es wusste
du wusstest
wir, Sie, sie wussten.

II. *Dieser, jeder und welcher* are declined like der, die, das

Nom.: dieser, jeder, welcher Garten; diese, jede, welche Frau; dieses, jedes, welches Haus

Acc.: diesen, jeden, welchen Garten; diese, jede, welche Frau; dieses, jedes, welches Haus

Dat.: diesem, jedem, welchem Garten; dieser, jeder, welcher Frau; diesem, jedem, welchem Haus

Plural Nom. and Acc.: diese, welche Gärten, Frauen, Häuser

„ Dative: diesen, welchen Gärten, Frauen, Häusern

III. Word order: direct and indirect object

(1) Sie bringt dem Jungen eine Tasse Kaffee.
(2) Sie bringt sie ihm.
(3*a*) Sie bringt ihm eine Tasse Kaffee.
(3*b*) Sie bringt sie dem Jungen.

(1) Two nouns: indirect object before the direct object.
(2) Two pronouns: direct object before indirect object.
(3) Pronoun and noun: pronoun before the noun.

Aufgaben

I. Erzählen Sie das Kapitel in der dritten Person: "Was Fritz Langemann am Sonntag tat", und in der ersten Person: "Fritz Langemann erzählt, was er am Sonntag tat".

II. Kennen oder wissen? Give the correct form:

1. — Sie den Rhein? Ja, ich — ihn gut, ich war dieses Jahr dort und er gefiel mir sehr gut.
2. Ich — nicht, wo Müllers wohnen. — Sie es? Nein, ich — es auch nicht. Vielleicht kann es Ihnen dieser junge Mann sagen. Er — Müllers gut.

3. — Sie die neuen Strassen vor der Stadt? Wir — sie nur wenig, wir waren nur einmal oder zweimal dort.
4. — Sie die deutschen Fussballspieler gut? Ja, ich — sie gut, aber ich — nicht, wer gestern spielte. — Sie es? Nein, ich — es auch nicht, aber mein Bruder — es vielleicht, er liest die Sportzeitung immer ganz genau.
5. Meine Schwester — jedes Tanzorchester im Radio, und sie — genau, wann sie spielen. Ich — nicht, wie sie es macht.
6. Er fragte mich, wie es deiner Mutter geht, und ich — es nicht. Ich — auch nicht, dass er deine Mutter —. — er sie gut? Ja, er — sie gut und er —, dass sie krank ist.

III. Give the correct form of the, this, each, and which:

in — Zimmer, — Strasse, — Garten, nach — Frühstück, — Morgen, — Zeitung, unter — Lampe, aus — Schule, — Jahr, — Woche, — Sonntag (Nom. and Acc.), mit — Strassenbahn, für — Kind, auf — Omnibus.

IV. Lesen oder erzählen Sie das siebte Kapitel mit "sie", in der dritten Person:

Heute muss sie ihr einen langen Brief schreiben, usw.

V. Schreiben Sie im Singular:

1. An Wochentagen essen die jungen Männer in den Fabriken, und die Kinder kommen spät aus den Schulen. Diese netten Mädchen arbeiten in den grossen Geschäften in den breiten Strassen mitten in den grossen Städten. Sie beginnen um 8 Uhr morgens und kommen um 6 Uhr abends nach Hause.
2. Wie gefallen Ihnen die neuen Sommerhüte? Wir können es noch nicht sagen. Diese braunen Hüte dort gefallen uns nicht, und sie sind uns auch zu teuer, aber diese blauen Hüte hier gefallen uns nicht so schlecht.

3. Die neuen Filme gefallen den Jungen nicht so gut wie die alten. Sie sagen, sie sind nicht so interessant. Kennen Sie sie? Nein, wir kennen sie noch nicht, aber wir wollen sie sehen, so bald wir können.

4. Was haben diese Kinder? Wir wissen es nicht genau. Aber wir glauben, sie essen oft zu viel, und dann sind sie natürlich krank. Kinder tun das zu gern, nicht wahr? Sie essen immer gern zu viel.

5. An sonnigen Tagen sehen die Gärten wunderschön aus. Wir liegen in der Sonne und schlafen und träumen.

VI. Lesen Sie Aufgabe V im Imperfekt.

VII. Lesen oder erzählen Sie das dritte Kapitel im Imperfekt.

VIII. Example:

Der Vater bringt dem Jungen einen Apfel.
Der Vater bringt ihn dem Jungen.
Der Vater bringt ihm einen Apfel.
Er bringt ihn ihm.

Do the same with the following sentences:

1. Die Eltern geben den Kindern schöne Geschenke.
2. Das Kind schreibt dem Christkind einen Brief.
3. Der Junge bringt dem Mann die Sportzeitung.
4. Die Frau zeigt der Freundin das Haus.
5. Die jungen Männer schreiben den jungen Mädchen Karten.
6. Die Mutter gibt dem Kind sein Mittagessen.

IX. Was ist auf deutsch:

"Good morning, Miller, how are you?"
"Very well, thank you."
"What did you do yesterday?"
"I had a very nice day. I slept very late (long), and then I went out with my friend. We went to the sea. It looked lovely yesterday. Did you see it?"

"Yes, I went in the afternoon. The wind was strong, and the waves were (went) quite high. I stayed there a long time; it is never too cold for me there."

"How is your family?"

"They are quite well again, thank you. Mother was ill last week. Did you know that?"

"Yes, I heard it from my sister. She often sees your sister in the town. They work in the same (*gleich*) street, I believe, don't they?"

"They work in the same business now. My sister did not like her office, you know, and she went to this big store, where your sister works."

"I didn't know that. My sister didn't tell me (that)."

"Well, we must work now. Monday morning is awful, isn't it?"

"You're right. I don't like it either. But what can you do [about it]?"

Learn and act this dialogue. Enlarge it and improvise a similar dialogue.

X. Erzählen Sie, was Sie am letzten Sonntag taten.

Erzählen Sie, was Sie an Wochentagen tun, wann Sie aufstehen, wann Sie zur Arbeit gehen, wo Sie arbeiten, was Sie dort tun, usw.

Fragen Sie einander.

Ich weiss nicht, was soll es bedeuten,
dass ich so traurig bin.
Ein Märchen aus alten Zeiten,
das kommt mir nicht aus dem Sinn.
Die Luft ist kühl und es dunkelt,
und ruhig fliesst der Rhein.
Der Gipfel des Berges funkelt
im Abendsonnenschein.

Die schönste Jungfrau sitzet
dort oben wunderbar.
Ihr goldnes Geschmeide blitzet,
sie kämmt ihr goldenes Haar.
Sie kämmt es mit goldenem Kamme
und singt ein Lied dabei,
das hat eine wundersame,
gewaltige Melodei.

Den Schiffer im kleinen Schiffe
ergreift es mit wildem Weh.
Er sieht nicht die Felsenriffe,
er sieht nur hinauf in die Höh'.
Ich glaube, die Wellen verschlingen
am Ende Schiffer und Kahn.
Und das hat mit ihrem Singen
die Lorelei getan.

HEINRICH HEINE (1797 bis 1856)

sollen, soll, *shall*, *be to*
bedeuten, bedeutet, *mean*
der Sinn (e), *mind*, *sense*
die Luft ("e), *air*
dunkeln, *darken*
ruhig, *quiet*
fliessen, floss, *flow*
der Gipfel, (—) *summit*
der Berg (e), *mountain*
des Berges, *of the mountain*
funkeln, *sparkle*
die Jungfrau (en), *maiden*
wunderbar, *wonderful*
das Geschmeide (—), *jewellery*
der Kamm ("e), *comb*
blitzen, *sparkle*
dabei, *with it, in doing so*
wundersam, *wonderful*
gewaltig, *powerful*
die Melodie (n), *melody*
der Schiffer (—), *boatman*
ergreifen, ergriff, *seize*
wild, *wild*
das Weh, *woe*, *grief*
das Felsenriff (e), *rocky reef*
hinauf, *up*
die Höhe (n), *height*
glauben, *believe*
verschlingen, verschlang, *swallow*
am Ende, *in the end*
der Kahn ("e), *rowing boat*

DAS NEUNTE KAPITEL

DER GARTEN (S. S. 263)

MEIN Vetter wohnt jetzt in einem kleinen, modernen Haus vor der Stadt. Das Haus ist hübsch, praktisch und billig, aber es hat einen grossen Nachteil: es hat einen Garten. Sehen Sie, früher spielte ich manchmal mit meinem Vetter Schach bei mir zu Hause oder ich ging manchmal am Sonntag Nachmittag in seine Wohnung und wir spielten Karten mit seiner Frau. Das war immer sehr schön und gemütlich. Letzten Sonntag ging ich nun endlich und besuchte ihn in seinem neuen Haus. Seine kleine Tochter machte die Tür auf. "Vater ist im Garten", sagte sie. Im Garten? Gut, wir können vielleicht im Garten sitzen und spielen. Sehr schön.

Ich ging durch das Haus in den Garten. Ich konnte meinen Vetter zuerst nicht finden. Endlich sah ich einen alten Strohhut zwischen den Himbeerbüschen und darunter das alte, runde, rote Gesicht. "Ah, das ist schön, dass du kommst, du kannst mir hier helfen. Wir haben so schrecklich viel Unkraut hier im Garten. Du hast hoffentlich nichts dagegen?" Ich? Nein, natürlich nicht. Das war ganz die ideale Arbeit für einen heissen Sonntagnachmittag. Ich zog meine Jacke aus, bekam ein Instrument in die Hand — ich weiss nicht, wie es hiess, ich bin kein Gärtner — und dann begann die Arbeit. Und wie wir arbeiteten! Mein Vetter sprach die ganze Zeit von nichts als dem Garten. Letztes Jahr war er natürlich die reine Wildnis. Die alten Mieter hatten kein Interesse daran. Nichts als Löwenzahn und Gras. Aber dieses Jahr sah er ganz anders aus, das musste jeder sagen. Natürlich war er diese Woche gerade nicht so schön, viele Blumen blühten nun nicht mehr, und andere blühten noch nicht. Letzten Monat, als die Lupinen und die Malven blühten, war er wirklich wundervoll. Im Frühjahr war er ganz herrlich, die Tulpen und Narzissen und Hyazinthen kamen alle wunderschön, im Gras blühten Scilla und Krokus und Schlüsselblumen und Primeln — es war wirklich eine Freude. Der Steingarten war auch sehr hübsch im Frühsommer, aber jetzt war die beste Zeit natürlich vorbei. Er hatte auch viele Himbeeren und die Erdbeeren trugen auch sehr reich. Heute war leider nichts an den Büschen, seine Frau brauchte am Samstag immer alles für ihre Kuchen. Hm, das war schade, sehr schade. Die Sonne brannte immer heisser. Ich war schon sehr durstig. Und keine Himbeeren an den Büschen, wirklich, das tat mir leid, sehr leid. Tranken wir im neuen Haus nicht Kaffee am Sonntagnachmittag? Ach so, ja, mein Vetter sprach von den Dahlien. Ich hörte zu, natürlich, es war alles sehr interessant. Und wie heiss die Sonne war! Die Dahlien

beginnen schon zu blühen, sagte mein Vetter, und er hatte viele Astern in seinen Blumenbeeten. Im Gemüsegarten hatte er herrlichen Kopfsalat und Blumenkohl und Kohl und schöne, grosse, rote Tomaten. So, so, sehr interessant. Wollte ich einen Blumenkohl oder einen Kohlkopf mit nach Hause nehmen? Oder einige schöne reife Tomaten? O, das war etwas anderes, freilich, sehr gern, und vielen Dank, Herr Vetter! Obst konnte er mir leider nicht geben. Die Obstbäume waren noch jung. Der Pflaumenbaum hatte ganze elf Pflaumen, und mein Vetter zählte die Äpfel und Birnen jeden Morgen. Die Aprikosenbäume am Haus hatten auch einige kleine, grüne Aprikosen. Sie sahen sehr hart und sauer aus. " Hoffentlich regnet es bald," sagte er, " der Boden ist sehr trocken." Natürlich, Regen wollte er haben, und ich gehe nächste Woche in Urlaub! Sehr freundlich von dir, Herr Vetter. Aber die Gärtner haben natürlich immer recht. Und sie wollen immer Regen haben, wenn ich in Urlaub gehe.

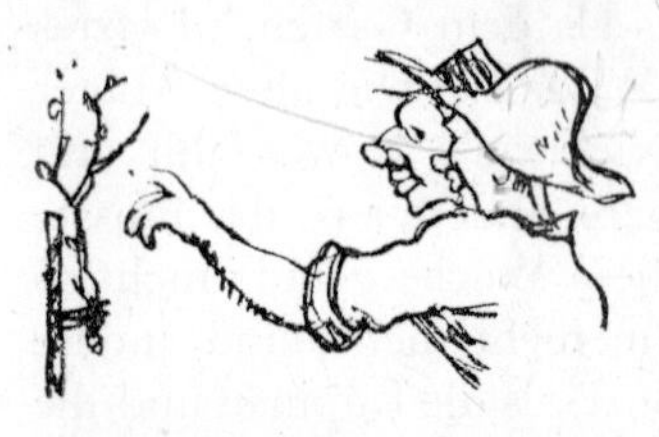

Wie, war es möglich? Eine Stimme vom Haus: "Der Kaffee ist fertig!" Ah, das war gut, sehr gut. Das Unkraut konnte warten. Mein Instrument fiel sehr schnell zu Boden, rasch hatte ich meine Jacke wieder an, und bald sassen wir gemütlich um den Kaffeetisch, tranken guten Bohnenkaffee, assen guten Himbeer- und Erdbeerkuchen und rauchten danach eine gute Zigarre. Das gefiel mir besser, sehr viel besser. Aber für ein Kartenspiel war keine Zeit. Mein Vetter wollte auch nach dem Kaffee wieder im Garten arbeiten. Ich muss einen anderen Partner finden, das ist mir klar. Es tut mir sehr leid, Herr Vetter, aber arbeiten am Sonntag—das geht zu weit, sogar in deinem Garten!

Vokabeln

der Frühsommer (—), *early summer*
„ Gärtner (—), *gardener*
„ Mieter (—), *tenant*
„ Partner (—), *partner*

„ Kopfsalat (e), *lettuce*
„ Krokus, Krokusse, *crocus*
„ Monat (e), *month*
„ Nachteil (e), *disadvantage*
„ Salát (e), *lettuce, salad*
„ Sonnabend (e), *Saturday*

„ Boden ("), *soil, ground*
„ Gemüsegarten ("), *vegetable garden*
„ Steingarten ("), *rock garden*

„ Aprikósenbaum ("e), *apricot tree*
„ Busch ("e), *bush*
„ Himbeerbusch ("e), *raspberry bush*
„ Kohlkopf ("e), *head of cabbage*
„ Obstbaum ("e), *fruit tree*
„ Pflaumenbaum ("e), *plum tree*

„ Vetter (n), *cousin*

„ Blumenkohl (kein Pl.), *cauliflower*

der Kohl (kein Pl.), *cabbage*
„ Löwenzahn (kein Pl.), *dandelion*
„ Regen (kein Pl.), *rain*
„ Urlaub (kein Pl.), *holiday (furlough)*

die Aprikóse (n), *apricot*
„ Arbeit (en), *work*
„ Aster (n), *aster*
„ Beere (n), *berry*
„ Birne (n), *pear*
„ Dahlie (n), *dahlia*
„ Erdbeere (n), *strawberry*
„ Freude (n), *joy*
„ Himbeere (n), *raspberry*
„ Hyazínthe (n), *hyacinth*
„ Jacke (n), *coat, jacket*
„ Lupíne (n), *lupin*
„ Malve (n), *hollyhock*
„ Narzísse (n), *narcissus*
„ Pflaume (n), *plum*
„ Primel (n), *primula*
„ Schlüsselblume (n), *cowslip*
„ Tomáte (n), *tomato*
„ Tulpe (n), *tulip*

„ Scilla (—), *scylla*

„ Wildnis (se), *wilderness*

das Blumenbeet (e), *flower bed*
„ Frühjahr (e), *spring*
„ Instrumént (e), *instrument*

das Gesícht (er), *face*

„ Unkraut ("er), *weed*

„ Interésse (n), *interest*

aus'ziehen, zog aus, *take off, undress*
blühen, *bloom*
brauchen, *need*
geben, gibt, gab, *give*
heissen, hiess, *to be called*
regnen, regnet, *rain*
tragen, trägt, trug, *carry, bear, wear*

durstig, *thirsty*
früher, *former(ly)*
ganz, *whole*
herrlich, *splendid*
hübsch, *pretty, handsome*
ideál, *ideal*
jung, *young*
klar, *clear*
modérn, *modern*
möglich, *possible*
rasch, *quick*
rund, *round*
trocken, *dry*
wirklich, *real(ly)*

als, *when* (past tense)
freilich, *indeed*
geráde, *just, straight*
hoffentlich, *it is to be hoped*
manchmal, *sometimes*
sogár, *even*
vorbéi, *past*
zwischen, *between*

bei mir zu Hause, *at my home*
das geht zu weit, *that is going too far*
das ist etwas anderes, *that is different*
die ganze Zeit, *the whole time*
die Sonne brennt immer heisser, *the sun burns hotter and hotter*
er sprach von nichts als dem Garten, *he spoke of nothing but the garden*
es ist mir klar, *it is clear to me*
es ist schade, *it is a pity*
es tut mir leid, *I am sorry*
ganze elf Pflaumen, *eleven whole plums*
ich gehe in Urlaub, *I go on holiday*
ich habe etwas dagegen, *I have an objection to it*
ich habe kein Interesse daran, *I am not interested in it*
nicht mehr, *no longer*
sie tragen reich, *they bear abundantly*
vor der Stadt, *outside the town*

Grammatik

Dative and accusative after prepositions

I. The following prepositions are always followed by dative:

aus, bei, mit, nach, seit, von, zu

Die Kinder kommen aus der Schule. Ich wohne bei meinen Eltern. Mit seiner Mutter. Nach dem Mittagessen. Seit der Zeit. Von der Stadt. Zum Frühstück.

II. The following prepositions are always followed by accusative:

bis, durch, für, gegen, ohne, um

Bis letzten Sonntag. Durch den Garten. Für den Vater. Gegen die Idee. Ohne seinen Hut. Um den Tisch.

III. The following prepositions are used with the accusative when they indicate motion, answering the question "whither?" (wohin?) (in*to*, on *to*), and with the dative when they indicate rest or motion within one place, answering the question "where?" (wo?):

an, auf, hinter, in, neben, über, unter, vor, zwischen

Ich bin in *dem* Zimmer. Ich gehe in *das* Zimmer.
Er steht an *der* Tür. Er geht an *die* Tür.
Wir spielten auf *der* Strasse. Wir gingen auf *die* Strasse.

N.B.—The prepositions aus, nach, von, zu are always followed by dative, although they may indicate motion.

IV. Some expressions of time:

Am Abend, am Morgen, am Nachmittag, am Tag, am Mittag, in der Nacht.
Um sieben Uhr, um $\frac{1}{2}$ 8 Uhr, um $\frac{3}{4}$ 9, um $\frac{1}{4}$ 12.
Im Sommer, im Winter, im Herbst, im Frühling, im September, im Mai.

AUFGABEN

I. Form sentences containing the following prepositions:

aus, durch, an, bei, für, auf, mit, gegen, hinter, in, nach, bis, unter, von, ohne, vor, zu, um, zwischen.

II. Complete:

Ich gehe durch d— neu— Haus und finde den Vetter in sein— schön— Garten. Er arbeitet jeden Sonntag in d— Garten. Am Samstag kommt er um 2 Uhr aus d— Stadt aus sein— Büro, und nach d— Mittagessen geht er in d— Garten und arbeitet dort bis zu d— Nachmittagskaffee. Er kann ohne sein— Garten nicht mehr leben. Und ich muss sagen, er hat wirklich ein— schön— Garten. An d— Obstbäumen hängen viele Äpfel, Birnen, Pflaumen und Aprikosen, und in sein— Gemüsegarten hat er schön— Kopfsalat, Blumenkohl und Kohl in sein— Gemüsebeeten. Mit d— Tomaten hat er in dies— Jahr kein Glück. Aber an d— jung— Himbeerbüschen hängen viel— Beeren, und in d— Blumengarten blühen viel— schön— Blumen. Ich habe nichts gegen d— Blumen und d— Gemüse, und ich nehme gern einige Tomaten mit nach Hause, aber der Vetter spricht d— ganz— Zeit von nichts als sein— schön—, neu— Garten, und das ist mir zu viel. Denken Sie nicht auch, ich habe recht damit?

III. Lesen Sie Aufgabe II im Imperfekt.

IV. Geben Sie Pronomen für die Substantive:

Der Vetter arbeitete mit einem Instrument, und sein Freund kannte es nicht. Er gab seinem Freund das Instrument, und er hatte es in der Hand. Die zwei Männer standen in dem Gemüsegarten hinter dem Haus. Vor den Vettern waren viele Obstbäume, und an den

Obstbäumen hing viel Obst. Vor dem Haus standen ein Tisch und vier Stühle, und nach der Arbeit tranken die Vettern Kaffee. Sie warteten auf den Kaffee. Die kleine Tochter brachte den Männern den Kaffee. Ihre Mutter kam nicht zum Kaffee, sie arbeitete in der Küche. Es war Samstagnachmittag, und sie musste einen Kuchen backen für den Sonntag. Der Vetter zeigte seinem Freund das Haus, und es gefiel dem Freund sehr gut. Er blieb zum Abendessen. Die ganze Familie sass um den Tisch im Garten. Bald war es neun Uhr. Es tat dem Freund leid, aber er musste wieder gehen. Die Hausfrau gab dem Freund einige schöne, frische Blumen aus dem Garten, und das gefiel dem Freund sehr gut.

V. Lesen Sie die vierte Aufgabe im Präsens.

VI. Geben Sie die richtige Form des Verbs:

Um fünf Uhr (kommen) das junge Mädchen aus dem Büro. Sie (aufmachen) die Haustür, (ausziehen) den Mantel und (gehen) in das Wohnzimmer. Sie (andrehen) das Radio, denn sie (wollen) Musik hören. Um den Tisch (sitzen) die Familie und (trinken) Kaffee. Der Vater (lesen) die Zeitung, und die Mutter (aufmachen) einen Brief. Das Mädchen (finden) auch einen Brief neben der Tasse. Sie (aufmachen) ihn schnell und (lesen) ihn. Er (kommen) von ihrem Freund. Er (schreiben) "(Können) Sie heute Abend mit mir ausgehen? Ich (müssen) Sie endlich wieder sehen. (Wollen) Sie mit mir in das Kaiserkino gehen? Ich (wollen) Sie um sieben Uhr vor dem Kino treffen. Mit Gruss und Kuss, Ihr Hans." Die Mutter (fragen): "Was (stehen) in dem Brief?" Die Tochter (antworten): "O nichts, er (sein) von Hans."

VII. Lesen Sie Aufgabe VI im Plural und im Imperfekt.

VIII. Schreiben Sie im Singular:

1. In den warmen deutschen Sommern haben es die deutschen Gärtner gut. Sie haben schöne rote Tomaten in ihren Gärten, und an den Aprikosenbäumen hängen gelbe Aprikosen. Die Birnbäume tragen auch schön und an den Apfelbäumen sehen sie schöne, rote Äpfel. In den Gemüsegärten stehen die Kohlköpfe, und in den Blumengärten haben sie Tulpen, Narzissen, Hyazinthen und Malven. Aber oft sind die Gärten in den Sommern zu trocken. Dann haben es die Gärtner nicht so gut. Sie müssen schwer arbeiten und haben oft kein Glück.

2. An ihren freien Nachmittagen gehen die jungen Männer natürlich aus. Sie gehen zu den Fussballspielen, oder sie spielen selbst Fussball. Manchmal gehen sie an die See und bringen ihre Hunde. Sie geben den Hunden Steine oder Stöcke, und die Hunde spielen gern damit. An Regentagen gehen sie in die Kinos und sehen die neuen Filme. Sie treffen ihre netten Freundinnen und gehen in Cafés. Sie hören die neuen Tanzmelodien und sie tanzen. An den Abenden gehen sie in die Theater und sehen die interessanten Spiele. Und sie kommen spät abends nach Hause zurück.

IX. Lesen Sie das sechste Kapitel im Imperfekt.

X. Erzählen Sie das neunte Kapitel in der dritten Person:

Herr Schwarz besucht seinen Vetter.

Erzählen Sie es in der ersten Person:

Der Vetter erzählt von dem Besuch seines Freundes.

XI. Was ist auf deutsch:

"When do you go on holiday?"

"I go next week. I hope the weather keeps (remains) fine. I often have a lot of rain on my holiday, and of course I don't like that."

"No wonder. How long are you going for?"
"I only have a fortnight (14 days). That's not long, is it?"
"No, it's very short. Where are you going?"
"First I am going to (nach) London for a week, and then I go to the sea."
"How nice. Do you know London well?"
"Yes, I know it quite well. I was there last year, you know. I had a whole week there and I like it very much. I think I saw everything (alles) then (damals), but I want to see a lot of it again. Do you know it well?"
"No, not very well. We live so far [away] from it, you know, and that makes it very expensive, of course. Where are you staying (wohnen) in London?"
"I have a cousin there. He has a house [just] outside the town. I always stay there. His wife is very nice too, and so are his children. I go up to (into the) town in the morning and back to them in the evening, so I have a lot of time in the day, and I can see as much as I want."
"Well, I hope you have no rain this year."
"Thank you. Good-bye. I will tell you everything after my holiday."
"Yes, you must do that. Good-bye."

Learn and act this dialogue!

XII. Sprechen Sie kurz über einen Garten, den Sie kennen. Fragen Sie einander darüber.

XIII. Write a short connected passage containing the following words:

England, Sommer, kühl, Deutschland, trocken, heiss, Winter, kalt, nass, Urlaub, Köln, der Rhein, die Stadt, der Dom, kennen, lieben, London, nicht so gross wie, gefallen, die Leute, deutsch sprechen, englisch sprechen, freundlich.

Heidenröslein

Franz Schubert (1797 bis 1828)

HEIDENRÖSLEIN

Sah ein Knab' ein Röslein stehn,
Röslein auf der Heiden,
war so jung und morgenschön,
lief er schnell, es nah' zu sehn,
sah's mit vielen Freuden.
Röslein, Röslein, Röslein rot,
Röslein auf der Heiden.

Knabe sprach: Ich breche dich,
Röslein auf der Heiden!
Röslein sprach: Ich steche dich,
dass du ewig denkst an mich,
und ich will's nicht leiden.
Röslein, Röslein, Röslein rot,
Röslein auf der Heiden.

Und der wilde Knabe brach
's Röslein auf der Heiden.
Röslein wehrte sich und stach,
half ihm doch kein Weh und Ach,
musst' es eben leiden.
Röslein, Röslein, Röslein rot,
Röslein auf der Heiden.

JOHANN WOLFGANG VON GOETHE
(1749 bis 1832)

der Knabe (n, n), *boy*
das Röslein (—), *little rose*
die Heide (n), *heath*, *moor*
laufen, läuft, lief, *run*
nah(e), *near*
brechen, bricht, brach, *break*
stechen, sticht, stach, *prick*, *sting*
ewig, *for ever*
leiden, leidet, litt, *suffer*
sich wehren, *defend oneself*
Weh und Ach, *complaining*
eben, *just*

Das zehnte Kapitel

Einige alte Freunde besuchen die Klasse

Die Klasse: Es klopft, Herr Lehrer!
Der Lehrer: Bitte, wollen Sie gehen,
Herr Schmidt, und vor die Türe sehen!
Schmidt: Es ist eine sehr, sehr alte Frau,
ich hörte den Namen nicht genau.
Hier ist sie. [Die Großmutter kommt herein.]
Der Lehrer: O ja, ich kenne das Gesicht.
Kennen Sie die Großmutter nicht?
Die Klasse: Guten Abend, geht es Ihnen nun wieder besser?
Wie geht es dem Förster mit seinem langen Messer?
Sie sehen wieder viel besser aus.
Gehen Sie nun wieder aus dem Haus?
Großmutter: Ich sehe besser aus, da haben Sie recht.
Nur der Rheumatismus ist noch immer schlecht.
Aber ich kann nun wieder gehen,
kann meine Freunde besuchen, wie Sie sehen,
und liege nicht mehr immer im Bett.
Und der Förster? Er ist wirklich schrecklich nett.

Wie freundlich, daß Sie nach ihm fragen.
Ich muß ihm morgen davon sagen.

Die Klasse: Und wie geht es Rotkäppchen, der süßen Kleinen?
Ist sie auch wieder auf den Beinen?

Großmutter: Ja, sie kann wieder die Schule besuchen,
und ißt wieder viel zu viel Pflaumenkuchen.

Die Klasse: Wie geht es dem Wolf, dem freundlichen Tier?

Großmutter: Sie haben gut lachen, Sie leben hier
in der Stadt und nicht in dem großen Wald.
Es ist anders für mich, ich bin schwach und alt.

Die Klasse: War es schön in dem Wolf? Gemütlich?
Modern?
Gefiel es Ihnen? Hatten Sie es gern?

Der Lehrer: Großmutter, Sie müssen müde sein.
Trinken Sie gern ein Glas Apfelwein?

Großmutter: Wein? Aber freilich, der tut mir gut,
Sie glauben nicht, wie gut er mir tut!

Die Klasse: Es klopft, Herr Lehrer!

Der Lehrer: Ich gehe und seh'.
(Wer ist das nur? Ich habe keine Idee.)

Langemann: „Gestern war Sonntag." Und was ist heute?
Ich bin Fritz Langemann, meine lieben Leute.
Sie kannten mich nicht? Nun, jetzt kennen Sie mich.
Ich gefalle Ihnen hoffentlich?
Ich bin es, der am Sonntag lang schläft,
und am Montag komme ich spät in das Geschäft.
Sie wissen, ich arbeite in einem Büro.

Die Klasse: Wie gefällt Ihnen das?

Langemann: Nun ja, so so.
Letzte Woche war ich wieder sehr krank,
meine Mutter sagte, daß ich zu viel trank.
Aber sie hatte natürlich nicht recht.
O, es ging mir wirklich ganz schrecklich schlecht.

Ich glaube, die Arbeit in der Fabrik
tat mir nicht gut, sie machte mich dick.
Ich ging zum Doktor, ich sage: leider.
Eine Flasche, zwei Flaschen — und so weiter,
gab er mir, die ich trinken mußte.
Aber er sagte mir nichts, als was ich schon wußte.

Die Klasse: Wie geht es dem Dachshund? Ist er noch so rund?

Langemann: Ich habe jetzt einen richtigen Hund.
Er heißt Nero und trägt meinen Stock sogar,
und kennt meine Stimme — ist das nicht wunderbar?

Der Lehrer: Da kommt die Frau Doktor.

Langemann: Das geht zu weit,
Die Frau Doktor hier? Das tut mir leid.
Ich kann nichts mehr über den Doktor sagen.

Der Lehrer: Und wie geht es Ihnen in diesen Tagen?

Frau Doktor: Danke, sehr gut, ich hatte Glück,
war drei Wochen in Deutschland, kam gestern zurück.
Drei ganze, schöne, lange Wochen.
Ich sage Ihnen, die Deutschen können kochen!

Die Klasse: Sahen Sie einen deutschen Tannenbaum?

Frau Doktor: Ja, es war alles wie ein Traum.
Sie glauben nicht, wie schön alles ist,
was man sieht und hört und trinkt und ißt.

Die Klasse: Ißt man dort im Urlaub auch zu viel?

Frau Doktor: Ja, man kann natürlich, wenn man will.

Langemann: Taten Sie es?

Frau Doktor: Was denken Sie nur,
man denkt doch heute an seine Figur!

Die Klasse: War die Überfahrt gut? Waren Sie sehr seekrank?

Frau Doktor: Ich lag die ganze Zeit auf einer Bank,
da war es nicht so schlecht, und ich blieb am Leben.
(zum Lehrer) Hier ist deutsche Schokolade, kann ich Ihnen etwas geben?

Der Lehrer: Vielen Dank, Frau Doktor. O, Donnerwetter,
wen seh' ich kommen? Den Herrn Vetter!

Die Klasse: Guten Tag, Herr Vetter, was macht der Garten?

Vetter: Nur einen Moment, können Sie nicht warten?
Ich ging zu Fuß, und ging sehr schnell,
nun bin ich halb tot.

Der Lehrer: Dunkel oder hell?

Vetter: Wie? ein Glas Bier? Dunkel bitte, und schnell!
Herr Lehrer, ich habe diese Schule gern,
Sie sind hier menschlich und ganz modern.

Langemann: Sie sind ein Gärtner, Sie wollen natürlich wieder Regen.

Vetter: Natürlich. Haben Sie vielleicht etwas dagegen?

Langemann: Ich brauche für meinen Urlaub Sommerwetter.
Können Sie mir das nicht geben, Herr Vetter?

Die Klasse: Herr Vetter, haben Sie schöne Hyazinthen?

Vetter: Nein, die können Sie jetzt nicht finden,
Sie müssen bis zum Frühjahr warten.
Aber Astern habe ich jetzt im Garten,
Astern, sage ich Ihnen, ganz wunderbar,
besser sogar noch als letztes Jahr.
Herr Lehrer, wollen Sie eine Aster?

Die Klasse: Sprechen Sie ihm nicht von Astern, die haßt er.
Aber geben Sie ihm grünen Kopfsalat

oder rote Tomaten — der Arme hat
keinen Garten bei seinem Haus.

Vetter: Ich bringe Ihnen morgen einen Blumenstrauß
und einen Korb voll Tomaten und Kohl,
hoffentlich gefällt er Ihnen wohl.

Langemann: Es tut mir leid, aber ich muß jetzt gehen.
Ich habe so viel zu tun, nicht wahr, Sie verstehen.

Die anderen Gäste: Wir gehen jetzt auch, es ist schon spät.
Himmel, wie hier die Zeit vergeht!

Der Lehrer: Kommen Sie gut nach Hause, und leben Sie wohl!

Die Klasse: Und Herr Vetter, denken Sie an den Kohl!

Vokabeln

der Lehrer (—), *teacher*
„ Gast ("e), *guest*
„ Momént (e), *moment*
„ Name (ns, n, n), *name*
„ Rheumatismus, *rheumatism*
die Flasche (n), *bottle*
„ Klasse (n), *class*
„ Bank ("e), *bench*
vergéhen, verging, *pass away*
seekrank, *seasick*
denken Sie an mich, *think of me*
der, die, das, Kleine, *the little one*
Donnerwetter! *good gracious!*
es ist anders für mich, *it is different for me*
es klopft, *there is a knock*
es tut mir gut, *it does me good*
ich bin es, der, *it is I who*
ich blieb am Leben, *I kept alive*
kommen Sie gut nach Hause, *get safely home*
leben Sie wohl, *farewell*
man kann, wenn man will, *you can if you like*
Sie haben gut lachen, *it is all very well for you to laugh*
was macht der Garten? *how is the garden getting on?*
wen? *whom?*
wie die Zeit vergeht! *how the time flies (passes)!*

Wiederholung der Vokabeln

der

1. Brunnen (—)
2. Dezember
3. Engel
4. Esel
5. Förster
6. Gärtner
7. Kalender
8. Lehrer
9. Mieter
10. Partner
11. Spieler
12. Süden

13. Brief (e)
14. Dienstag
15. Dom
16. Donnerstag
17. Film
18. Freitag
19. König
20. Mittag
21. Mittwoch
22. Moment
23. Monat
24. Montag
25. Nachmittag
26. Nachteil
27. Salat
28. Samstag
29. Schritt
30. Sonnabend
31. Sonntag
32. Stein
33. Stern

34. Apfel (")

der

35. Boden
36. Faden
37. Vogel

38. Altar ("e)
39. Ball
40. Baum
41. Busch
42. Fuß
43. Gast
44. Gruß
45. Kopf
46. Korb
47. Kranz
48. Marktplatz
49. Schwanz
50. Strauß
51. Vorhang
52. Wolf
53. Wunsch

54. Mund ("er)
55. Wald

56. Doktor (en)
57. Hirte (n, n)
58. Knabe (n, n)
59. Mensch (en, en)
60. Name (ns, n, n)
61. Ochs (en, en)
62. Vetter (n)

63. Blumenkohl (kein Pl.)
64. Kohl
65. Löwenzahn

der

66. Regen
67. Schlaf
68. Urlaub

die

69. Antwort (en)
70. Aprikose
71. Arbeit
72. Aster
73. Beere
74. Bibel
75. Birne
76. Blume
77. Bohne
78. Dahlie
79. Erdbeere
80. Fabrik
81. Farbe
82. Figur
83. Flasche
84. Freude
85. Geschichte
86. Himbeere
87. Hyazinthe
88. Idee
89. Jacke
90. Kappe
91. Kerze
92. Klasse
93. Krippe
94. Lupine
95. Malve
96. Nadel
97. Narzisse
98. Pflaume
99. Post
100. Primel

Revision of Vocabulary

1. well, fountain
2. December
3. angel
4. ass, donkey

5. forester
6. gardener
7. calendar
8. teacher
9. tenant
10. partner
11. player
12. south

13. letter
14. Tuesday
15. cathedral
16. Thursday
17. film
18. Friday
19. king
20. midday
21. Wednesday
22. moment
23. month
24. Monday
25. afternoon
26. disadvantage
27. lettuce, salad
28. Saturday
29. stride
30. Saturday
31. Sunday
32. stone
33. star

34. apple

35. floor
36. thread
37. bird

38. altar
39. ball
40. tree
41. bush
42. foot
43. guest
44. greeting
45. head
46. basket
47. wreath
48. market place
49. tail
50. bunch
51. curtain
52. wolf
53. wish

54. mouth
55. wood

56. doctor
57. shepherd
58. boy
59. human being
60. name
61. ox
62. cousin

63. cauliflower

64. cabbage
65. dandelion

66. rain
67. sleep
68. holiday

69. answer
70. apricot
71. work
72. aster
73. berry
74. Bible
75. pear
76. flower
77. bean
78. dahlia
79. strawberry
80. factory
81. colour
82. figure
83. bottle
84. joy
85. story, history
86. raspberry
87. hyacinth
88. idea
89. coat, jacket
90. cap
91. candle
92. class, form
93. crib, manger
94. lupin
95. hollyhock
96. needle
97. narcissus
98. plum
99. post
100. primrose

die

101. Rasse
102. Schlüsselblume
103. Schwester
104. See
105. Stunde
106. Tanne
107. Tomate
108. Tulpe
109. Überfahrt
110. Wange
111. Welle
112. Weihnachten (—)

113. Großmutter (")

114. Angst ("e)
115. Bank
116. Gans
117. Hand
118. Nuß (Nüsse)

119. Wildnis (se)

das

120. Essen (—)
121. Gemüse
122. Käppchen
123. Leben
124. Märchen
125. Messer
126. Mittagessen

127. Bein (e)
128. Beet
129. Ding
130. Frühjahr
131. Frühstück
132. Geschäft
133. Geschenk
134. Gewehr

das

135. Instrument
136. Kamel
137. Schaf
138. Tier

139. Bild (er)
140. Christkind
141. Gesicht
142. Lied

143. Band ("er)
144. Kochbuch
145. Land
146. Loch
147. Unkraut
148. Warenhaus

149. Auge (n)
150. Interesse
151. Ohr (en)
152. Wochenende

153. Büro (s)
154. Kino

155. an'kommen
156. antworten, antwortet
157. arbeiten, arbeitet
158. auf'stehen
159. auf'wachen
160. aus'ziehen
161. backen, bäckt
162. blühen
163. brauchen
164. ertrinken
165. erzählen
166. fressen, frißt
167. füllen
168. gefallen, gefällt
169. hängen (hangen,
170. heißen [*arch.*)
171. helfen, hilft
172. heraus'kommen
173. herein'kommen
174. klopfen
175. leben
176. lesen, liest
177. nähen
178. pflücken
179. regnen
180. riechen
181. rufen
182. scheinen
183. schießen
184. schnarchen
185. schneiden, schneidet
186. schreiben
187. singen
188. springen
189. stehen
190. tanzen
191. tragen, trägt
192. tun, tut
193. vergehen
194. verstehen
195. wissen, weiß
196. ziehen
197. zu'hören

198. ähnlich (wie)
199. aufgeregt
200. besser (als)
201. bunt
202. durstig
203. früh, früher
204. ganz
205. geduldig
206. genau
207. golden

101. race, breed
102. cowslip
103. sister
104. sea
105. hour
106. fir tree
107. tomato
108. tulip
109. crossing
110. cheek
111. wave
112. Christmas
113. grandmother
114. anxiety, fear
115. bench
116. goose
117. hand
118. nut
119. wilderness
120. food, meal
121. vegetable
122. little cap
123. life
124. fairy tale
125. knife
126. lunch
127. leg
128. bed (garden)
129. thing
130. spring
131. breakfast
132. business
133. present
134. gun, rifle
135. instrument
136. camel
137. sheep
138. animal
139. picture
140. Christ child
141. face
142. song
143. ribbon, band
144. cookery-book
145. country
146. hole
147. weed
148. department store
149. eye
150. interest
151. ear
152. week-end
153. office
154. cinema
155. arrive
156. answer
157. work
158. get up
159. wake up
160. take off (clothes)
161. bake
162. bloom
163. need, use
164. drown
165. tell, relate
166. devour, eat (animals)
167. fill
168. please
169. hang
170. be called
171. help
172. come out
173. come in
174. knock
175. live
176. read
177. sew
178. pick
179. rain
180. smell
181. call
182. shine, appear
183. shoot
184. snore
185. cut
186. write
187. sing
188. jump, spring
189. stand
190. dance
191. carry, bear, wear
192. do
193. pass away
194. understand
195. know
196. pull
197. listen
198. similar (to)
199. excited
200. better (than)
201. many-coloured
202. thirsty
203. early, earlier
204. whole
205. patient
206. exact
207. golden

208. größer
209. heilig
210. hoch
211. ideal
212. jung
213. klar
214. komisch
215. krank
216. laut
217. letzt
218. lieb
219. menschlich
220. modern
221. möglich
222. müde
223. pünktlich
224. rasch
225. rein
226. richtig
227. rund
228. schlechter
229. schwer
230. seekrank
231. sonnig
232. tief
233. tot
234. trocken
235. weihnachtlich
236. wirklich
237. wunderschön

238. als
239. an
240. anders
241. auch nicht
242. bis
243. daß
244. denn
245. dieser, -e, -s
246. einige
247. endlich
248. freilich
249. ganz
250. gerade
251. gestern
252. hinter
253. hoffentlich
254. Ihr, -e
255. leider
256. man
257. manchmal
258. mitten in
259. nie
260. sogar
261. über
262. übermorgen

263. unter
264. vorbei
265. vorgestern
266. warum
267. welch-er, -e, -es
268. wen?
269. wenn
270. zwischen

271. bei mir zu Hause
272. das geht zu weit
273. das ist etwas anderes
274. den ganzen Tag
275. denken Sie an mich!
276. der Heilige Abend
277. dies und das
278. Donnerwetter!
279. drei Stunden lang
280. es gefällt mir
281. es geht mir besser
282. es ist mir klar
283. es ist mir zu viel
284. es ist schade
285. es klopft
286. es tut mir gut
287. es tut mir leid
288. es waren viele Leute da
289. heute Morgen
290. ich bin es
291. ich gehe in Urlaub
292. ich habe eine Stunde für mich
293. ich habe kein Interesse daran
294. ich habe nichts dagegen
295. immer heißer
296. leben Sie wohl!
297. kommen Sie gut nach Hause!
298. nicht mehr
299. nichts als
300. Sie haben gut lachen
301. sie hat Angst davor
302. sie sieht ihn kommen
303. sie will eine Stunde schlafen
304. vor der Stadt
305. was macht der Garten?
306. wer ist da?
307. wie geht es Ihnen?
308. wissen Sie was
309. zum Frühstück

208. bigger
209. holy
210. high
211. ideal
212. young
213. clear
214. comical
215. ill
216. loud
217. last
218. dear
219. human
220. modern
221. possible
222. tired
223. punctual
224. quick
225. pure, clean
226. proper, right
227. round
228. worse
229. heavy, difficult
230. seasick
231. sunny
232. deep
233. dead
234. dry
235. Christmaslike
236. real
237. lovely

238. when
239. at, on, against
240. other, different
241. neither
242. until
243. that (*conj.*)
244. for, because
245. this
246. some
247. at last
248. indeed
249. quite
250. just, straight
251. yesterday
252. behind
253. it is to be hoped
254. your
255. unfortunately
256. one, you, we, people, they
257. sometimes
258. in the middle of
259. never
260. even
261. over, above
262. the day after tomorrow
263. under
264. past
265. the day before yesterday
266. why
267. which
268. whom ?
269. whenever
270. between

271. with me at home
272. that is going too far
273. that is different
274. the whole day
275. think of me!
276. Christmas Eve
277. this and that
278. good gracious!
279. for three hours
280. I like it
281. I am better
282. it is clear to me
283. it is too much for me
284. it is a pity
285. there's a knock
286. it does me good
287. I am sorry
288. there were a lot of people there
289. this morning
290. it is I
291. I go on holiday

292. I have an hour to myself
293. it does not interest me
294. I have no objection to it
295. hotter and hotter
296. farewell!
297. get safely home!
298. no longer
299. nothing but
300. it is easy for you to laugh
301. she is afraid of it
302. she sees him coming
303. she wants to sleep for an hour
304. outside the town
305. how is the garden getting on ?
306. who is there ?
307. how are you ?
308. I tell you what
309. for breakfast

Aufgaben

I. Geben Sie Pronomen für die Substantive:

Die Kinder sind immer gern in dem Wald. Sie hören die Vögel singen. Die Vögel sitzen auf den Bäumen. Die Kinder suchen Blumen und Beeren. Sie tragen die Beeren in einem Korb. Sie geben der Mutter die Blumen, aber die Beeren essen sie, wenn sie Hunger haben. Die Mutter liebt den Blumenstrauß, und sie hat den Strauß in einer Vase vor dem Fenster. Sie kann die Blumen sehen, wenn sie in dem Zimmer arbeitet. Sie gibt den Blumen Wasser, und sie bleiben lange frisch.

II. Lesen Sie Aufgabe I im Imperfekt.

III. Complete:

In mein— neu— Schule spielen die Kinder in dies— Jahr ein Weihnachtsspiel. In d— Spiel sind viele Personen: d— klein— Jungen spielen Joseph und d— arm— Hirten und d— drei heilig— Könige, und d— klein— Mädchen spielen die Maria und d— viel— klein— Engel. In d— alt— Krippe liegt eine Puppe (doll), das ist das Christkind. Neben d— Krippe sind natürlich d— Tiere: d— Ochs, d— Esel und viel— groß— und klein— Schafe. In d— erst— Bild sieht man Maria mit ihr— Mann Joseph und mit ihr— Kind. Maria singt ein Weihnachtslied. Dann kommen d— arm— Hirten von d— Straße herein. Sie kommen in d— Haus, gehen zu d— Krippe und begrüßen d— heilig— Familie. In d— dritt— Bild sieht man d— drei heilig— Könige kommen. Sie kommen auf ihr— groß— Kamelen und grüßen d— Kind mit schön—, reich— Geschenken. Sie erzählen von ein— herrlich—

Stern. Der Stern steht über d— klein— Haus, und er zeigt d— Königen d— Weg zu d— Haus. Endlich singen alle d— groß— und klein— Spieler „Stille Nacht", und d— schöne Weihnachtsspiel ist aus.

IV. Lesen Sie Aufgabe III im Imperfekt.

V. Geben Sie die richtige Form des Verbs:

„(Können) Sie heute Abend kommen? Ich (wollen) Ihnen meine neuen Bilder zeigen." „Ja, danke. (Haben) Sie viele neue Bilder?" „Ja, ich (glauben), Sie kennen viele davon noch nicht. Ich (denken), sie (gefallen) Ihnen." „Ich (haben) Ihre Bilder immer gern." „Wann (können) Sie kommen?" „Wann (kommen) Sie vom Geschäft?" „Ich (kommen) um sieben Uhr. (Können) Sie kurz nach sieben Uhr kommen?" „Gut, ich (kommen) um $\frac{1}{4}$ 8; ist Ihnen das recht?" „Ja, das ist sehr nett von Ihnen. (Kommen) Sie nicht zu spät." „Nein. (Arbeiten) Sie heute Nachmittag nicht zu viel, oder Sie (sein) heute Abend zu müde." „Auf Wiedersehen." „Auf Wiedersehen."

VI. Lesen Sie Aufgabe V mit „du" für „Sie".

VII. Schreiben Sie im Plural:

Das junge Mädchen arbeitet in einem Büro in der großen Stadt. Sie kann morgens nicht lange schlafen. Um $\frac{1}{2}$ 8 Uhr ißt sie das Frühstück und sie liest schnell, was die Post (kein Plural) bringt: eine Postkarte und vielleicht einen Brief. Sie liest die erste Seite in der Zeitung, und dann geht sie schnell aus dem Haus. Mit der Straßenbahn oder mit dem neuen Omnibus ist sie in zehn Minuten in der Stadt. Das Geschäft ist in einer großen Straße mitten in der Stadt. Sie beginnt ihre Arbeit um acht Uhr. Sie schreibt viele Briefe. Um zwölf Uhr kommt sie wieder aus dem Geschäft und wartet an der Ecke auf den Omnibus. Sie hat nicht viel Zeit zum Mittagessen, denn um 2 Uhr muß sie wieder in dem Geschäft sein. Sie ist immer pünktlich, denn sie will ihre Arbeit nicht verlieren. Sie arbeitet wieder bis 5 Uhr, und um $\frac{1}{2}$ 6 kommt sie nach Hause zum Kaffee. Nun ist sie fertig und hat den Abend frei.

VIII. Lesen Sie Aufgabe VII im Imperfekt.

IX. Kennen oder wissen?

— Sie die alte Frau dort an der Straßenecke? Nein? Sie — nicht, wer sie ist? Ich kann es Ihnen sagen, denn ich — sie gut: es ist Frau Schmidt, und sie wartet dort auf ihren Sohn. Sie wollen —, wie ich das —? Ich — es, denn ich sehe sie jeden Tag dort stehen, und wenn der Sohn kommt (ich — ihn auch gut), gehen sie miteinander nach Hause. — Sie das Haus? — Sie nicht, wo es ist? Kommen Sie mit mir, ich zeige es Ihnen, ich — es gut und — genau, wo es ist.

X. Lesen Sie Aufgabe IX mit „du" für „Sie".

XI. Lesen Sie das neunte Kapitel im Präsens:

Heute gehe ich . . . und besuche . . . usw. (Zeile 8).

XII. Write short connected passages containing the following words:

1. Deutschland, romantisch, gemütlich, Märchen, Rotkäppchen, gern haben, Weihnachten, Adventskranz, Adventskalender, Weihnachtsbaum, Christkind, Weihnachtsmarkt, Krippe, Weihnachtslieder, essen, gute Dinge, Gans, Stollen, England, nicht so romantisch.

2. Wochenende, Samstag, arbeiten, Fußball, Sonntag in England, Sport, Kino, Theater, Café, tanzen, Tennis spielen, anders als, gern haben, nicht so schön wie, besser als.

3. Garten, Sonntag, arbeiten, Blumen, Gemüse, Unkraut, Beeren, Obst, Gras, Kaffee trinken, Sonne, heiß, Schach spielen, Karten spielen, liegen, schlafen, lesen, Radio, Zeitung, Buch, deutsch sprechen, ausgehen.

XIII. Was ist auf deutsch:

"Are you afraid of rheumatism?"

"Yes, I am afraid of it. I know nothing about it, but I think it must be very bad."

"That is so. My brother had it, and he was very ill. He was very patient, but I was awfully sorry for him. We were all sorry for him, but what can one do?"

"You are right, what can one do? You (man) want to help and yet you can't. It must be terrible. You try this and that, and nothing does any good (will help). Is your brother better now?"

"Yes, thank you, he is much better. He isn't in bed any longer, and he can even go out again. We are so glad."

"I see him coming, walking (he walks) quite quickly. I must go and speak to (mit) him."

Learn and act this dialogue.

XIV. Let each student represent one of the characters that have appeared in the chapters of this book and improvise a conversation on one of the following topics:

Der deutsche Sonntag
Der Wald und die See
Weihnachten in Deutschland und in England
Gärten und Gärtner

Ein Spiel

Ich seh' etwas, was du nicht siehst. Was ist es? (Fragen Sie indirekte Fragen: Ist es im Zimmer? usw.) Die Antwort ist immer nur Ja oder Nein.

Kanon für drei Stimmen

Cherubini (1760 bis 1842)

Ha, ha, ha! Ha, ha, ha! Ha, ha, ha!
Unsern Jubel ruft das Echo uns zurück.
Laßt uns fröhlich sein und lachen,
denn nicht ewig währt das Glück.

der Jubel (—), *joy, jubilation*
das Echo (s), *echo*
lassen, läßt, ließ, *let*
laßt uns, *let us*
fröhlich, *cheerful*
ewig, *for ever, eternal*
währen, *last*
das Glück, *happiness, luck*

Das elfte Kapitel

Der Rattenfänger von Hameln

Die Stadt Hameln ist eine wunderschöne, kleine Stadt an der Weser in Norddeutschland. Sie ist auch sehr alt und hat eine interessante Geschichte. Von dieser Stadt erzählt man eine seltsame alte Geschichte. Kennen Sie sie vielleicht? Robert Browning schrieb ein Gedicht darüber, das Sie vielleicht kennen. Ich will Ihnen die Geschichte kurz erzählen. Also, hören Sie gut zu . . .

Vor vielen hundert Jahren — im dreizehnten Jahrhundert — waren die Leute von Hameln nicht so glücklich und fröhlich wie heute. Nein, im Gegenteil, sie waren sehr unglücklich und sehr traurig. Denn sie hatten eine seltsame und schreckliche Plage in der Stadt. Es war nicht eine Krankheit oder Epidemie oder Hochwasser, sondern es war eine Ratten- und Mäuseplage. Ja, sie hatten hunderte, nein, tausende und vielleicht hunderttausende von Ratten und Mäusen in ihrer Stadt. Die Ratten und Mäuse kamen in ihre Häuser, sie fraßen alles, und sie waren überall. Die Hausfrauen waren sehr ärgerlich, und sie sagten zu den Männern: „Das ist wirklich schrecklich. Diese furchtbaren Tiere fressen die besten Kuchen, die wir backen, und sie fressen unser Mehl und unser Brot. Sie kommen in unsere Keller und fressen unseren Speck, unsere Kartoffeln und unser

Obst. So kann es nicht weitergehen. Wir müssen etwas gegen die Ratten tun." Die Männer gingen in das Rathaus auf dem schönen, alten Marktplatz. Sie saßen um den großen, runden Tisch in dem großen Ratszimmer und sprachen lange miteinander. Sie machten sehr ernste Gesichter und schüttelten den Kopf. Aber sie wußten keinen Rat. Endlich sagte der Bürgermeister: „Ich weiß etwas. Dem Mann, der uns gegen die Ratten und Mäuse hilft, will ich 1000 Mark geben." „Gut", sagten alle Männer und sie gingen nach Hause und sagten es ihren Frauen. Aber die Frauen schüttelten nur den Kopf und hielten nicht viel von der Idee.

Da kam ein Mann in die Stadt, der nicht aus Hameln war, sondern der aus einer anderen Stadt kam. Er ging zum Marktplatz und in das Rathaus und wollte den Bürgermeister sprechen. Dieser Mann sah sehr seltsam aus. Die Jacke und die Hose, die er trug, waren halb gelb und halb rot, und um den Hals trug er eine Pfeife. Er sagte zu dem Bürgermeister: „Ich kann Ihnen gegen die Ratten und Mäuse helfen, die Sie in der Stadt haben. Geben Sie mir die 1000 Mark, und ich will die Ratten und Mäuse fangen." Aber der Bürgermeister sagte: „Erst helfen Sie uns, und dann gebe ich Ihnen das Geld". Der Pfeifer ging vom Rathaus in die Stadt. Er ging durch die Straßen, durch die schönen, breiten, großen Straßen und durch die kleinen, engen und schmutzigen Straßen, und er spielte auf seiner Pfeife. Die Musik war zuerst sehr leise, und dann spielte er lauter und immer lauter. Und alle Ratten und Mäuse kamen aus ihren Löchern. Sie kamen aus den Kellern und aus den Küchen und aus den Schränken und aus den Dachböden, große und kleine Ratten, dicke und dünne Ratten, alte und junge Ratten, schwarze und braune Ratten. Sie kamen alle und folgten dem Pfeifer und der seltsamen Musik, die er auf seiner Pfeife spielte. Denn sie verstanden die Musik, die er ihnen spielte. Sie erzählte ihnen von Speck und Kuchen, von Käse und Brot und versprach ihnen volle Keller und Küchen und offene Türen überall. Der Pfeifer spielte und spielte und ging langsam aus der Stadt. Alle Leute folgten ihm und den Ratten, denn sie wollten sehen, wohin er mit den Ratten und Mäusen ging. Er ging zu dem Fluß, der voll Wasser war. Hinter ihm kamen die Ratten und Mäuse und sie sahen aus wie ein Strom, der so breit wie die Weser selbst war. Der Pfeifer ging in den Fluß hinein, und die Tiere hörten nur die Musik, die ihnen immer schönere Dinge versprach, und sie sahen das Wasser nicht. Sie konnten nicht gut schwimmen, und sie ertranken alle.

Nun waren die Leute von Hameln natürlich sehr glücklich und fröhlich, und sie aßen und tranken viel und feierten ein Fest. Aber der Pfeifer ging in das Rathaus und zu dem Bürgermeister und sagte: „Herr Bürgermeister, bitte, geben Sie mir die 1000 Mark, die Sie mir versprachen. Die Ratten und Mäuse sind alle tot." Aber der Bürgermeister antwortete: „Nein, ich kann Ihnen die 1000 Mark nicht geben. 1000 Mark ist viel zu viel für die seltsame Musik, die Sie machten. Hier, nehmen Sie 50 Mark, das ist genug, denken Sie nicht auch?" „Nein, ich will die 1000 Mark, die Sie mir versprachen", antwortete der Pfeifer, und er sprach sehr ärgerlich. „Geben Sie mir meine 1000 Mark, oder ich nehme Ihre Kinder." Aber der Bürgermeister lachte nur, und alle Leute von Hameln lachten und sagten: „Der dumme Pfeifer, er sagt, er will die Kinder haben. Die Ratten sind tot, und sie kommen nicht wieder, und unsere Kinder bleiben natürlich hier bei uns."

Aber die Leute lachten nicht lange. Der Pfeifer ging wieder durch die Stadt. Er ging wieder durch die schönen, breiten, großen Straßen und durch die kleinen, engen, schmutzigen Straßen und spielte auf seiner Pfeife. Die Musik war zuerst sehr leise, und dann spielte er lauter und immer lauter. Und alle Kinder hörten die Musik, und sie kamen und folgten dem Pfeifer. Sie kamen aus den Wohnzimmern, aus ihren Kinderzimmern, aus ihren Schlafzimmern und aus den Speisezimmern. Sie kamen aus ihren Gärten, aus ihren Schulen und aus den Kirchen. Sie wollten nicht mehr spielen und lesen und singen und lernen, sie wollten nur dem Pfeifer folgen. Denn sie verstanden die Musik, die er ihnen spielte. Sie versprach ihnen einen wunderschönen Garten mit vielen guten, schönen Äpfeln und süßen Aprikosen und Birnen, und mit Kuchen und vielen schönen Spielsachen. Die Mütter hatten Angst und sie riefen: „Halt, Kinder, halt, bleibt hier, geht nicht mit dem Pfeifer, er führt euch zum Wasser und ihr müßt alle ertrinken!" Aber die Kinder hörten die Mütter nicht, die nach ihnen riefen, sie hörten nur die seltsame, wunderschöne Musik, die

ihnen viele gute Dinge versprach, und sie sahen nur den Pfeifer in seiner gelben und roten Jacke, der so schön spielen konnte. Die Väter hatten auch Angst, und sie riefen auch: „Halt, Kinder, halt. Bleibt hier; geht nicht mit dem Pfeifer. Er führt euch zum Fluß, und ihr müßt alle ertrinken." Aber die Kinder hörten auch ihre Väter nicht, sie hörten nur die wunderschöne Musik und sahen nur den seltsamen Pfeifer.

Der Pfeifer spielte und spielte und ging langsam aus der Stadt. Alle Väter und Mütter folgten ihm und den Kindern und sie sagten zu einander: „Nun geht er zum Fluß mit unseren Kindern, und sie müssen alle ertrinken. Was können wir tun? Warum gab der Bürgermeister dem Pfeifer das Geld nicht, das er ihm versprach? Der dumme Bürgermeister!" Aber der Pfeifer ging nicht zum Fluß. Er ging weiter und weiter, und endlich kam er zu einem großen Berg, der nicht weit von Hameln liegt. Da waren die Väter und Mütter froh und sagten zu einander: „Nun kommt er zu dem Berg, und er muß auf den Berg steigen. Dann kann er nicht mehr auf seiner Pfeife spielen, unsere Kinder können dann seine Musik nicht mehr hören, sie hören uns rufen und kommen zu uns in unsere Stadt und in unsere Häuser zurück." Aber die Leute von Hameln hatten nicht recht mit dieser Idee. Denn der Pfeifer ging nicht auf den Berg. Er kam zu dem Berg und

stand vor dem Berg, und plötzlich war der Berg offen, und da sahen die Kinder eine große, wunderschöne Höhle. Sie tanzten und sangen und lachten, und sie folgten dem Pfeifer in die Höhle. Hinter ihnen schloß sich der Berg wieder, und man sah die Kinder und den Pfeifer nie wieder. Nur ein Kind blieb zurück. Es war ein Kind, das lahm war und nicht so schnell wie die anderen Kinder gehen konnte. Es sagte zu den anderen Kindern: „Bitte, bitte, geht nicht so schnell, ich kann euch nicht folgen". Aber die anderen Kinder hörten es nicht. Es kam zu spät zu dem Berg und konnte ihnen nicht in die Höhle folgen. Es war sehr traurig und mußte allein wieder nach Hause gehen. Der Bürgermeister und alle Leute waren natürlich auch sehr traurig und sagten: „Von nun an wollen wir keine Musik mehr in unserer Stadt hören. Musik ist hier verboten."

Aber der Pfeifer und die Kinder kamen nie wieder zurück.

In Rumänien ist eine kleine Provinz, wo die Leute nicht rumänisch sprechen, sondern deutsch. Diese Leute — so sagt man — sind die Nachkommen der Kinder von Hameln. Sie kamen dort wieder aus dem Berg und aus der wunderschönen Höhle. Vielleicht ist es wahr, und vielleicht ist es nicht wahr — wer kann es sagen?

Vokabeln

der Bürgermeister (—), *mayor*
„ Käse (—), *cheese*
„ Norden (—), *north*
„ Pfeifer (—), *piper*
„ Rattenfänger (—), *rat-catcher*

„ Berg (e), *mountain*
„ Speck (e), *bacon*

„ Fluß (Flüsse), *river*
„ Hals ("e), *neck, throat*
„ Rat ("e), *counsel*
„ Schrank ("e), *cupboard*
„ Strom ("e), *big river*

„ Dachboden ("), *attic*

„ Nachkomme (n, n), *descendant*

die Epidemie (n), *epidemic*
„ Geschichte (n), *story, history*
„ Hausfrau (en), *housewife*
„ Höhle (n), *cave*
„ Hose (n), *trousers*

die Kirche (n), *church*
„ Krankheit (en), *illness*
„ Pfeife (n), *pipe, whistle*
„ Plage (n), *plague*
„ Provinz (en), *province*
„ Ratte (n), *rat*
„ Sache (n), *thing*
„ Spielsache (n), *toy*

das Brot (e), *bread*
„ Fest (e), *feast, holiday*
„ Gedicht (e), *poem*
„ Gegenteil (e), *opposite*
„ Jahrhundert (e), *century*
„ Mehl (e), *flour*

„ Hochwasser (—), *flood*
„ Ratszimmer (—), *council chamber*
„ Speisezimmer (—), *dining-room*

„ Dach ("er), *roof*
„ Rathaus ("er), *town hall*

Norddeutschland (neut.), *North Germany*

Rumänien (neut.), *Rumania*

fangen, fängt, *catch*
feiern, *feast*, *celebrate*
folgen (Dat.), *follow*
halten, hält, *hold*
schließen, *close*
schütteln, schüttle, schüttelt, *shake*
schwimmen, *swim*
verspréchen, verspricht, *promise*
zurück'bleiben, *stay behind*

ärgerlich, *angry*
breit, *broad*, *wide*
dumm, *stupid*
eng, *narrow*
ernst, *serious*, *earnest*
froh, *glad*
fröhlich, *cheerful*
furchtbar, *terrible*, *frightful*
kurz, *short*
lahm, *lame*
langsam, *slow*
leise, *soft*, *gentle*
plötzlich, *sudden*
rumänisch, *Rumanian*
schmutzig, *dirty*
seltsam, *strange*
traurig, *sad*
unglücklich, *unhappy*
verbóten, *forbidden*
voll, *full*
weiter, *farther*, *further*

selbst, *self*

sondern, *but* (*after negation*)
überall, *everywhere*
wohín, *whither*, *where to*

an der Weser, *on the Weser*
der Berg schloß sich wieder, *the mountain closed itself again*
die Nachkommen der Kinder von Hameln, *the descendants of the children of Hamelin*
die Weser selbst, *the Weser itself*
er schrieb ein Gedicht darüber, *he wrote a poem about it*
er weiß keinen Rat, *he does not know what to do*
er will ihn sprechen, *he wants to speak to him*
ich halte nicht viel davon; was halten Sie davon? *I don't think much of it; what do you think of it?*
im Gegenteil, *on the contrary*
keine Musik mehr, *no more music*
sie schütteln den Kopf, *they shake their heads*
so kann es nicht weitergehen, *it cannot go on like this*
viel zu viel, *far too much*
voll Wasser, *full of water*
von nun an, *from now on*
vor 100 Jahren, *100 years ago*
wer kann es sagen? *who can say?*

Grammatik

I. Ihr

The plural of du (*cf.* Chapter 6) is ihr.

The *verb* ends in -t: ihr geht, ihr gingt; ihr sagt, ihr sagtet. haben: ihr habt, ihr hattet; sein: ihr seid, ihr wart.

The imperative is the same as the indicative: geht! kommt! (no pronoun).

The *personal pronoun* is: Nom. ihr; Acc. euch; Dat. euch.

The *possessive pronoun* is: sing.: euer, euere, euer; plural: euere. In accusative and dative it is declined like mein.

II. Revision of possessive adjectives

my: mein, meine; your: dein, deine; Ihr, Ihre; his: sein, seine; her: ihr, ihre; its: sein, seine; our: unser, unsere; your: euer, euere; Ihr, Ihre; their: ihr, ihre.

The possessive adjectives are declined like kein:

	Masc.	*Fem.*	*Neut.*	*Plur.*
N.:	mein Vater	meine Mutter	mein Haus	meine Kinder
A.:	meinen Vater	meine Mutter	mein Haus	meine Kinder
D.:	meinem Vater	meiner Mutter	meinem Haus	meinen Kindern

Do the same with: sein, unser, Ihr, euer, dein, ihr.

III. Revision of the declension of the adjective (der-declension):

	Masc.	*Fem.*	*Neut.*
Nom.:	der braun**e** Hund	die braun**e** Katze	das schön**e** Bild
Acc. :	den braun**en** Hund	die braun**e** Katze	das schön**e** Bild
Dat. :	dem braun**en** Hund	der braun**en** Katze	dem schön**en** Bild

Plur.

Nom.:	die gut**en** Frauen	gut**e** Frauen
Acc. :	die gut**en** Frauen	gut**e** Frauen
Dat. :	den gut**en** Frauen	gut**en** Frauen

IV. Relative sentence (nominative)

Brownings Gedicht, das von dem Rattenfänger erzählt, ist sehr schön. Die Jacke, die hier hängt, ist gelb. Der Pfeifer, der so schön spielen konnte, ging durch die Straßen.

The *relative pronouns* are the same as the definite article: der, die, das. They agree in gender with the noun to which they refer.

Word order: In relative sentences (as in all subordinate clauses) the verb stands last. The rest of the sentence remains unchanged. Thus:

Ich kenne den Mann. Er geht dort auf der Straße.
Ich kenne den Mann, der dort auf der Straße geht.

Instead of der, die, das, welcher, welche, welches can be used.

Aufgaben

I. Ich verspreche; versprichst du? ihr versprecht nicht; verspricht er nicht?

Auch mit: halten, folgen, schließen, weitergehen, können, wissen, müssen, haben, sein. Auch im Imperfekt.

II. Geben Sie die Possessivpronomen:

An — freien Nachmittag treffe ich — Freund und — Schwester vor — Haus. — Freund hat einen Garten und er arbeitet oft in — Garten, wenn ich komme. Ich sage: „Guten Tag. — Garten sieht wieder sehr schön aus. Was machen — Obstbäume?" Er erzählt mir gern von — Obstbäumen und von — Blumen. Ich frage nach — Eltern und er sagt mir, wie es ihnen geht. — Freund und — Schwester ziehen — Mäntel an und Hans (das ist — Freund) fragt mich: „Wo hast du — Hund heute Nachmittag?" Ich antworte: „— Hund ist heute krank. Willst du — Hund mitnehmen?" Liesel (das ist — Schwester) sagt ein wenig ärgerlich: „O, ihr ·mit — Hunden. Ich gehe nicht mehr mit euch, ihr sprecht von nichts als von — Hunden."

III. Lesen Sie Aufgabe II mit „Sie" für „du" und „ihr".

IV. Lesen Sie Aufgabe II im Imperfekt.

V. Complete:

An heiß— Tagen schwimmen d— groß— Kinder in d— klein— Fluß, und sie haben frisch—, glücklich— Gesichter. Mitten in d— alt— Stadt können sie natürlich nicht schwimmen, dort ist das Schwimmen verboten. Aber vor d— groß— Stadt ist d— klein— Fluß hell und klar. Da kommen d— fröhlich— Kinder aus d— breit— und eng—, d— schön— und d— schmutzig— Straßen und bleiben d— ganz— Tag an d— klar—, kühl— Wasser in d— gut—, warm— Sonne. An d— warm— Abenden kommen auch d— jung— Mädchen und d— jung— Männer und schwimmen in d— tief— Wasser und machen groß— Wellen. Und d— alt— Leute kommen auch aus ihr— Häusern und aus ihr— Geschäften und sitzen auf d— grün— Gras bei d— klein— Fluß.

VI. Lesen Sie Aufgabe V im Imperfekt.

VII. Geben Sie das Relativpronomen:

Kennen Sie den Mann, — dort auf der Straße geht? Die Frau, — mit ihm geht, ist seine Schwester. Sie wohnen in dem großen Haus, — am Marktplatz links allein steht. Die Kinder, — dort spielen, wohnen auch in dem großen Haus, und der Mann, — jetzt zu ihnen geht, ist ihr Vater. Er arbeitet jetzt in dem neuen Warenhaus, — dort rechts am Marktplatz steht. Die Sachen, — Sie dort kaufen können, sind billig und gut.

VIII. Make the first sentence into a relative clause:

Beispiel: Der Mann kommt aus dem Haus. Er ist mein Bruder. Der Mann, der aus dem Haus kommt, ist mein Bruder.

Der Garten ist vor meinem Haus. Er ist neu.

Das Mädchen sitzt am Fenster. Sie ist meine Freundin.

Die Tanzmusik kommt heute Abend im Radio. Sie ist sehr gut.

Das neue Café steht am Marktplatz. Es ist sehr modern.

Die Kinder spielen am Fluß. Sie können gut schwimmen.

Der alte Mann wohnt in dem großen Haus. Er spricht gut deutsch.

IX. Lesen Sie:

8.30 p.m., 7.45 a.m., 3.15, 6.30, 9.20, 10.10, 11.55, 2.25, 6.10, 1.30, 2.45, 4.40.

X. Lesen Sie das elfte Kapitel im Präsens. Beginnen Sie: Im Gegenteil, die Leute von Hameln sind sehr unglücklich . . .

XI. Erzählen Sie die Geschichte vom Rattenfänger in der Klasse. Sagen Sie jeder einen Satz!

XII. Was ist auf deutsch:

Ours (our town) is a dear old town. It has a fine old cathedral and a pretty little river—not as big as your river, I know, but we are very fond of it. Our children are fond of it, too, and they love playing near by. Behind the town there is a mountain. It is quite high, and we sometimes climb this mountain with the children. They don't like the narrow, dark streets in the town, and neither do we. But on the beautiful mountain or by the little river we are happy and play together all day.

XIII. Sprechen Sie kurz über eine Stadt, die Sie kennen.

Märkisches Städtchen

Drei
kleine Straßen
mit Häuserchen wie aus einer Spielzeugschachtel
münden auf den stillen Marktplatz.
Der alte Brunnen vor dem Kirchlein rauscht,
die
Linden . . . duften . . .

Das
ist das . . . ganze . . . Städtchen.

Aber draußen,
wo aus einem tiefen, blauen, hohen Himmel Lerchen singen,
blinkt
der . . . See,
dunkelen Wälder und wogen Kornfelder.

Mir
ist alles . . . wie ein Traum!

Soll ich . . . bleiben? . . . Soll ich
weiterziehen?

Der . . . Brunnen . . . rauscht . . . die . . . Linden
. . . duften . . .

Arno Holz (1863 bis 1929)

die Häuserchen, *little houses*
„ Spielzeugschachtel (n), *toybox*
münden, mündet, *flow into, run into*
das Kirchlein (—), *little church*
rauschen, *rustle, babble*
die Linde (n), *lime-tree*
duften, duftet, *smell sweet*
die Lerche (n), *lark*
blinken, *sparkle, shine*
der See (n), *lake*
dunkeln, *darken*
wogen, *wave, float*
weiter'ziehen, *move on*

Kanon für zwei Stimmen

J. J. Wachsmann, 1853

Wacht auf, wacht auf, es krähte der Hahn.
Die Sonne betritt die goldene Bahn.

krähen, *crow*
der Hahn (¨e), *cock*
betreten, betritt, betrat, *enter*
die Bahn (en), *track*

Das zwölfte Kapitel

Unser Wohnzimmer (S. S. 261)

In unserem alten Haus hatten wir ein schönes, großes Wohnzimmer. Es hatte ein großes Fenster nach Süden, das in den Garten hinaussah, und zwei kleine Fenster nach Osten und Westen. Die anderen Zimmer im Haus waren alle getüncht, aber das Wohnzimmer war mit einer vornehmen grauen Tapete tapeziert. In der Mitte stand natürlich der große Tisch. Es war ein sehr großer Tisch, und wenn in den Ferien die ganze Familie zu Hause war, aßen wir immer im Wohnzimmer, denn die anderen Tische im Haus waren dann alle zu klein für uns. Um den Tisch standen die polierten Stühle. Sie hatten lederne Sitze und sahen sehr steif und vornehm aus. In der Ecke stand ein grüner Kachelofen und daneben ein schöner, bequemer Lehnstuhl. Neben dem Lehnstuhl hatte Mutter einen kleinen, runden Tisch für ihre Bücher und darüber eine elektrische Lampe zum Lesen. Hier wollte sie an stillen Winterabenden über ihren Büchern sitzen. Aber die stillen Winterabende kamen nur sehr selten. Das Wohnzimmer hatte drei große Türen. Die eine Tür ging in das Kinderzimmer, die zweite Tür in das Besuchszimmer — so hieß unser bestes Zimmer — und die dritte Tür ging in den Korridor. Mutter klagte immer über die vielen Türen im Haus. Sie hatte nie genug Wände für ihre Möbel, sagte sie.

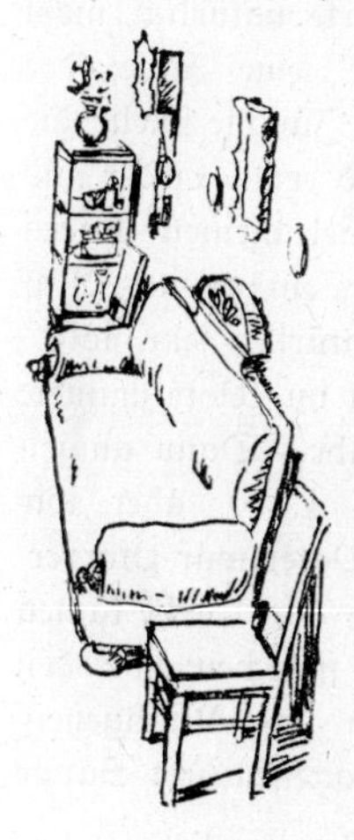

Im Wohnzimmer stand natürlich auch das Sofa, und an der Wand hing eine Schwarzwälderuhr. Aber die wichtigsten Möbelstücke waren die zwei Instrumente: wir hatten ein Klavier und ein Harmonium. Das Wohnzimmer war auch Musikzimmer. Wir Kinder spielten alle ein Instrument. Mein ältester Bruder spielte Klavier, Harmonium, Orgel, Guitarre und ein wenig Violine. Er war der beste Musiker in der Familie. Mein zweiter Bruder spielte Cello, der dritte Flöte und der vierte Violine. Ich spielte Klavier, und meine jüngste Schwester auch. Wenn wir alle zu Hause waren, hatten wir ein richtiges kleines Hausorchester. Zu Vaters und Mutters Silberhochzeit schrieb mein ältester Bruder eine wunderschöne Symphonie — ich glaube, sie hieß Freudensymphonie — und wir alle mußten darin spielen. Mein ältester Bruder spielte Harmonium und dirigierte natürlich, mein zweiter Bruder spielte sein Cello, der dritte seine Flöte, der vierte seine Violine, ich spielte Klavier, und die Jüngste spielte die Triangel. Dazwischen sangen wir komische und ernste Lieder und Kanons. Es war ganz herrlich, und es gefiel meinen Eltern sehr gut. Wir mußten es, glaube ich, sogar ein zweites Mal vor unseren Freunden spielen. Wir waren natürlich sehr stolz.

An Sonntagen waren wir den ganzen Tag im Wohnzimmer. Wir frühstückten alle zusammen etwa um 8 Uhr. Dann gingen wir in die Kirche. Die Kirche begann um ½ 10, aber wir hatten zum Glück nicht weit zu gehen. Mein Vater war Pfarrer, und unser Haus stand neben der Kirche. Nach der Kirche kamen oft Freunde und Bekannte und saßen und sprachen mit den Eltern im Wohnzimmer. Um 12 Uhr kam das Mittagessen. Es war am Sonntag immer ein gutes Mittagessen mit Suppe und einem guten Nachtisch. Danach schlief meine Mutter eine Stunde auf dem Sofa, und wir lasen oder spielten Schach oder gingen spazieren. Unser Haus stand vor der Stadt, und wir konnten schöne Spaziergänge machen. Um ½ 5 tranken wir Kaffee. Oft kamen Freunde dazu, und man saß und sprach über dies und das. Dann gingen wir vielleicht wieder eine Stunde spazieren und kamen zum Abendessen um ½ 7 pünktlich wieder zurück. Nach dem Abendessen machten wir fast jeden Sonntag Musik.

An Weihnachten war das Wohnzimmer besonders schön. Da stand der große Weihnachtsbaum in der Ecke. Es war ein sehr großer Baum, und er ging vom Fußboden fast bis an die Decke. Oben an der Spitze saß ein goldener Engel. Unter dem Baum, auf dem Fußboden, stand die Krippe in Moos und Tannenzweigen. Da waren Joseph und Maria und das Christkind in einem kleinen, alten Häuschen, und über ihnen hingen viele goldene und silberne Sterne und viele kleine Engel aus Wachs. Manchmal, wenn die Kerzen zu lange brannten, wurde es den Engeln zu heiß; sie begannen zu schmelzen, und große, dicke Wachstränen fielen auf den Fußboden. Im Wohnzimmer war nicht genug Platz für alle unsere Geschenke, und wir hatten sie in unserem Besuchszimmer. Mutter holte einen zweiten Tisch in das Besuchszimmer, und auf den zwei Tischen fanden wir am Heiligen Abend alle unsere Geschenke. Auf dem Tisch standen viele kleine Engel aus Holz, und sie hielten Kerzen. Das elektrische Licht brannte nicht, und die Kerzen gaben ein schönes, warmes Licht.

Jetzt wohnen Vater und Mutter in einem kleinen, modernen Haus vor der Stadt, nicht weit von unserem alten Haus. Sie haben noch ihre alten Möbel, und das Klavier und das Harmonium stehen nun in ihrem kleinen Wohnzimmer. Aber wir Kinder waren noch nie alle zusammen in dem neuen Haus. Und ich weiß nicht, wann wir wieder einmal miteinander Musik machen können.

Vokabeln

der Musiker (—), *musician*
" Osten (—), *east*
" Pfarrer (—), *parson*
" Westen (—), *west*

" Korridor (e), *corridor*
" Nachtisch (e), *dessert*
" Sitz (e), *seat*
" Zweig (e), *twig*

" Lehnstuhl ("e), *armchair*

" Fußboden ("), *floor*

" Bekánnte (n, n), *acquaintance*
" Komponist (en, en), *composer*

" Kanon (s), *canon, round*

die Flöte (n), *flute*
" Guitárre (n), *guitar*
" Hochzeit (en), *wedding*
" Kirche (n), *church*
" Mitte (n), *middle*
" Orgel (n), *organ*
" Spitze (n), *top, point*
" Suppe (n), *soup*
" Tapéte (n), *wall paper*
" Träne (n), *tear*
" Triángel (n), *triangle*
" Violine (n), *violin*

die Wand ("e), *wall*

das Möbelstück (e), *piece of furniture*
" Moos (e), *moss*

" Besúchszimmer (—), *drawing-room*
" Leder (—), *leather*
" Möbel (—), *furniture*

" Cello (s), *cello*
" Harmónium (s), *harmonium*
" Sofa (s), *sofa*

" Silber (kein Pl.), *silver*
" Wachs (kein Pl.), *wax*

die Eltern (kein Sing.), *parents*
" Ferien (kein Sing.), *school holidays*

dirigieren, *conduct*
frühstücken, *breakfast*
hináus'sehen, sieht hinaus, *look out*
holen, *fetch*
klagen über (Akk.), *complain of*
polieren, *polish*
schmelzen, schmilzt, *melt*
tapezieren, *paper the wall*
tropfen, *drip*
tünchen, *distemper*

werden, wird, *become*

älteſt, *oldest, eldest*
bequém, *comfortable*
beſt, *best*
getüncht, *distempered*
jüngſt, *youngest*
ledern, *leather*
poliert, *polished*
ſilbern, *silver*
ſteif, *stiff*
tapeziert, *papered*
vornehm, *distinguished*
wichtig, *important*

beſónders, *especially*
etwa, *about*

faſt, *almost*
neben (Akk. und Dat.), *beside*
ſelten, *seldom*
zuſámmen, *together*

der, die, das Jüngſte, *the youngest one*
es wird mir heiß, *I am getting hot*
ich gehe ſpazieren, *I go for a walk*
ich mache einen Spaziergang, *I take a walk*
ich ſpiele Klavier, *I play the piano*
noch nie, *never yet*
zum Glück, *fortunately*
zum Leſen, *for reading*

Grammatik

I. Declension of the adjective with „ein"

	Masc.	*Fem.*	*Neut.*
Nom.:	ein braun**er** Stuhl	eine jung**e** Frau	ein klein**es** Kind
Acc. :	einen braun**en** Stuhl	eine jung**e** Frau	ein klein**es** Kind
Dat. :	einem braun**en** Stuhl	einer jung**en** Frau	einem klein**en** Kind

	Plur.
Nom.:	jung**e** Frauen
Acc. :	jung**e** Frauen
Dat. :	jung**en** Frauen

This declension is always used when the limiting word preceding the adjective does not show the gender clearly, as: kein, mein and all possessives in the singular. In the plural it is used only when no limiting word at all precedes the adjective.

II. The verb werden — to become

Present tense

Ich werde, du wirst, er, sie, es wird; wir, Sie, sie werden; ihr werdet.

Past tense

Ich wurde, du wurdest, er, sie, es wurde; wir, Sie, sie wurden; ihr wurdet.

Aufgaben

I. Deklinieren Sie im Singular und Plural:

Sein vornehmes Haus. Kein bequemer Stuhl. Ihre silberne Uhr. Dein schöner Garten. Meine alte Stadt. Unser neues Sofa. Ein ernstes Lied.

II. Complete:

Ich besuche mein— alt— Freunde, die nun in ihr— neu—, modern— Haus vor unser— groß— Stadt wohnen. Ich nehme kein— alt— Straßenbahn, sondern ein— modern—, bequem— Omnibus. Ich denke, gut—, modern— Omnibusse sind viel besser als d— alt— Straßenbahnen. Glauben Sie das nicht auch? Endlich komme ich zu ein— schön—, breit— Straße, die Waldstraße heißt. Dort wohnen mein— Freunde. Ich kenne ihr neu— Haus noch nicht, aber ich weiß, es ist Nummer 15. D— neu— Häuser in d— schön—, breit— Straße haben groß— Nummern über ihr— neu— Türen. Sie sind alle weiß getüncht. Ah, hier sind wir: Nummer 15. Es ist ein schön— Haus, das muß ich sagen. Und ein— schön—, groß— Garten hat er auch, mein alt— Freund. Er ist ein gut— Gärtner, vielleicht gibt er mir einige von sein— gut—, süß—, Birnen. Ah, da kommt sein— nett— jung— Frau. „Guten Tag, wie geht es Ihnen?"

III. Lesen Sie Aufgabe II im Imperfekt.

IV. Schreiben Sie im Plural:

Die alte Stadt hat einen wunderschönen, alten Marktplatz. An diesem alten Marktplatz steht eine interessante, alte Kirche, und neben der Kirche steht ein großes, helles Pfarrhaus. In dem schönen Pfarrhaus wohnt ein junger Pfarrer. Er hat eine nette, junge Frau und ein kleines Kind. Der Pfarrer ist ein sehr guter Musiker, er spielt gut Klavier (kein Plural), und seine junge Frau singt ganz gut. Am Sonntagabend kommt ein guter Freund nach ihrem Haus und sie machen Musik. In der Woche arbeitet der Pfarrer morgens in seinem Zimmer. Am Nachmittag geht er aus und besucht einen alten Mann oder eine kranke Frau in der Stadt. Er kennt die alte Stadt genau. Am Sonntag steht er in der Kirche und spricht zu den Leuten, die vor ihm in der Kirche sitzen. Sie singen ein schönes, altes Kirchenlied, und von der großen Orgel kommt schöne Musik.

V. Lesen Sie Aufgabe IV im Imperfekt.

VI. Geben Sie das Verb:

Ich (treffen) meinen kleinen Freund Peter auf der Straße. „'Tag, Peter" (sagen) ich, „du (werden) aber groß, wie alt (sein) du nun?" Peter (antworten): „Ich (werden) nächste Woche 13 Jahre". „13 Jahre? Da (sein) du wohl bald mit der Schule fertig? Wie lang (wollen) du noch in die Schule gehen?" „Ich (wollen) nicht mehr lang gehen, aber meine Eltern sagen, ich (müssen) noch einige Jahre gehen, bis ich 16 Jahre alt (sein)." „So, und was (wollen) du dann werden?" „Ich (wollen) zur See gehen, aber meine Mutter (wollen) das nicht haben. Vielleicht (werden) ich Doktor oder Lehrer." „Aber dann (müssen) du noch viele Jahre in die Schule gehen, (wissen) du das?" „Ach, wirklich? Vielleicht (werden) ich dann kein Doktor und kein Lehrer. (Können) Sie mir einen besseren Rat geben?"

VII. Lesen Sie Aufgabe VI im Plural: Wir treffen unsere kleinen Freunde Peter und Paul auf der Straße usw.

VIII. Lesen Sie das zwölfte Kapitel im Präsens.

IX. Lesen oder erzählen Sie das zwölfte Kapitel in der dritten Person: Else Müllers Wohnzimmer. Beginnen Sie: Die Kinder spielten alle ein Instrument usw.

X. Was ist auf deutsch:

"How are you, Mrs. Miller?"

"Quite well, thank you. And how are you?"

"Very well, thank you, but I have a lot to do. Spring is a terrible time for us housewives, isn't it?"

"Yes, you're right. The men don't know what it's like. I hardly have time (almost no time) to cook these days, and my husband complains, but I can't help that (him)."

"Are you papering your rooms again this spring?"

"No, not this year. Are you (papering)?"

"Yes, I am doing (papering) the sitting-room. I bought a beautiful light-blue paper last week. I always think a paper looks nice in the sitting-room. But the other rooms I only distemper."

"Are you doing it yourself?"

"No, I can't do it; I have a man from the shop (der Laden) who does it for me. He papers and distempers well."

"Is he very dear?"

"He's not cheap, but I said to my husband, I must have him, I can't do it alone."

XI. Sprechen Sie kurz über ein Zimmer in Ihrem Haus und fragen Sie einander darüber.

Hier sind zwei Lieder, die wir in unserer Freudensymphonie sangen:

1. Kanon

Kanon für drei Stimmen

Wacht auf, ihr Schläfer drinnen, der Kuckuck hat geschrie'n.
Dort auf des Berges Zinnen seh' ich die Sonn' erglüh'n.

Erwa-chet, erwa-chet, der Kuckuck hat geschrie'n.

Wacht auf, ihr Schläfer drinnen, der Kuckuck hat geschrie'n.
Dort auf des Berges Zinnen seh' ich die Sonn' erglüh'n.
Erwachet, erwachet, der Kuckuck hat geschrie'n:
Kuckuck, kuckuck, kuckuck, kuckuck!

der Schläfer (—), *the sleeper*
drinnen, *inside*
schreien, schrie, *cry, shriek*
hat geschrieen, *has cried*
die Zinne (n), *turret*
erglühen, *glow*

2. Es war einmal ein Känguruh

Es war einmal ein Känguruh, a-uh, a-uh, a-uh,
das macht die Augen auf und zu, a-uh, a-uh, a-uh.

(Wenn wir es sangen, machten wir auch die Augen auf und zu. Ist das nicht wunderschön?)

es war einmal, *once upon a time there was . . .*   das Känguruh (s), *kangaroo*

Dreizehntes Kapitel

Ein Ausflug

Heute ist der erste Mai, wir haben alle frei, und wir wollen einen Ausflug machen. Wir stehen früh auf, um ½ 7 sitzen wir schon beim Frühstück, und um ½ 8 sitzen wir im Zug. Wir — das ist mein Bruder Fritz und ich und zwei Freunde meines Bruders, Walter und Erich. Wir wollen auf einen Berg steigen, den höchsten Berg der Gegend. „Die Wettervorhersage ist ganz gut. Ich denke, es bleibt schön", sagt Walter, und wir sind alle froh. Letzten Sonntag konnten wir wegen des schlechten Wetters keinen Ausflug machen, und während der ganzen Woche war das Wetter auch nicht zu gut. Aber heute scheint die Sonne. Im Zug lesen wir die Karte. Der Weg sieht nicht zu weit aus. Das ist gut, denn ich kann nicht so schnell steigen wie die Jungen. Ah, Wiesenfeld, hier steigen wir aus. Fritz hat die Karte und führt. Zuerst gehen wir durch das Dorf. Die Häuser des Dorfes sind weiß getüncht, und über den Türen und Fenstern der Bauernhäuser sind bunte Malereien. In der Mitte des Marktplatzes steht die kleine, weiße Kirche. Am Turm der Kirche ist eine große Uhr. Es ist ½ 9. Gut, wir haben also viel Zeit vor uns, einen ganzen Tag. Auf dem Marktplatz stehen die Männer des Dorfes in ihren Sonntagsanzügen und plaudern miteinander. Heute arbeitet man offenbar auch hier nicht.

Die Häuser des Dorfes liegen nun hinter uns, und wir gehen durch die Wiesen. Das Gras der Wiesen ist frisch und grün. Noch einige Wochen, und die Bauern beginnen, es zu schneiden. Wir folgen dem Tal eines hellen, kleinen Flusses. Der Fußweg

an der Seite des Flusses ist gut gehalten, denn während des Sommers kommen viele Fremde in diese Gegend für ihren Urlaub. Das Tal wird enger, und wir beginnen zu steigen. Links ist ein Wegweiser: Rotenberg 5 Stunden, und daneben ist ein roter Ring in Ölfarbe. Das ist unser Fußweg, und wir müssen nun dem roten Ring folgen. An Wegkreuzungen finden wir ihn von nun an immer an Bäumen oder auf Steinen, und er bleibt uns treu bis zum Ende unseres Weges. Nun kommen wir in den Wald. Zuerst ist er aus Buchen und Tannen und Kiefern gemischt, dann wird es dunkler, wir gehen unter hohen, schlanken Tannen. Die Sonne kann kaum durch die Zweige der Tannen scheinen, und es ist kühl im Schatten des Waldes. Der Fußweg ist mit den feinen Nadeln der Tannen bedeckt, und man geht wundervoll weich. Der Weg wird etwas steiler, und es wird uns langsam warm. Nach einer Stunde kommen wir aus dem Tannenwald in die Wärme und Sonne der Bergwiesen. An manchen Stellen schimmern sie ganz blau mit Enzian, und aus der Ferne hören wir schon das Läuten der Kuhglocken. Die Kühe sind also schon oben auf den Bergwiesen.

Bald kommen wir zur ersten Berghütte. In der Hütte finden wir ein junges Mädchen. Sie macht frische Butter und gibt uns ein großes Glas frische Buttermilch. Das schmeckt herrlich nach dem Steigen. „Wie weit ist es noch bis zum

Gipfel des Berges?" fragen wir. „1½ Stunden, wenn Sie gut steigen", ist die Antwort. „Folgen Sie nur Ihrem roten Ring. Sie kommen nun bald aus den Wiesen, und der Weg wird am Ende ziemlich steil und steinig. Aber die Aussicht wird auch immer besser. Besonders an einem so schönen Tag wie heute muß es da oben wundervoll sein." Und sie hat recht. Die Aussicht wird immer schöner. Bald liegt das Dunkelgrün der Wälder weit unter uns, und wir können die Berge auf der anderen Seite des Tales sehen. Die Wiesen werden steiniger, und endlich kommen wir aus dem Grün der Wiesen in das Grau der Felsen. Der Weg wird nun sehr steil und sehr steinig, und es wird uns immer heißer. Die Sonne steht hoch, und die Jungen ziehen ihre Jacken aus. Der Weg steigt im Zickzack bergauf. An jeder Ecke sehen wir ein wenig mehr von dem Tal unter uns und von den Bergen auf der anderen Seite. Die Blumen werden rarer, aber die Farben der wenigen Blumen, die wir sehen, sind wundervoll tief. Endlich sehen wir ein graublaues Dach vor uns. Das muß das Dach der Rotenberghütte sein. Ein feiner Rauch steigt aus dem Schornstein der Hütte. Ist die Mittagssuppe wohl schon fertig? Hoffentlich! Mit frischer Energie steigen wir weiter, und bald sitzen wir auf der Bank vor der Hütte, packen unsere Rucksäcke aus und essen unser Mittagessen. Unsere belegten Butterbrote schmecken ausgezeichnet, und in der Küche kaufen wir uns jeder einen großen Teller Erbsensuppe mit Wurst für 30 Pfennig. Äpfel finden wir auch in der Tiefe unserer Rucksäcke, und Wasser finden wir in einer Quelle in der Nähe der Hütte. Und natürlich haben wir auch harte Eier. Ohne sie ist ein deutscher Ausflug kein Ausflug. Die Sonne ist wundervoll warm hier oben. Wir liegen lange Zeit auf den Bänken vor der Hütte, rauchen und schlafen.

Dann steigen wir wieder bergab. Rasch geht es durch die Wiesen und Wälder, und bald sehen wir die roten Dächer des Dorfes vor uns. Wir gehen zum besten Gasthaus des Dorfes, dem Gasthaus zur Post. Es sieht gemütlich aus mit seinem Balkon, seiner breiten Haustür, dem goldenen Posthorn darüber und dem runden, rosigen Wirt davor. Die Frau Wirtin kocht einen ausgezeichneten Kaffee. Auch der Apfelkuchen der Frau Wirtin schmeckt gar nicht schlecht. Wir haben einen furchtbaren Hunger. Ein großes Stück Bauernbrot mit Butter und Honig schmeckt herrlich. Wir haben noch Zeit für eine Zigarette, bevor unser Zug geht. Spät abends kommen wir wieder nach Hause zurück, müde und sehr glücklich. In der Nacht träumen wir von Kuhglocken und Buttermilch. Aber am nächsten Tag verwünschen wir alle das Treppensteigen.

Vokabeln

der Felsen (—), *rock*
„ Gipfel (—), *summit*
„ Schatten (—), *shade, shadow*
„ Teller (—), *plate*
„ Wegweiser (—), *sign-post*

„ Balkón (e), *balcony*
„ Enzian (e), *gentian*
„ Pfennig (e), *pfennig*
„ Ring (e), *ring*
„ Schornstein (e), *chimney*
„ Wirt (e), *host, landlord*

„ Anzug ("e), *suit*
„ Ausflug ("e), *excursion*
„ Rucksack ("e), *rucksack*
„ Turm ("e), *tower, steeple*
„ Zug ("e), *train*

der Fremde (n, n), *visitor, stranger*
„ Honig (kein Pl.), *honey*
„ Mai (kein Pl.), *May*
„ Rauch (kein Pl.), *smoke*

die Aussicht (en), *view*
„ Buche (n), *beech*
„ Energie (n), *energy*
„ Erbse (n), *pea*
„ Ferne (en), *distance*
„ Gegend (en), *district*
„ Hütte (n), *hut*
„ Karte (n), *map*
„ Kiefer (n), *pine*
„ Kreuzung (en), *crossing*
„ Maleréi (en), *painting*
„ Nähe (n), *neighbourhood*
„ Ölfarbe (n), *oil paint*

die Quelle (n), *spring, well*
„ Stelle (n), *spot, place*
„ Suppe (n), *soup*
„ Tiefe (n), *depth*
„ Wéttervorhérsage (n), *weather forecast*
„ Wiese (n), *meadow*
„ Wirtin (nen), *hostess, landlady*

„ Bank ("e), *bench, seat*
„ Wurst ("e), *sausage*

„ Wärme (kein Pl.), *warmth*

das Dorf ("er), *village* (*thorp*)
„ Gasthaus ("er), *inn, hotel*
„ Posthorn ("er), *post-horn*
„ Tal ("er), *dale, valley*

„ Ei (er), *egg*

„ Ende (n), *end*

aus'packen, *unpack*
mischen, *mix*
plaudern, *chat*
schimmern, *shimmer, shine*
schmecken, *taste*
verwünschen, *curse*

ausgezeichnet, *excellent*
bedéckt, *covered*
frei, *free*
gemischt, *mixed*
höchst, *highest*
offenbar, *evident*
rosig, *rosy, pink*
schlank, *slim, slender*
steil, *steep*
steinig, *stony*

abends, *in the evening*
bergáb, *downhill*
bergáuf, *uphill*
bevór, *before* (conj.)
eineinhalb, *one and a half*
gar nicht, *not at all*
kaum, *hardly*
ohne (Akk.), *without*
während (Gen.), *during*
wegen (Gen.), *because of*
ziemlich, *fairly, rather*

der Zug geht, *the train leaves*
ein belegtes Butterbrot, *sandwich*
ein hartes Ei, *a hard-boiled egg*
er bleibt uns treu, *it* (*he*) *remains faithful to us*
es ist gut gehalten, *it is well kept*
ich habe frei, *I am free, off work, off school*
mit frischer Energie, *with new energy*
noch einige Wochen, *a few more weeks*
von der Ferne, *from the distance*
weiß getüncht, *white-washed*

Grammatik

The genitive (possessive) case

The garden of this house is beautiful. Analyse this sentence. Give some examples of the possessive case in English.

Die Farben des Bildes, der Hut des Mannes, die Wärme der Sonne.

In German a preposition equivalent to the English " of " is not used to express the genitive, but the article and, in masculine and neuter, the noun change.

	Masc.	*Fem.*	*Neut.*
Nom.:	der schöne Garten	die linke Hand	das alte Bild
Gen. :	**des** schöne**n** Garten**s**	**der** linke**n** Hand	**des** alte**n** Bild(e)**s**

Plur.

Nom.:	die großen Häuser	große Häuser
Gen. :	**der** große**n** Häuser	große**r** Häuser

Ein, kein, dieser, jeder, welcher and the possessive adjectives take the endings of der, die, das. Thus : einer, eines ; dieser, dieses usw.

Masculine and neuter nouns usually add —es instead of —s when they are monosyllabic or when the accent falls on the last syllable.

With proper names the Saxon genitive is used without apostrophe : Langemanns Sonntag.

The genitive is also used after certain prepositions such as während (during) and wegen (because of).

Aufgaben

I. Was ist der Genitiv (Singular und Plural) von:

Der hohe Berg. Der langsame Zug. Das kleine Dorf. Eine grüne Wiese. Kein guter Fußweg. Dieser goldene Ring. Ein gemütliches Gasthaus. Unser freundlicher Wirt. Mein voller Rucksack. Sein hartes Ei.

II. Deklinieren Sie im Singular und Plural (*cf.* p. 241):

Der freie Tag. Unser gemütliches Wohnzimmer. Diese alte Kirche. Kein schöner Marktplatz. Ein freundliches Gasthaus. Mein lieber, alter Freund.

III. Complete:

Wiesenfeld ist ein nett—, klein— Dorf am Ende d— eng— Tales ein— klein— Flusses. Das Wasser d— klar— Flusses ist kühl und d— groß— und klein— Kinder d— Dorf— spielen in d— fein— Sand neben d— klein— Fluß. Auf d— groß— Wiesen d— schön— Tal— stehen während d— lang— Sommer— viel— bunt— Blumen. Die Bauern d— Dörfer schneiden d— grün— Gras früh im Sommer. Im Juli kommen viel— Fremde, die während d— ganz— Sommer— und Herbst— bleiben. Viel— Fremde gehen auf d— grün— Wiesen, wenn d— Gras hoch ist. Sie lieben d— bunt— Farben d— schön— Sommer-blumen, und sie wollen groß—, frisch— Sträuße pflücken. Sie gehen durch d— hoh— Gras und denken nicht an d— Bauern. Aber d— Bauern d— Dorf— haben das natürlich nicht gern, sie werden ärgerlich und verwünschen d— Leute aus d— groß— Städten, die d— Arbeit d— Bauern nicht kennen und nicht verstehen.

IV. Lesen Sie Aufgabe III im Imperfekt.

V. Schreiben Sie im Singular:

Die Fremden in den kleinen Gebirgsdörfern gehen gern in den Wäldern und Tälern spazieren. Sie finden schöne Blumen auf den Wiesen, und sie folgen den klaren Flüssen in die engen Täler. In den Wäldern finden sie manchmal Walderdbeeren unter den hohen Bäumen oder in den grünen Moosen. An warmen Sommertagen liegen sie in dem hohen Gras der Talwiesen, oder sie steigen auf die Berge am Ende der Täler. Oben auf den Bergwiesen hören sie die Glocken der Kühe. Die Kühe der Bauern kommen im Frühjahr auf die hohen Bergwiesen und bleiben dort bis zu den kühlen Herbsttagen. Die Fremden besuchen die Berghütten und trinken die frische Milch der Bergkühe. Sie machen schöne Sträuße und werden von der Sonne braun. An den warmen Abenden sitzen sie auf den Bänken vor den Gasthäusern und plaudern mit den Bauern der Dörfer. Sie gehen früh zu Bett und stehen nicht sehr früh auf. Am Ende ihres Urlaubs sehen sie gut aus und gehen nicht gern wieder nach Hause zu ihrer Arbeit zurück.

VI. Lesen Sie Aufgabe V im Imperfekt.

VII. Geben Sie die richtige Form des Verbs:

„(Können) ich Sie heute Abend sprechen? Ich (müssen) Sie sehen, ich (können) nicht länger warten. Ich (müssen) Ihnen von meinem Urlaub erzählen, und ich (wollen) Ihnen auch meine neuen Bilder zeigen." „Heute Abend (können) ich leider nicht, ich (müssen) ausgehen. (Wollen) Sie morgen Abend zu mir kommen? (Können) Sie so lange warten?" „Schön, ich (wollen) morgen Abend kommen. Wann (können) ich kommen?" „Wann (wollen) Sie kommen, um sieben Uhr, um acht Uhr?" Ich (wissen) nicht, wann Sie Zeit haben. Ich (haben) den ganzen Abend frei." „Schön, (kommen) Sie um 8 Uhr." „Danke schön. Auf Wiedersehen."

VIII. Lesen Sie Aufgabe VII mit „du" für „Sie."

IX. Lesen Sie das dreizehnte Kapitel im Imperfekt:

Gestern war der 1. Mai.

X. Machen Sie den ersten Satz zu einem Relativsatz:

Beispiel: Die Wiese liegt im Tal. Sie ist frisch und grün. Die Wiese, die im Tal liegt, ist frisch und grün.

1. Der Mann steht vor dem Gasthaus. Er ist der Wirt. 2. Die Frau kocht einen guten Kaffee. Sie ist die Wirtin. 3. Das Gasthaus steht an dem Marktplatz. Es hat viele Fremdenzimmer. 4. Der Bauer arbeitet auf der Wiese. Er schneidet das Gras. 5. Der Pfarrer wohnt in diesem großen Dorf. Er hat ein schönes Pfarrhaus. 6. Die Schule liegt vor dem Dorf. Sie hat einen schönen Garten.

XI. Use the following words in a continuous paragraph: Dorf, Gasthaus, Mittagessen, Wirt, Wirtin, Eßzimmer, gemütlich, plaudern, Bauer, Lehrer, Marktplatz, Sonntag, Wetter, Juli, Fremde.

XII. Was ist auf deutsch:

The houses in the village looked very pretty with paintings over their doors and windows. I like the white-washed houses in these small villages. The market-place in this village was big, and many fine houses stood round it. At one end of the market-place stood a beautiful little church. The organ of this church was fine, and the parson often played. On Sundays the village school teacher played the organ. He could play very well. At the other end of the market-place was a big shop. It was the village department-store, and you could buy almost everything there. The women often stood in this shop and chatted. They liked meeting one another there, for the men didn't come in, of course. The men sat and talked in the inn in the evenings. Yes, it was a comfortable, quiet little place (der Ort). Quite the right place for a holiday.

XIII. Sprechen Sie über einen Ausflug, den Sie machten. Fragen Sie einander darüber.

XIV. Schreiben oder sprechen Sie über ein Dorf, das Sie gut kennen.

Ein Gedicht

Er ist's

Frühling läßt sein blaues Band
wieder flattern durch die Lüfte;
süße, wohlbekannte Düfte
streifen ahnungsvoll das Land.
Veilchen träumen schon,
wollen balde kommen.
Horch; von fern ein leiser Harfenton!
Frühling, ja du bist's!
Dich hab ich vernommen!

Eduard Mörike (1804 bis 1875)

der Frühling (e), *spring*
lassen, läßt, ließ, *let*
flattern, *flutter*, *fly*
wohlbekannt, *well known*
der Duft (''e), *scent*, *smell*
streifen, *roam*
ahnungsvoll, *full of presentiment*
das Veilchen (—), *violet*
horch! *listen!* (*harken*)
die Harfe (n), *harp*
der Ton (''e), *tone*
vernehmen, vernimmt, vernahm, *perceive*, *hear*
ich habe vernommen, *I have perceived*, *heard*

Kanon für fünf Stimmen

Sang wohl eine Nachtigall
zur Abendzeit am Wasserfall,
und ein Vogel ebenfalls,
der hieß wohl Johann Wendehals.
Johann, Jakob Wendehals.
Der tut tanzen
bei den Pflanzen
obgenannten Wasserfalls.

Eduard Mörike (1804 bis 1875)

die Nachtigall (en), *nightingale*
der Wasserfall ("e), *waterfall*
ebenfalls, *likewise, as well*
Wendehals, *turnthroat*
obgenannt, *above-mentioned*

Vierzehntes Kapitel

Auf dem Bahnhof in Köln

Der Schnellzug von Antwerpen kommt auf dem dritten Bahnsteig des Kölner Hauptbahnhofes an. Die Gepäckträger laufen den Zug entlang, viele Beamte stehen auf dem Bahnsteig, auf welchem viele Leute auf ihre Freunde und Bekannten warten. Herr und Frau Engländer sehen beide aus dem Fenster eines Abteils dritter Klasse. Frau Engländer sieht ein wenig müde aus. Die Überfahrt war stürmisch, und auch das Reisen mit dem Zug verträgt sie nicht gut. Herr Engländer öffnet das Fenster, an dem sie stehen, und ruft: „Gepäckträger!" Einem großen, breitschultrigen Mann mit einem roten, gutmütigen Gesicht, der an das Abteil kommt, gibt er einen kleinen Koffer durch das Fenster. Einen großen Koffer und eine Hutschachtel bringt der Gepäckträger aus dem Abteil, in dem sie saßen.

Herr E.: Gott sei Dank. Wir sind endlich hier. Aber heiß ist es offenbar hier bei Ihnen in Köln!

Gepäckträger: Da haben Sie recht. Wir haben schon seit drei Wochen eine große Trockenheit. Kein Regen seit drei Wochen! Die Felder und Wiesen sind ganz trocken. Der Rhein ist jetzt ein ganz kleiner Fluß, nicht breiter als Ihre Themse. Wohin soll ich das Gepäck bringen?

Herr E.: Den großen Koffer lassen wir im Gepäckschalter. Wir fahren morgen weiter nach München. Den kleinen trage ich selbst ins Hotel. Wo ist der Gepäckschalter?

Gepäckträger: Wir müssen zuerst durch die Sperre gehen. Sie ist ganz am Ende des Korridors.

Frau E.: Guter Himmel, wie lange müssen wir noch gehen? Dieser Korridor ist ja endlos. Und die vielen Menschen, ist es nicht furchtbar? Hast du meine Fahrkarte, Heinrich? Oder habe ich sie selbst? Ach ja, Gott sei Dank, hier ist sie in meiner Tasche. O, dieses Reisen — Paß, Geld, Schecks, Fahrkarten, und ich weiß nicht, was noch. Und nichts davon soll man verlieren.

Gepäckträger: Hier, gnädige Frau, hier sind wir schon. Der Gepäckschalter ist dort links. (Zu dem Beamten:) Ein Stück, bitte. Wollen Sie Ihre Hutschachtel hier lassen, gnädige Frau?

Herr E.: Ja, wir lassen sie hier, nicht wahr, Emilie?

Der Beamte: Soll ich das Gepäck versichern? Es kostet nur 50 Pfennig.

Herr E.: Was denkst du, soll ich es versichern? Ich glaube, das ist nicht nötig. Wir haben keine kostbaren Juwelen im Koffer. Oder sind deine Hüte sehr kostbar?

Frau E.: Kostbar? Du weißt sehr gut, sie sind alle noch vom letzten Jahr.

Herr E.: Soll ich gleich bezahlen? Was macht es?

Der Beamte: Am Schalter nebenan, bitte; es macht 20 Pfennig das Stück.

Frau E.: So, und nun können wir hoffentlich endlich etwas essen. Mir ist ganz schwach vor Hunger.

Herr E.: Noch nicht gleich. Zuerst muß ich meinen Scheck wechseln. Auf Kredit bekommen wir hier wohl kein Mittagessen.

(Zum Gepäckträger:) Wo ist der Geldwechsel? Und wieviel bekommen Sie?

Gepäckträger: 80 Pfennig. Der Geldwechsel ist dort rechts.

Herr E.: Hier haben Sie eine Mark. Lassen Sie es, es ist in Ordnung.

Gepäckträger: Danke schön, und gute Reise.

Herr E.: Danke. (Zu seiner Frau:) Entschuldige mich nun bitte einen Moment, ich will nur schnell einen Scheck für 50 Mark wechseln. Damit können wir dann soviele Mittagessen kaufen, wie du willst.

Frau E.: Mach' schnell, oder ich sterbe vor Hunger. (Er geht zum Geldwechsel.) O du lieber Himmel, eine lange Schlange von Menschen steht am Schalter. Vor einer halben Stunde kommt er wohl nicht zurück. Was ist das hier? „Reisebüro." Eine Art Cook's offenbar. Sie haben jedenfalls schöne Klubsessel dort. Da kann ich in Bequemlichkeit auf Heinrich warten. Die Herren Beamten haben hoffentlich nichts dagegen. (Sie sinkt in einen Klubsessel.) Ah, das tut gut. Diese dritte Klasse in den deutschen Zügen ist auf die Dauer wirklich sehr hart. Die englische dritte Klasse ist vielleicht manchmal schmutzig, aber sie ist wenigstens weich, wundervoll weich. Dieses Büro sieht höchst modern aus, ein Raum, in dem man gut arbeiten kann. Schöne Bilder haben sie an den Wänden. O, hier ist ein Bild von München. „Besucht München und die bayrischen Alpen!" Ganz richtig, das wollen wir ja morgen tun. Aber wo bleibt Heinrich so lange? Ich kann ihn durch die Glaswand sehen. Jetzt ist er endlich an der Reihe. Er schreibt etwas — seinen Namen wahrscheinlich. Er nimmt die Banknoten. Nun ist er fertig. Er sucht mich mit den Augen. Nun sieht er mich, und hier kommt er auch endlich.

Herr E.: Entschuldige, du mußtest lang warten. Aber diese Formalitäten kosten furchtbar viel Zeit. Und nun weißt du was: Jetzt nehmen wir ein Taxi und fahren an das Rheinufer zu unserem alten Restaurant. Dort essen wir zu Mittag mit Aussicht auf den Rhein und den Dom. Wir trinken natürlich auch eine Flasche Rheinwein. Was sagst du dazu?

Frau E.: Einverstanden. Wenn schon, denn schon! Man hat ja nur einmal im Jahr Urlaub!

Vokabeln

der Bahnsteig (e), *platform*
„ Kredit (e), *credit*

„ Engländer (—), *Englishman*
„ Geldwechsel (—), *money exchange*
„ Gepäckschalter (—), *luggage office*
„ Gepäckträger (—), *porter*
„ Klubsessel (—), *easy-chair*
„ Koffer (—), *suitcase*
„ Schalter (—), *counter, office*

„ Bahnhof ("e), *station*
„ Hauptbahnhof ("e), *central station*
„ Paß (Pässe), *passport*
„ Schnellzug ("e), *express train*

„ Beámte (n, n), *official*

„ Gott ("er), *god*

„ Scheck (s), *cheque*

die Art (en), *kind*
„ Banknote (n), *bank-note*
„ Bequémlichkeit (en), *comfort*
„ Fahrkarte (n), *ticket*
„ Formalität (en), *formality*
„ Ordnung (en), *order*
„ Reihe (n), *row*
„ Schachtel (n), *box*
„ Schlange (n), *snake, queue*
„ Sperre (n), *barrier*
„ Tasche (n), *pocket, bag*
„ Trockenheit (en), *drought*

„ Dauer (kein Pl.), *duration*

das Abteil (e), *compartment*

„ Feld (er), *field*

„ Haupt ("er), *head*
„ Juwél (en), *jewel*
„ Ufer (—), *river bank*

„ Gepäck (kein Pl.), *luggage*

das Hotél (s), *hotel*
„ Reisebüro (s), *travel bureau*
„ Taxi (s), *taxi*
„ Restauránt (s), *restaurant*

die Alpen (kein Sing.), *the Alps*

entschúldigen, *excuse*
fahren, fährt, *go, ride, drive*
kosten, kostet, *cost*
lassen, läßt, *let, leave*
laufen, läuft, *run*
öffnen, öffnet, *open*
reisen, *travel*
sinken, *sink*
sollen, soll, *shall, be to*
versichern, *insure*
vertrágen, =trägt, *stand, tolerate*
wechseln, wechsle, wechselt, *change (money)*

bayrisch, *Bavarian*
breitschultrig, *broad-shouldered*
einverstanden, *agreed*
endlos, *endless*
gnädig, *gracious*
gutmütig, *good-natured*
kostbar, *precious, costly*
nötig, *necessary, needed*
stürmisch, *stormy*

beide, *both*
entláng, *along*
gleich, *at once*
ins = in das
jedenfalls, *in any case*
nebenán, *next door*
seit (Dat.), *since*
wahrschéinlich, *probably*
wenigstens, *at least*

auf die Dauer, *in the long run*
den Zug entlang, *along the train*
ein Abteil dritter Klasse, *a third class compartment*
eine Art Cook's, *a kind of Cook's*
es ist mir schwach vor Hunger, *I am faint with hunger*
gnädige Frau, *Madam*
Gott sei Dank, *thank goodness*
guter Himmel, du lieber Himmel, *good heavens*
höchst modern, *highly modern*
ich bin an der Reihe, *it is my turn*
machen Sie schnell, *be quick*
was macht es? *how much is it?*
was noch? *what else?*
wenn schon, denn schon, *in for a penny, in for a pound*
wir essen zu Mittag, *we have lunch*
wir haben schon seit drei Wochen Regen, *we have had rain for 3 weeks*
zwanzig Pfennig das Stück, *20 pfennigs (2d.) each*

Grammatik

I. Relative sentences in the dative and accusative

Das ist der Hund, den ich gestern kaufte.
Er kommt zu dem Abteil, in dem sie sitzen.
Kennen Sie die Kinder, mit denen ich spreche?

The relative pronoun in the accusative and dative has the same form as the article except for the dative plural where it is denen. Instead of der, die, das the corresponding forms of welcher, welche, welches can be used.

II. The verb sollen—shall, to be to (obligation)

Present tense

ich, er, sie, es soll; du sollst; ihr sollt; wir, Sie, sie sollen

Past tense

ich, er, sie, es sollte; du solltest; ihr solltet; wir, Sie, sie sollten

Word order: Soll ich das Gepäck versichern?
The infinitive (without zu) stands at the end of its clause. (*Cf.* wollen, müssen, können, p. 41.)

Aufgaben

I. Geben Sie das richtige Relativpronomen:

1. Das Haus, in — wir seit Jahren wohnen, ist alt. 2. Der Garten, in — die Kinder oft spielen, ist wunderschön gehalten. 3. Die Violine, auf — ich spiele, ist ein altes Instrument. 4. Die Läden, in — ich oft kaufe, sind am Marktplatz. 5. Die Orgel, auf — der Lehrer spielt, ist sehr groß. 6. Das Café, in — ich oft gehe, hat ein gutes Orchester. 7. Der Bahnhof, auf — wir ankommen, ist modern. 8. Diese Kinder, mit — ich spazierengehe, sind sehr nett. 9. Das Restaurant, in d— wir zu Mittag essen, liegt am Rhein.

II. Complete:

D— Reisebüro, in d— ich wegen unser— Fahrkarten frage, ist ein höchst modern— Büro. Die Klubsessel, d— in der Ecke stehen und in d— ich sitze und warte, sind sehr bequem. Endlich komme ich an die Reihe. Ich gehe an d— Schalter, über d— steht: Fahrkarten. D— jung— Mann, d— dort arbeitet, ist nicht sehr freundlich. Er kann mir auf d— Fragen, d— ich habe, nicht antworten. Er kennt offenbar d— klein— Städt— nicht, in d— wir fahren wollen. Am nächst— Schalter aber arbeitet ein Beamter, d— ich gut kenne. Er sagt mir die Züge, mit d— wir fahren sollen, und sogar d— Bahnsteig, von d— unser Zug fährt. Mein Mann, d— ich vor d— Bahnhof treffe, ist sehr hungrig und ungeduldig. Wir gehen in ein nett—, klein— Gasthaus, in d— wir oft zu Mittag essen. Wir trinken ein— gut— Tasse Kaffee. Dann gehen wir d— schön— Fluß entlang, d— wir von früher— Jahren so gut kennen.

III. Lesen Sie Aufgabe II im Imperfekt.

IV. Deklinieren Sie im Singular und Plural:

Kein schmutziges Abteil. Der gutmütige Junge. Diese bayrische Stadt. Eine endlose Straße. Mein englischer Paß. Unser altes Hotel.

V. Fragen Sie einander:

Wo kam der Schnellzug an? Wer stand auf dem Bahnsteig? usw.

VI. Geben Sie die richtige Form des Verbs:

„(Können) der junge Mann deutsch sprechen?" „Nein, soviel ich (wissen), (sprechen) er nur sehr wenig deutsch." „(Wollen) er nicht deutsch lernen? Soviel ich (wissen), (wollen) er diesen Sommer nach Deutschland gehen." „Er (haben) wenig Zeit, er (haben) im Geschäft viel zu tun." „Sagen Sie ihm, er (sollen) morgen zu mir kommen, und ich (wollen) ihm einige gute Bücher geben. Er (sollen) sie lesen und lernen, und dann (wissen) er vielleicht etwas mehr." „Ich (wollen) es ihm gern sagen. Aber ich (müssen) sagen, ich selbst (glauben) nicht viel an Bücher. (Denken) Sie nicht auch, man (müssen) von Menschen lernen? Ich (raten) ihm immer, er (sollen) viel deutsch im Radio hören. Aber er (sagen), er (können) es nicht verstehen, sie (sprechen) viel zu schnell." „Ich (glauben), er (haben) recht damit. Ich (finden) das Radio auch sehr schwer zu verstehen."

VII. Was ist auf deutsch:

Our friends stood on the platform and said "Good-bye, and a good journey!" Then the train went (fahren) quickly out of the station, and we could not see them (any) more. I was very hungry, and it was time for lunch. So we went to the dining-car (Speisewagen, m.) and had lunch there. Many people wanted to have lunch, and we had to wait a long time. At last it was our turn. I was quite faint with hunger. But then we had a very good lunch with coffee and even wine. The dining-car had fine large windows and we had a wonderful view. We saw the river and the mountains on the other side of the valley. Travelling on such a fine day was really a joy.

VIII. Lesen Sie die Konversation im 14. Kapitel mit Sie.

IX. Sprechen Sie kurz über einen Bahnhof, den Sie kennen.

X. Diskussion: Zug oder Omnibus?

XI. Read the lesson in parts, learn and act it.

Ein Lied

(Aus Schwaben)

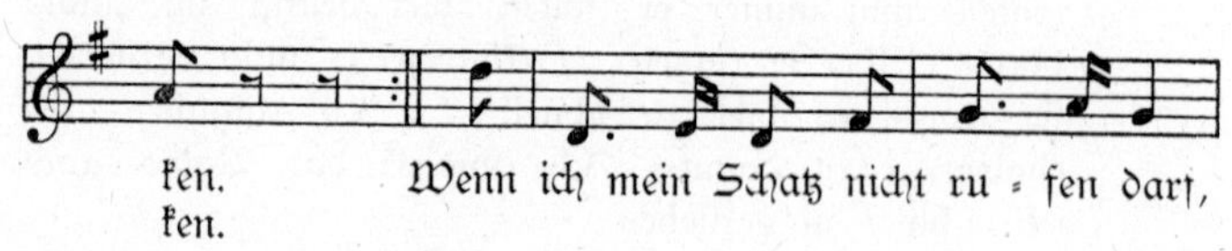

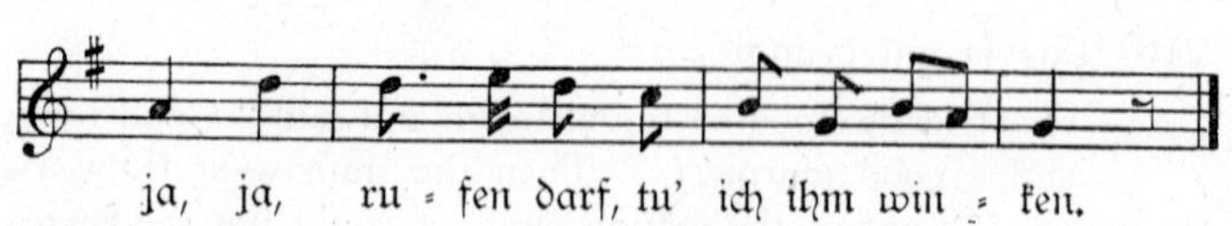

Wenn alle Brünnlein fließen,
so muß man trinken.
Wenn ich mein Schatz nicht rufen darf,
tu' ich ihm winken.
Wenn ich mein Schatz nicht rufen darf,
ja, ja, rufen darf,
tu' ich ihm winken.

Ja, winken mit den Äugelein
und treten auf den Fuß.
's ist eine in der Stube drin,
die meine werden muß.
's ist eine in der Stube drin,
ja, ja, Stube drin,
die meine werden muß.

Warum sollt' sie's nicht werden,
ich hab' sie ja so gern.
Sie hat zwei blaue Äugelein,
die leuchten wie zwei Stern'.
Sie hat zwei blaue Äugelein,
ja, ja, Äugelein,
die leuchten wie zwei Stern'.

Sie hat zwei rote Wängelein,
sind röter als der Wein.
Ein solches Mädel find'st du nicht
wohl unterm Sonnenschein.
Ein solches Mädel find'st du nicht,
ja, ja, find'st du nicht
wohl unterm Sonnenschein.

das Brünnlein (—), *little fountain, well*
fließen, floß, *flow*
der Schatz (¨e), *treasure, sweetheart*
dürfen, darf, durfte, *may, be allowed to*
winken, *wink, beckon*
das Äugelein (—), *little eye*
treten, tritt, trat, *tread, step*
drin (drinnen), *inside*
leuchten, leuchtet, *shine*
das Wänglein (—), *little cheek*
solch-er, -e, -es, *such*

Fünfzehntes Kapitel

Am Bahnhof

Fritz, Marie, und Elisabeth kommen auf den Bahnsteig.

Marie: Mein Rucksack ist schwer, das kann ich euch sagen,
ich kann ihn wirklich fast nicht mehr tragen.
Doch hier ist der Bahnhof, Gott sei Dank,
und dort ist auch eine freie Bank.

Fritz: Du hast wieder viel zu viel Gepäck,
Brot und Eier und Kuchen und Speck —

Marie: Ja, und für dich eine große Wurst.

Elisabeth: Und eine Flasche für den Durst?

Marie: Ja, und Käse in einer Schachtel —,

Fritz: Bekomme ich davon auch ein Achtel?

Marie: — und Birnen und Äpfel und Tomaten.
Also, seid nett zu mir, das will ich euch raten!

Fritz: Ich glaube, es wird uns heute heiß,
die Wettervorhersage ist gut, so viel ich weiß.

Elisabeth: Wißt ihr, was das ist in meiner Tasche?
Öl gegen die Sonne, eine große Flasche.

Letzten Sonntag war mein Gesicht feuerrot,
es brannte ganz schrecklich, ich war halbtot
und war froh, als ich endlich nach Hause kam.
Marie: Und ich war ganze drei Tage lahm.
Müssen wir heute auch wieder so lange gehen?
Ich muß den Weg auf der Karte sehen!
Elisabeth: Wer hat die Karte?
Fritz: Der lange Walter.
Hier kommt er von dem Fahrkartenschalter.
Hier, junger Mann, erzähle den andern,
wohin und wie weit wir heute wandern.
Walter: Wir gehen zuerst im Tal mit dem Fluß,
etwa drei Stunden bis zum Fuß
des Berges, und dann noch zwei oder drei
zum Gipfel — eine reine Kinderei.
Marie: Du hast leicht reden, du mit deinen
langen Beinen, aber ich mit meinen,
für mich ist das alles nicht zum Lachen.
Fritz: Nur keine Sorge, Kleine, du kannst es leicht machen.

Margarete und Ernst kommen dazu.

Alle: Guten Tag, guten Morgen, wie geht es euch? Heil!
Elisabeth: Was für ein Rucksack, Donnerwetter,
du hast genug zu tragen, mein teuerer Vetter!
Geht ihr nach Amerika auf sechs Wochen?
Ernst: Nein, in den Schwarzwald, und wir wollen selbst kochen.
Da hat man immer mehr zu tragen.
Margarete: Man braucht allerlei in vierzehn Tagen!
Fritz: Habt ihr beide jetzt Urlaub? O, habt ihr Glück!
Ihr kommt erst in vierzehn Tagen zurück
vom Schwarzwald?
Marie: Kennt ihr den Schwarzwald schon?
Walter: Warum in den Schwarzwald gehen, mein Sohn?

Unsere Alpen sind besser und näher,
und unsere Berge schöner und höher.
Margarete: Mein Bruder war dort im letzten Jahr
und sagte, es ist ganz wunderbar.
Die großen Tannenwälder allein
müssen, denke ich, wundervoll sein.

Ernst: Und der Feldberg ist 1500 Meter.
Margarete: Und die Jugendherbergen, das sagt jeder,
sind sehr gemütlich und sauber und schön.
Fritz: Wollt ihr auch an den Bodensee geh'n?
Wenn ihr einmal in Freiburg seid,
ist es nach Schaffhausen nicht mehr so weit.
Walter: Und Meersburg, Konstanz und Friedrichshafen —
Ernst: Ja, wenn wir Tag und Nacht gehen, und gar nicht schlafen —
Walter: Und dann in die Schweiz und nach Österreich —
Margarete: Mein lieber Junge, wir sind nicht so reich!
Walter: Mit dem Zug nach Osten ein kleines Stück,
und über Innsbruck wieder nach Bayern zurück —

Fritz: Auf die Zugspitze und auf den Wetterstein
und über den Walchensee wieder heim.
Ernst: Und das alles in vierzehn Tagen?
Margarete: Was werden die armen Beine sagen?
Marie: Da, seht, unser Zug ist endlich hier.
Einsteigen, schnell, eins, zwei, drei, vier —
Alle: Gute Reise, viel Vergnügen, gut' Glück
und kommt nur alle gut wieder zurück!
Walter: Und für eueren Schwarzwald gute Fahrt.
Wenn ihr auf dem Feldberg oben wart,
schreibt mir eine Karte: „den Feldberg genommen
und glücklich wieder heruntergekommen!"
Fritz: Und dort müßt ihr den Leuten zeigen,
wie wir in Bayern Berge steigen!
Elisabeth: Schnell, schnell, Fritz, Walter, der Zug fährt ab —
die Sorgen, die ich mit den Jungen hab'!
Margarete: Ja, kleine Kinder in Eisenbahnzügen!
Ernst und M.: Also, gute Fahrt und viel Vergnügen!

Der Zug fährt ab.

Ernst: Ausgezeichnet, dort kommt auch jetzt
unser Schwarzwaldzug zuguterletzt.
Gib mir deinen Rucksack und steige ein.
Margarete: Ein freies Abteil, o, das ist fein.
Ernst: Ein Rucksack, eine Karte, nicht zu wenig Geld
und zwei Wochen Urlaub — das ist, was mir gefällt.!

Vokabeln

der Bodensee (kein Pl.), *Lake Constance*
„ Fahrkartenschalter (—), *ticket-office*
„ Schwarzwald (kein Pl.), *Black Forest*

die Eisenbahn (en), *railway*
„ Fahrt (en), *journey*
„ Jugendherberge (n), *youth hostel*
„ Kinderéi (en), *child's play*
„ Sorge (n), *care, worry*
„ Schweiz (kein Pl.), *Switzerland*

das Achtel (—), *eighth part*
„ Meter (—), *metre*
„ Vergnügen (—), *pleasure*

Amérika (neut.), *America*
Österreich (neut.), *Austria*

ab'fahren, fährt ab, *leave*
ein'steigen, *get in, board*
raten, rät, *advise*
reden, redet, *talk*
wandern, *walk, tramp*

feuerrot, *red hot*
hoch, höher, *high, higher*
länger, *longer*
leicht, *light, easy*
nah(e), näher, *near, nearer*
sauber, *clean*

allerlei, *all kinds of (things)*
als, *than*
doch, *yet*
erst, *only, not before*
heim, *home*
zuguterlétzt, *at long last*

du hast leicht reden, *it is easy for you to talk*
es ist nicht zum Lachen, *it is no laughing matter*
genómmen, *taken*
gute Fahrt, *a good journey!*
Heil! *Hail!*
heruntergekommen, *come down*
nur keine Sorge, *don't worry*
so viel ich weiß, *as far as I know*
viel Vergnügen, *have a good time*
viel Glück, *the best of luck*
vierzehn Tage, *a fortnight*
was für ein Rucksack, *what a rucksack*
was werden die armen Beine sagen? *what will my poor legs say?*

Wiederholung der Vokabeln

der

1. Bürgermeister (—)
2. Engländer
3. Fahrkartenschalter
4. Felsen
5. Geldwechsel
6. Gepäckschalter
7. Gepäckträger
8. Gipfel
9. Käse
10. Klubsessel
11. Koffer
12. Musiker
13. Norden
14. Osten
15. Pfarrer
16. Pfeifer
17. Rattenfänger
18. Schalter
19. Schatten
20. Sessel
21. Teller
22. Wegweiser
23. Westen

24. Bahnsteig (e)
25. Balkon
26. Berg
27. Enzian
28. Fußweg
29. Korridor
30. Kredit
31. Moment
32. Nachtisch
33. Pfennig

der

34. Ring
35. Schornstein
36. Sitz
37. Speck
38. Tannenzweig
39. Wirt
40. Zickzack
41. Zweig

42. Dachboden (")
43. Fußboden

44. Anzug ("e)
45. Ausflug
46. Bahnhof
47. Fluß
48. Hals
49. Hauptbahnhof
50. Lehnstuhl
51. Marktplatz
52. Paß
53. Rucksack
54. Schnellzug
55. Schrank
56. Sonntagsanzug
57. Spaziergang
58. Strom
59. Turm
60. Zug

61. Beamte (n, n)
62. Bekannte
63. Fremde
64. Komponist
65. Nachkomme

der

66. Name (ns, n, n)

67. Kanon (s)
68. Scheck

69. Gott ("er)

70. Rat (Ratschläge)

71. Bodensee (kein Pl.)
72. Honig
73. Mai
74. Rauch
75. Schwarzwald

die

76. Art (en)
77. Aussicht
78. Banknote
79. Bequemlichkeit
80. Buche
81. Eisenbahn
82. Energie
83. Epidemie
84. Erbse
85. Erbsensuppe
86. Fahrkarte
87. Fahrt
88. Ferne
89. Flöte
90. Formalität
91. Gegend
92. Geschichte
93. Guitarre
94. Hausfrau

Revision of Vocabulary

1. mayor
2. Englishman
3. ticket-office
4. rock
5. money exchange
6. luggage office
7. porter
8. summit
9. cheese
10. easy-chair
11. suitcase
12. musician
13. north
14. east
15. parson
16. piper
17. rat-catcher
18. office, counter
19. shade, shadow
20. armchair
21. plate
22. signpost
23. west

24. platform
25. balcony
26. mountain
27. gentian
28. footpath
29. passage
30. credit
31. moment
32. dessert
33. penny
34. ring
35. chimney
36. seat
37. bacon
38. fir twig
39. host, landlord
40. zigzag
41. twig

42. attic
43. floor

44. suit
45. excursion
46. station
47. river
48. neck, throat
49. main station
50. armchair
51. market-place
52. passport
53. rucksack
54. express train
55. cupboard
56. Sunday suit
57. walk
58. big river
59. tower
60. train

61. official
62. acquaintance
63. visitor, stranger
64. composer
65. descendant
66. name

67. canon, round
68. cheque

69. God

70. advice

71. Lake Constance
72. honey
73. May
74. smoke
75. Black Forest

76. kind
77. view
78. banknote
79. comfort
80. beech
81. railway
82. energy
83. epidemic
84. pea
85. pea soup
86. ticket
87. journey
88. distance
89. flute
90. formality
91. district
92. story, history
93. guitar
94. housewife

die

95. Hochzeit
96. Höhle
97. Hose
98. Hutschachtel
99. Hütte
100. Jugendherberge
101. Karte
102. Kiefer
103. Kinderei
104. Krankheit
105. Kreuzung
106. Malerei
107. Mitte
108. Nähe
109. Ölfarbe
110. Ordnung
111. Orgel
112. Pfeife
113. Plage
114. Provinz
115. Quelle
116. Ratte
117. Reihe
118. Sache
119. Schachtel
120. Schlange
121. Sorge
122. Sperre
123. Spielsache
124. Spitze
125. Stelle
126. Suppe
127. Tapete
128. Tasche
129. Tiefe
130. Träne
131. Triangel
132. Trockenheit
133. Violine
134. Wegkreuzung

die

135. Wettervorhersage
136. Wiese
137. Wirtin (nen)

138. Bank ("e)
139. Glaswand
140. Wand
141. Wurst

142. Buttermilch (kein Pl.)
143. Dauer
144. Schweiz
145. Wärme

das

146. Achtel (—)
147. Besuchszimmer
148. Hochwasser
149. Leder
150. Meter
151. Möbel
152. Ratszimmer
153. Rheinufer
154. Speisezimmer
155. Ufer
156. Vergnügen

157. Abteil (e)
158. Bauernbrot
159. Brot
160. Butterbrot
161. Fest
162. Gedicht
163. Gegenteil
164. Jahrhundert
165. Mehl
166. Möbelstück
167. Moos

168. Ei (er)

das

169. Feld

170. Bauernhaus ("er)
171. Dach
172. Dorf
173. Gasthaus
174. Haupt
175. Rathaus
176. Tal

177. Auge (n)
178. Ende
179. Juwel

180. Amerika (kein Pl.)
181. Gepäck
182. Norddeutschland
183. Österreich
184. Reisen
185. Rumänien
186. Silber
187. Wachs

188. Cello (s)
189. Harmonium
190. Hotel
191. Reisebüro
192. Restaurant
193. Sofa
194. Taxi

195. die Eltern (kein Sing.)
196. die Ferien

197. ab'fahren, fährt
198. aus'packen
199. dirigieren

95. wedding
96. cave
97. trousers
98. hat-box
99. hut
100. youth hostel
101. map, card
102. pine
103. child's play
104. illness
105. crossing
106. painting
107. middle
108. neighbourhood
109. oil paint
110. order
111. organ
112. pipe
113. plague
114. province
115. well, spring
116. rat
117. row
118. thing
119. box
120. snake
121. worry
122. barrier
123. toy
124. top, point
125. place
126. soup
127. wallpaper
128. pocket, bag
129. depth
130. tear
131. triangle
132. drought
133. violin
134. cross-roads

135. weather forecast
136. meadow
137. hostess, landlady

138. bench
139. glass wall
140. wall
141. sausage

142. buttermilk
143. duration
144. Switzerland
145. warmth

146. eighth (part)
147. drawing-room
148. flood
149. leather
150. metre
151. furniture
152. council chamber
153. Rhine bank
154. dining-room
155. river bank
156. pleasure

157. compartment
158. farm bread
159. bread
160. bread and butter
161. feast, holiday
162. poem
163. opposite
164. century
165. flour
166. piece of furniture
167. moss

168. egg

169. field

170. farm-house
171. roof
172. village
173. inn, hotel
174. head
175. town hall
176. valley

177. eye
178. end
179. jewel

180. America
181. luggage
182. North Germany
183. Austria
184. travelling
185. Rumania
186. silver
187. wax

188. cello
189. harmonium
190. hotel
191. travel bureau
192. restaurant
193. sofa
194. taxi

195. parents
196. school holidays

197. leave, drive off
198. unpack
199. conduct

200. ein'steigen
201. entschuldigen
202. fahren, fährt
203. fangen, fängt
204. feiern
205. folgen (Dat.)
206. frühstücken
207. halten, hält
208. hinaus'sehen, sieht
209. holen
210. klagen
211. kosten, kostet
212. lassen, läßt
213. laufen, läuft
214. mischen
215. öffnen, öffnet
216. plaudern
217. polieren
218. raten, rät
219. reden, redet
220. reisen
221. schimmern
222. schließen
223. schmecken
224. schmelzen, schmilzt
225. schneiden, schneidet
226. schütteln, schüttle, schüttelt
227. schwimmen
228. sinken
229. sollen, soll
230. tapezieren
231. tropfen
232. tünchen
233. versichern
234. versprechen, verspricht
235. vertragen, verträgt
236. verwünschen
237. wandern, wand(e)re, wandert
238. wechseln
239. weiter'fahren, fährt
240. weiter'gehen
241. werden, wird
242. zurück'bleiben

243. ausgezeichnet
244. ältest
245. ander, anders
246. ärgerlich
247. bayrisch
248. bedeckt
249. bequem
250. best
251. breit
252. breitschultrig
253. dumm
254. einverstanden
255. eng
256. ernst
257. feuerrot
258. frei
259. froh
260. fröhlich
261. furchtbar
262. gemischt
263. getüncht
264. gnädig
265. gutmütig
266. höchst
267. höher
268. jüngst
269. kostbar
270. kurz
271. lahm
272. langsam
273. ledern
274. leicht
275. leise
276. nah(e)
277. näher
278. nötig
279. offenbar
280. plötzlich
281. poliert
282. rosig
283. rumänisch
284. sauber
285. schmutzig
286. schlank
287. seltsam
288. silbern
289. steif
290. steil
291. steinig
292. stürmisch
293. tapeziert
294. traurig
295. unglücklich
296. verboten
297. voll
298. vornehm
299. weiter
300. wenig
301. wichtig
302. wunderbar

303. abends
304. allerlei
305. als
306. beide
307. bergab
308. bergauf
309. besonders
310. bevor
311. doch
312. eineinhalb

200. get in, board
201. excuse
202. drive, ride, go
203. catch
204. celebrate
205. follow
206. breakfast
207. hold, keep
208. look out

209. fetch
210. complain
211. cost
212. let, leave
213. run
214. mix
215. open
216. chat
217. polish
218. advise
219. talk
220. travel
221. shimmer
222. shut
223. taste
224. melt

225. cut
226. shake

227. swim
228. sink
229. shall, be to
230. paper the wall
231. drip
232. distemper
233. insure

234. promise

235. stand, endure

236. curse
237. walk, tramp

238. change
239. drive on

240. go on
241. become, grow
242. stay behind

243. excellent
244. oldest
245. other, different
246. angry
247. Bavarian
248. covered
249. comfortable
250. best
251. broad
252. broad-shouldered
253. stupid
254. agreed
255. narrow
256. serious
257. red hot
258. free
259. glad
260. gay, merry
261. frightful
262. mixed
263. distempered
264. gracious
265. good-natured
266. highest
267. higher
268. youngest
269. precious
270. short
271. lame
272. slow

273. leather
274. light, easy
275. soft, gentle
276. near
277. nearer
278. necessary
279. evident
280. sudden
281. polished
282. rosy, pink
283. Rumanian
284. clean
285. dirty
286. slim
287. strange
288. silver
289. stiff
290. steep
291. stony
292. stormy
293. papered
294. sad
295. unhappy
296. forbidden
297. full
298. distinguished
299. farther, further
300. little
301. important
302. wonderful
303. in the evening
304. all kinds of (things)
305. than
306. both
307. downhill
308. uphill
309. especially
310. before
311. yet
312. one and a half

313. entlang
314. erst
315. etwa
316. fast
317. gar nicht
318. gleich
319. heim
320. jedenfalls
321. kaum
322. mancher, e, s
323. neben
324. nebenan
325. ohne (Akk.)
326. seit
327. selbst
328. selten
329. sondern
330. überall
331. während (Gen.)
332. wahrscheinlich
333. wegen (Gen.)
334. wenigstens
335. wohin
336. ziemlich
337. zuguterletzt
338. zusammen

339. an manchen Stellen
340. auf die Dauer
341. den ganzen Tag
342. den Zug entlang
343. der Berg schließt sich wieder
344. der Weg ist gut gehalten
345. der Zug geht
346. dritter Klasse
347. ein belegtes Butterbrot
348. eine Art Cook's
349. ein hartes Ei
350. ein Teller Suppe
351. er weiß keinen Rat
352. er will ihn sprechen
353. es ist in Ordnung
354. es ist nicht zum Lachen
355. es macht nichts
356. es wird mir heiß
357. gnädige Frau
358. Gott sei Dank
359. gute Reise, Fahrt!
360. du lieber Himmel!
361. höchst modern
362. ich bin an der Reihe
363. mir ist schwach vor Hunger
364. ich gehe spazieren
365. ich habe frei
366. ich halte nicht viel davon
367. ich mache einen Ausflug
368. ich mache einen Spaziergang
369. ich selbst
370. ich spiele Klavier
371. ich steige auf einen Berg
372. im Gegenteil
373. keine Musik mehr
374. keine Sorge!
375. machen Sie schnell!
376. mit frischer Energie
377. noch einige Wochen
378. noch nie
379. sie schütteln den Kopf
380. Sie haben leicht reden
381. so kann es nicht weitergehen
382. soviel ich weiß
383. viel Glück!
384. viel Vergnügen!
385. vierzehn Tage
386. voll Wasser
387. von der Ferne
388. von nun an
389. vor 100 Jahren
390. was für ein Rucksack!
391. was halten Sie davon?
392. was macht es?
393. was noch?
394. weiß getüncht
395. wenn schon, denn schon
396. wer kann es sagen?
397. wir essen zu Mittag
398. wir haben schon seit drei Wochen Regen
399. zum Glück
400. zum Lesen
401. zwanzig Pfennig das Stück

313. along
314. only, not until
315. about, roughly
316. almost
317. not at all
318. at once
319. home
320. in any case
321. hardly
322. some, many a
323. near, next to (*prep.*)
324. near, next door (*adv.*)
325. without
326. since
327. self
328. seldom
329. but (after negation)
330. everywhere
331. during
332. probably
333. because of
334. at least
335. where to
336. rather, fairly
337. at long last
338. together
339. in some places
340. in the long run
341. the whole day
342. along the train
343. the mountain closes itself again
344. the path is well kept
345. the train leaves
346. third class
347. a sandwich
348. a kind of Cook's
349. a hard-boiled egg
350. a plate of soup
351. he does not know what to do
352. he wants to speak to him
353. it is in order, all right
354. it is no laughing matter
355. it does not matter
356. I am getting hot
357. Madam
358. thank goodness!
359. a good journey!
360. good heavens!
361. very modern
362. it is my turn
363. I am faint with hunger
364. I go for a walk
365. I am free, off work
366. I don't think much of it
367. I make an excursion
368. I go for a walk
369. I myself
370. I play the piano
371. I climb a mountain
372. on the contrary
373. no more music
374. don't worry!
375. be quick!
376. with new energy
377. a few more weeks
378. never yet
379. they shake their heads
380. it is easy for you to talk
381. it cannot go on like this
382. as far as I know
383. good luck!
384. have a good time!
385. a fortnight
386. full of water
387. from the distance
388. from now on
389. 100 years ago
390. what a rucksack!
391. what do you think of it?
392. how much is it?
393. what else?
394. white-washed
395. a thing that's worth doing
396. who can tell?

397. we have lunch
398. we have had rain for three weeks
399. fortunately
400. for reading
401. 20 pfennings each

Aufgaben

I. Beispiel: Ich verspreche; versprecht ihr? wir versprechen nicht; verspricht sie nicht? Ich versprach, verspracht ihr? usw.

Auch mit: halten, folgen, klagen, auspacken, laufen, vertragen, reisen, abfahren, ankommen, weitergehen, arbeiten, antworten, werden.

II. Geben Sie die Possessivpronomen:

Ich besuche — alten Freund in — Wohnung. Er hat heute — freien Nachmittag. Ich klopfe an — Haustür und — Frau macht mir auf.

„Guten Tag, wie geht es Ihnen?"

„Danke, und wie geht es Ihnen und — Mann?

„Danke, es geht uns beiden gut, auch — Mann geht es wieder viel besser. Wollen Sie — Mantel und — Hut hier lassen? — Mann ist in — Zimmer."

„Ja, danke, ich lasse — Mantel und — Hut hier. — Zimmer ist immer sehr warm."

„Ja, Sie haben recht, mit — Mantel wird es Ihnen dort zu heiß."

Ich kenne — Zimmer natürlich gut. Ich klopfe und höre — tiefe Stimme sagen: „Herein". Ich finde ihn in — großen, bequemen Lehnstuhl vor — Feuer.

„Guten Abend, das ist nett von Ihnen, daß Sie kommen. Wo ist — Frau heute Abend?"

„Sie hat heute Abend Singstunde und kann nicht kommen. Was macht — Violine, spielen Sie oft?"

„Nein, leider nicht. Seit ich — neues Radio habe, hängt — Violine an der Wand und — Klavier ist auch fast immer still."

„Spielt — kleine Tochter nicht mehr Klavier?"

„Nein, sie hat nicht mehr viel Zeit. In — neuen Schule muß sie schwer arbeiten."

III. Lesen Sie Aufgabe II mit „du" und „ihr" für „Sie".

IV. Complete:

Wir stehen auf d— groß—, vornehm— Hauptstraße unser— alt— Stadt und warten auf d— Omnibus. Ah, nun kommt er um d— Ecke d— Straße. In d— Omnibus sitzen schon viele Leute, aber wir finden noch leicht Plätze an d— groß—, sauber— Fenstern. Zuerst fahren wir durch d— breit— Straßen unser— Stadt. In d— groß— Fenstern d— schön—, modern— Läden sehen wir viele schön— Dinge, und vor d— Fenstern stehen viele Menschen, alt— und jung—, groß— und klein—, blond— und braun—. Einige von ihnen kennen wir, aber sie sehen uns nicht durch d— Fenster d— Omnibusses. Dann fahren wir aus d— Stadt und kommen in d— Felder und Wiesen. In d— grün— Wiesen stehen viel— bunt— Blumen, und in d— groß— Feldern arbeiten d— Bauern. Wir fahren bald durch d— klein— und groß— Dörfer, in d— sie wohnen. D— alt— Häuser sind weiß getüncht und sehen gemütlich aus mit ihr— bunt— Türen und ihr— hell—, klein— Fenstern. Aus d— kurz— Schornsteinen d— weiß— Häuser kommt d— blau— Rauch. Es ist bald Zeit zum Mittagessen, und d— Frauen d— Bauern kochen wahrscheinlich gut— Suppen in ihr— klein—, dunkl— Küchen. Wir haben auch groß— Hunger. Bald kommen wir zu ein— schön— Gasthaus, vor d— wir aussteigen. Wir gehen in d— hell—, freundlich— Gastzimmer, und bald sitzen wir an d— groß—, rund— Tisch in d— Ecke d— Zimmer—, und d— rosig— Frau Wirtin bringt uns ein gut— Mittagessen. Aber wir haben auch groß— Durst, und d— dick— Herr Wirt bringt jedem von uns ein Glas hell— Bier. Dann kommt noch ein— Tasse Kaffee, und wir haben wieder neu— Energie für unser—lang— Fahrt.

V. Lesen Sie Aufgabe IV im Imperfekt.

VI. Deklinieren Sie im Singular und Plural:

Mein jüngster Bruder. Dieser steinige Weg. Ein gemischtes Vergnügen. Sein steifer Hals. Meine schmutzige Küche. Die saubere Jugendherberge.

VII. Geben Sie das Relativpronomen:

Kennen Sie den Mann, — dort an dem Fahrkartenschalter steht? Der andere Mann, mit — er geht, ist ein guter Freund von mir, zu — ich oft abends gehe. Der Hund, — er führt, ist ein ganz junges Tier. Ich kenne den Mann, von — er ihn kaufte. Er wohnt in dem neuen Haus, — am Ende unserer Straße steht. Er kaufte den Mantel, — er trägt, in dem großen, vornehmen Geschäft, in — mein jüngster Bruder arbeitet.

VIII. Lesen Sie Aufgabe VII im Plural.

IX. Geben Sie die richtige Form des Verbs:

„Es tut mir leid, aber ich (können) morgen nicht zu meinem Freund gehen. Ich (wissen) nicht, was ich tun (sollen)." „Sie (wissen) nicht, was Sie tun (sollen)? Ich (wollen) es Ihnen sagen: Sie (müssen) Ihrem Freund einen Brief schreiben und ihm sagen, warum Sie nicht kommen (können). (Sagen) Sie ihm, er (sollen) nicht auf Sie warten. Er (werden) sehr ärgerlich, wenn er warten (müssen)." „Ich (können) das verstehen, denn ich (werden) auch sehr ärgerlich, wenn meine Freunde nicht pünktlich (sein). Man (sollen) nicht zu spät kommen." „Ja, Sie (haben) ganz recht. Also, (tun) Sie, was ich Ihnen sagte." „Ja, ich (wollen) tun, was Sie sagten. Er (bekommen) den Brief morgen, und dann (wissen) er, warum ich nicht kommen (können)."

X. Lesen Sie Aufgabe IX mit „du" für „Sie".

XI. Fragen Sie einander über das fünfzehnte Kapitel:
Wer kommt auf den Bahnsteig? Wie ist Maries Rucksack? usw.
Machen Sie jeden Satz zu einer Frage.

XII. Was ist auf deutsch:
In my holidays last August I went to the Alps. First I had a few days in Munich, where I saw a great deal. Of course I saw the town hall with its strange clock, and some of the churches. I liked the river very much. Its water is beautifully clear and cold. After a few days I went on to Garmisch in the Bavarian Alps. I climbed a few mountains but not the Zugspitze. I don't climb very well, and it is a long way to the top of the Zugspitze. I liked the small villages which lie at the end of the narrow valleys. You do not meet so many visitors there. The farmers were very kind to me, but I couldn't always understand them. They spoke a queer kind of German. Or perhaps it was my German that was queer? But I liked to talk to them, and sometimes on the warm evenings I sat with them and their wives in front of their houses on wooden benches and we talked as well as we could. They told me of their work in their small village, and I told them about England. They wanted to know a lot about (von) English towns, of which they sometimes read in their papers, and I told them as much as I could. But that wasn't very much. It is not so difficult to know things (something), but saying (to say) them is another matter.

XIII. Read the lesson in parts, learn and act it.

welsch, *Welsh, foreign*
das Teuflein (—), *little devil*
marschieren, *march*
ich habe verloren, *I have lost*
das Pfeiflein (—), *little pipe*
der Mantelsack (⁼e), *knapsack*
ich habe gefunden, *I have found*
du hast verloren, *you have lost*

Sechzehntes Kapitel

Im Kino

Herr und Frau Kaufmann haben seit zwei Stunden im Café gesessen. „Hm, das ist eine gute Tasse Kaffee gewesen, sie hat mir wirklich gut getan.“ „Und der Kuchen ist auch ausgezeichnet gewesen: Aprikosen und Schlagsahne, nicht schlecht. Aber was tun wir nun? Nach Hause können wir natürlich noch nicht gehen, es ist ja kaum 6 Uhr.“ „Dort an der Wand hängt das ‚Berliner Tageblatt‘. Sieh einmal, was die Kinos heute Abend haben. Zu einem guten Film habe ich heute gerade Lust.“ Herr Kaufmann ist mit der Zeitung zurückgekommen. „Kino in der Friedrichstraße: Romeo und Julia—viel zu klassisch für einen Juniabend. Kaiserkino: Kleiner Mann, was nun? — das haben wir schon gesehen. Kino am Alexanderplatz: Emil und die Detektive. Das ist auch ein sehr alter Film, aber ich glaube, er ist gut. Hast du ihn schon gesehen?“ „Nein, ich habe ihn noch nicht gesehen, und ich möchte ihn gern sehen. Schade, daß unsere Jungen nicht hier sind, sie haben oft davon gesprochen. Er hat ihnen sehr gut gefallen. Also los, Alter, zum Alexanderplatz!“

Bald sind sie vor dem Kino angekommen. „Nun stecke deine Zigarre in die Tasche, Hermann, du kannst sie auf dem Heimweg zu Ende rauchen. Hübsch, diese Eingangshalle mit den Geranien. Nimm gute Plätze, hörst du? Wir gehen selten genug aus, wir zwei!" „Hier, erster Platz, 3 Mark 50, bist du damit zufrieden?" Ein Boy in Uniform hat ihnen den Weg gezeigt. „Hier links, mein Herr, bitte." Nun sind sie im Dunkel gewesen. Ein Mädchen in Uniform hat sie mit einer Taschenlampe an die Plätze geführt. Mit einem Seufzer der Erleichterung sind sie in ihre bequemen, weichen Sessel gesunken. Die Reklamefilme sind schon vorbei gewesen, eben ist ein Reisefilm gelaufen. „. . . Das Kloster Ettal mit seinem guten Likör liegt hinter uns und vor uns im Tal liegt Oberammergau." „Fein, nicht wahr?" hat Frau Kaufmann gesagt, und ihr Mann hat genickt. Ettal und Oberammergau haben sie gut gekannt, letztes Jahr sind sie in ihrem Urlaub dort gewesen. „Siehst du, links um die Ecke, da ist unsere alte Pension. Ob die Miß White aus Edinburg dieses Jahr wieder dort ist? Wir müssen ihr wieder einmal eine Karte schreiben." „Und auch meinem Mister Longman aus Manchester mit seiner komischen langen Nase. Da, Anton Langs Haus. Und nun kommt wohl das Passionstheater." „Richtig, nun sind wir schon auf der Bühne, und die Kostüme und Kulissen zeigt man uns auch — ganz wie letztes Jahr. Wir haben Glück gehabt mit diesem Film, nicht?"

Dann ist die Wochenschau gekommen. „Natürlich, Sport und nichts als Sport," hat Herr Kaufmann gebrummt. „Die jungen Leute heutzutage haben nichts anderes im Kopf. Schwimmen, Springen, Laufen, Tennis, Fußball und weiß der Himmel, was. Zu meiner Zeit ging man am Sonntagnachmittag spazieren, und damit basta." Bald hat auch Frau Kaufmann zu brummen begonnen. „Militär und nichts als Militär. Paraden, Manöver, Flottenmanöver, Märsche und weiß der Himmel, was.

Ich habe die Uniformen wirklich satt. Gut, das scheint das Ende zu sein. Nun kommt hoffentlich endlich der Hauptfilm."

Sie hat recht gehabt. Der Hauptfilm hat begonnen. Emils Mutter, die Frau Tischbein aus Neustadt, hat Köpfe gewaschen, blonde Köpfe und braune Köpfe. Sie hat Frau Kaufmann gefallen, sie ist so fröhlich und verständig gewesen. Emil hat seinen Koffer gepackt und hat das Geld für seine Großmutter in seine Jackentasche gesteckt. Dann ist er in den Zug nach Berlin eingestiegen. In der Ecke des Abteils hat ein seltsamer Mann gesessen. Herr Kaufmann hat den Menschen von Anfang an nicht gern gehabt, und er hat zu seiner Frau gesagt: „Der Mensch gefällt mir nicht, hoffentlich stiehlt er dem Jungen das Geld nicht". Und er hat recht gehabt: der Mensch hat Emils Geld gestohlen. „Armer Junge," hat Frau Kaufmann geseufzt, „warum hat dir deine Mutter soviel Geld gegeben? Denke dir, wenn das unser Helmut wäre!" Emil hat bald Kameraden und Helfer gefunden, aber Herr Kaufmann hat den Kopf geschüttelt. „Junge, Junge, wie soll denn das gehen? Wie willst du denn das machen? Gegen solch einen schlauen Dieb kannst du nichts machen, gar nichts." Aber die Jungen sind schlau und vorsichtig gewesen und die Sache hat gut geendet. „Donnerwetter, das habt ihr gut gemacht," hat Herr Kaufmann gebrummt. „Sie sind wirklich schlau, die Jungen heutzutage." „Aber mir hat das kleine Mädchen am besten gefallen, Emils Kusine. So ein frisches, lustiges Mädchen. Fast wie unsere Else, nicht?"

Sie sind durch die hellen Straßen der Großstadt gemütlich zu ihrem Hotel zurückgegangen. Es ist ein warmer Sommerabend gewesen. Es hat nicht mehr geregnet, und sie haben auf der Terrasse im Freien zu Abend gegessen. Die Musikkapelle hat gespielt. Sie haben ein Gläschen Wein getrunken und noch eine Weile von Emil, dem Dieb und von ihren eigenen Kindern geplaudert. „In acht Tagen sind wir wieder zu Hause. Fein, denkst du nicht auch?" Und Herr Kaufmann hat genickt. „Ja, in acht Tagen . . ."

Vokabeln

der Detektív (e), *detective*
" Dieb (e), *thief*
" Hauptfilm (e), *main film*
" Heimweg (e), *way home*
" Likör (e), *liqueur*
" Marsch ("e), *march*
" Helfer (—), *helper*
" Seufzer (—), *sigh*
" Kaufmann (Kaufleute), *merchant*
" Kamerád (en, en), *comrade*
" Juni (kein Pl.), *June*

die Bühne (n), *stage*
" Eingangshalle (n), *entrance hall*
" Erléichterung (en), *relief*
" Flotte (n), *navy*
" Gerânie (n), *geranium*
" Kulisse (n), *scenery*
die Kusine (n), *cousin* (fem.)
" Musikkapélle (n), *band*
" Parâde (n), *parade*
" Pensión (en), *boarding-house*
" Rekláme (n), *advertisement*
" Tasche (n), *pocket*
" Taschenlampe (n), *flash-lamp, torch*
" Tasse (n), *cup*
" Terrásse (n), *terrace*
" Uniform (en), *uniform*
" Weile (n), *while*
" Wochenschau (en), *news reel*
" Schlagsahne (kein Pl.), *whipped cream*
" Lust, *desire*

das Tageblatt ("er), *daily paper*
" Kloster ("), *monastery*
" Flóttenmanöver (—), *naval manœuvres*

das Gläschen (—), *little glass*
„ Manöver (—), *manœuvre*
„ Passiónstheáter (—), *Passion Theatre*

„ Militär (kein Pl.), *army, armed forces*
„ Tennis (kein Pl.), *tennis*

brummen, *grumble*
enden, endet, *end*
nicken, *nod*
packen, *pack*
scheinen, *appear*
seufzen, *sigh*
stecken, *stick, put*
stehlen, stiehlt, *steal*
waschen, wäscht, *wash*

blond, *fair*
eigen, *own*
lustig, *merry, gay*
satt, *satisfied, fed up*
schlau, *clever, cunning*
verstándig, *sensible*
vórsichtig, *cautious*
zufrieden, *content, satisfied*

heutzutage, *nowadays*

also los! *come on, then!*
am besten, *best*
damit basta! *that's that!*
er stiehlt dem Jungen das Geld, *he steals the money from the boy*
ich esse zu Abend, *I have supper*
ich habe die Uniformen satt, *I am tired of uniforms*
ich habe Lust dazu, *I have a desire to, I fancy*
ich möchte ihn gern sehen, *I should like to see it (him)*
ich rauche die Zigarre zu Ende, *I finish smoking the cigar*
im Freien, *in the open air*
mein Herr! *Sir!*
nichts anderes, *nothing else*
von Anfang an, *from the beginning*
weiß der Himmel, was, *heaven knows what*
wenn das unser Helmut wäre, *if that were our Helmut*
zu meiner Zeit, *in my time*

Grammatik

The perfect tense

The imperfect tense of strong and weak verbs was studied in Chapter 7. Here is the perfect tense.

I. *Weak verbs*

English: I ask, I have ask*ed*
German: ich frage, ich habe **gefragt**
ich sage, ich habe gesagt
ich kaufe, ich habe gekauft
haben, er hat gehabt
wollen, wir haben gewollt
sollen, sie haben gesollt
wohnen, du hast gewohnt usw.

In English the same word is generally used for past tense and past participle: I asked, I have asked. In German these two parts of the verb are different in form, and care should be taken not to confuse them.

II. *Strong verbs*

English: I sing, I have sung
German: ich singe, ich habe **gesungen**
er liest, er hat gelesen
wir sprechen, wir haben gesprochen
sein: du bist gewesen
werden: ihr seid geworden

There is usually a change of stem and the past participle ends in -en.

III. *Mixed verbs*

kennen, ich habe gekannt; bringen, ich habe gebracht; denken, er hat gedacht; wissen, wir haben gewußt; können, du hast gekonnt; müssen, ihr habt gemußt.

There is a change of the stem and the past participle ends in -t.

IV. Some verbs are conjugated with sein instead of haben. They are generally verbs of motion: ich bin gegangen (gehen); ich bin gelaufen (laufen).

Also the verbs sein, werden and bleiben are conjugated with sein: er ist gewesen, wir sind geworden, du bist geblieben.

V. *Word order*

Ich komme in das Haus meiner Eltern. Ich bin in das Haus meiner Eltern gekommen. Ich stehe um acht Uhr auf. Ich bin um acht Uhr aufgestanden.

The past participle stands last in its clause.

VI. *Separable verbs and inseparable verbs*

Er hat die Tür aufgemacht. Ich habe ihm einen Brief versprochen. Sie hat das Zimmer tapeziert.

In separable verbs the prefix ge- is inserted between the prefix and the stem verb. Inseparable verbs and verbs ending in -ieren do not add ge- in their past participle.

VII. *Verbs of mood*

Ich habe nicht kommen können. Wir haben es tun müssen.

Verbs of mood (dürfen, können, müssen, sollen, wollen) and lassen use their infinitive instead of the past participle when they are used with the infinitive of another verb.

VIII. The perfect tense can be used practically always instead of the imperfect tense and *vice versa*: Gestern bin ich nach London gefahren. Gestern fuhr ich nach London. It is used more in speaking, and the imperfect tense more in writing. In North Germany the imperfect tense is more widely used than in the South.

On pp. 251-256 there is a complete list of strong and mixed verbs used in this book. Any verbs not contained in it are weak.

Aufgaben

I. Lesen Sie diese Aufgaben im Perfekt:
(a) Kapitel 2, Aufgaben III und VI.
(b) Kapitel 3, Aufgaben IV und V.
(c) Kapitel 5, Aufgabe V.

II. Lesen Sie das dritte Kapitel im Perfekt.

III. Schreiben Sie Aufgabe II (Kapitel 7) im Perfekt.

IV. Lesen Sie das sechste Kapitel, und das siebente von Zeile 7, im Perfekt.

V. Beispiel:

Ich lese, er las nicht, wir haben nicht gelesen.
Auch mit:

kommen, gehen, sprechen, bringen, kennen, sagen, fragen, rauchen, aufmachen, aussehen, versprechen, spielen, hören, machen, tun, sein, müssen, wollen, werden, stehen, liegen, zahlen, zeigen, führen.

VI. Was ist auf deutsch:

Yesterday we went to the cinema. We saw a very good film of the Black Forest. We visited the Black Forest last year, and liked it very much. The film was really excellent. It showed the glorious woods, the mountains and the rivers. There were some beautiful pictures of Freiburg. Of course we knew the old houses and the market-place very well. We stayed there a week last year. The film also showed an old hotel in one of the narrow streets.

We often went to this hotel and had lunch there. The landlord was a pleasant man, and his wife was a very friendly and sensible little woman. She could cook and bake extremely well, and she always gave us excellent soups and cakes. We sent (sandten) them a card at Christmas and they sent us one for (to) the New Year. We thought that was very nice of them.

Use the perfect tense.

VII. Ein Student erzählt der Klasse die Geschichte eines Filmes, den er oder sie gesehen hat, und dann erzählen Sie alle dieselbe Geschichte wieder. Jeder von Ihnen kommt an die Reihe und sagt einen Satz.

Ein Gedicht

Mein Kind, wir waren Kinder,
zwei Kinder, klein und froh;
wir krochen ins Hühnerhäuschen
versteckten uns unter das Stroh.

Wir krähten wie die Hähne,
und kamen Leute vorbei —
„Kikereküh!" sie glaubten,
es wäre Hahnengeschrei.

Die Kisten auf unserem Hofe,
die tapezierten wir aus,
und wohnten drin beisammen,
und machten ein vornehmes Haus.

Des Nachbars alte Katze
kam öfters zu Besuch,
wir machten ihr Bückling und Knixe
und Komplimente genug.

Wir haben nach ihrem Befinden
besorglich und freundlich gefragt,
wir haben seitdem dasselbe
mancher alten Katze gesagt.

Wir saßen auch oft und sprachen
vernünftig, wie alte Leut',
und klagten, wie alles besser
gewesen zu unserer Zeit,

wie Lieb und Treu und Glauben
verschwunden aus der Welt,
und wie so teuer der Kaffee
und wie so rar das Geld! . . .

Vorbei sind die Kinderspiele,
und alles rollt vorbei,
das Geld und die Welt und die Zeiten
und Glauben und Lieb und Treu.

Heinrich Heine (1797 bis 1856)

kriechen, kroch, *creep, crawl*
das Huhn, ("er), *hen*
sich verstecken, *hide oneself*
das Stroh, *straw*
krähen, *crow*
der Hahn ("e), *cock*
vorbei'kommen, *come past*
glauben, *believe*
das Geschrei, *cry, clamour*
die Kiste (n), *wooden box*
der Hof ("e), *yard*
beisammen, *together*
der Nachbar (n, s, n), *neighbour*
öfters, *quite often*
der Besuch (e), *visit*
kam zu Besuch, *came to call*
der Bückling (e), *bow*
der Knix (e), *curtsey*
das Kompliment (e), *compliment*
das Befinden, *well-being, health*
besorglich, *concerned*
seitdem, *since then*
vernünftig, *sensible*
die Liebe, *love*
die Treue, *faithfulness*
der Glaube (n, n), *faith*
verschwinden, verschwindet, verschwand, *disappear*
die Welt (en), *world*
rollen, *roll*

Siebzehntes Kapitel

Ein Abend in München

Als wir endlich im Quartier waren, warfen wir die Rucksäcke mit einem Seufzer der Erleichterung auf den Fußboden, denn wir waren müde, sehr müde und hungrig, sehr hungrig. Es war noch früh — erst kurz nach sechs Uhr und wir gingen rasch durch die Altstadt. Bald kamen wir zum Marktplatz, der mitten in der Stadt liegt. Er sah hübsch aus mit den Blumen und dem Gemüse, den Beeren und dem Obst und den bunten Schürzen und Kopftüchern der Marktfrauen.

„Schöne Äpfel, reife Birnen, was wünschen Sie? Was darf es heute Abend sein?" riefen die Marktfrauen, als wir langsam durch den Markt gingen. Ja, was sollten wir für unser Abendessen kaufen? Obst aßen wir natürlich alle gern, und es sah sehr gut aus, als es auf den Ständen der Marktfrauen lag. „Sind die Pflaumen süß?" fragten wir eine der Frauen. „Aber gewiß, zuckersüß, glauben Sie mir! Sie dürfen eine versuchen, wenn Sie wollen. Sie kosten nur 20 Pfennig das Pfund." Margarete versuchte. „Mmm," machte sie, „ausgezeichnet, ganz ausgezeichnet. Wenn sie alle so sind, können wir es riskieren." „Also, bitte, 1 Pfund", sagte Hans, unser Kassierer. Die Pfirsiche sahen auch sehr gut aus, aber wir bekamen keinen zum Versuchen.

Aber sie sahen so reif und süß aus, daß wir auch davon ein Pfund kauften. 35 Pfennig war ja wirklich nicht zu teuer. „Und ein Pfund Birnen, von den gelben, großen hier links", sagte Walter. Wir gingen weiter. „Trauben, zuckersüße Trauben, 40 Pfennig das Pfund!" rief eine andere Frau. Weil sie so gut aussahen, kauften wir auch davon ein Pfund. Nun waren wir schon schwer beladen. Das war der Nachtisch für unser Abendessen. Aber womit sollte das Essen beginnen?

„Wir sind in München, und wenn man in München ist, ißt man Rettiche", sagte Fritz. Er ging zu einem Gemüsestand und kam stolz mit drei großen, weißen Rettichen in der Hand zurück. „Käse muß man auch essen, wenn man in München ist", sagte Hanna. „Ich weiß, daß sie hier guten Käse machen. Aber wißt ihr, wo man ihn kaufen kann?" „Laßt mich nur machen", sagte Hans, der München gut kannte. „Dort über die Straße ist eine Molkerei." Wir gingen mit ihm, weil wir sehen wollten, wie er es machte. Nun hatten wir alle große und kleine Pakete zu tragen: Obst, Käse, Rettiche, Butter, Brot und allerlei Wurst.

„Und nun, wo ist der nächste Bierkeller? Sollen wir einen Polizisten nach dem Weg fragen? Dort an der Ecke steht einer." Fritz faßte Mut und fragte ihn in seinem besten Deutsch. „Bitte, können Sie uns sagen, wo der nächste Bierkeller ist?" Der Polizist grinste über das ganze Gesicht und sagte uns den Weg — geradeaus, links um die Ecke, zweite Querstraße rechts usw., usw., — aber wir fanden den Weg trotzdem, und bald standen wir in dem großen Biergarten mit seinen großen Bäumen und den vielen Tischen im Freien. In der Nähe der Musikkapelle war ein Tisch frei. Gut. Die Kellnerin kam nach einer Weile. „5 Glas Bier, kleine." Hans bestellte für uns alle. „Hell oder dunkel?" fragte sie. „Drei hell und zwei dunkel, bitte." „Und eine Schachtel Zigaretten für mich," sagte Walter, „englische, bitte." Die Kellnerin brachte die Gläser bald und stellte sie auf den Tisch. „Prosit, zum Wohlsein!"

Nun packten wir unsere Pakete aus. „Das ist praktisch, daß wir hier unser eigenes Essen auspacken dürfen, nicht wahr?" sagte Hans. „Ja," antwortete Hanna, „und so ein Abendessen tut unserer Kasse gut, nicht wahr?" Brot, Butter, Käse, Rettiche und Wurst kamen zuerst. Die Rettiche schnitt Margarete in feine Scheiben und salzte sie mit viel Salz. Dann mußten sie ein wenig liegen, bis sie nicht mehr scharf waren. Sie schmeckten gut, aber einer war trotzdem ein wenig scharf. „Das macht nichts," sagte Fritz, „das macht durstig, und dann schmeckt das Bier noch einmal so gut." Die Musikkapelle spielte einen Marsch, der viele Menschen in den Garten brachte. Fast alle Tische waren nun schon besetzt. Links vom Eingang war ein Stand, vor dem viele Leute standen. Dort konnte man Rettiche und Käse kaufen. Die Frau in dem Stand schnitt die Rettiche mit einer kleinen Maschine in wunderschöne, feine Spiralen. Man konnte sie auseinanderziehen wie eine Ziehharmonika. Fritz mußte wie immer alles ganz genau sehen, und er und Marie standen eine lange Zeit vor dem Stand und bewunderten die schönen Ziehharmonikas, die eine nach der andern in die Hände hungriger Käufer wanderten. Sie kauften natürlich auch einige Ansichtskarten mit Rettichen und Bierkrügen darauf und sandten sie nach Hause. „Damit sie zu Hause sehen, daß wir wirklich in München gewesen sind", sagte Fritz. Und wir alle stießen mit den Gläsern an: „Zum Wohlsein, Prosit!"

Vokabeln

der Bierkeller (—), *beer-garden*
" Käufer (—), *buyer*
" Kassierer (e), *cashier, treasurer*
" Pfirsich (e), *peach*
" Rettich (e), *radish*

" Bierkrug ("e), *beer-mug*
" Gemüsestand ("e), *vegetable stall*
" Stand ("e), *stall*

" Polizist (en, en), *policeman*

" Mut (kein Pl.), *courage*

die Kasse (n), *cash, cash-desk*
" Kellnerin (nen), *waitress*
" Maschine (n), *machine, engine*
" Molkeréi (en), *dairy*
" Querstraße (n), *cross-road*
" Scheibe (n), *disc, slice*
" Schürze (n), *apron*
" Spirále (n), *spiral*
" Traube (n), *grape*

" Altstadt ("e), *old town, city*

" Ziehharmonika (s), *accordion*

" Weile (kein Pl.), *while*

das Pakét (e), *parcel, packet*
" Pfund (e), *pound*
" Quartier (e), *quarters*

" Abendessen (—), *supper*
" Gemüse (—), *vegetable*

" Kopftuch ("er), *kerchief*

" Salz (kein Pl.), *salt*
" Wohlsein, *well-being, health*

an'stoßen, stößt, *toast (glasses)*
auseinánder'ziehen, *pull out*
beláden, belädt, *load*
besétzen, *occupy*
bestellen, *order*
bewúndern, *admire*
dürfen, darf, *may, be allowed to*
fassen, *seize, touch*
grinsen, *grin*
riskieren, *risk*
salzen, *salt*
senden, sendet, *send*
stellen, *place (upright)*
versúchen, *try*
werfen, wirft, *throw*
wünschen, *wish*

besétzt, *occupied*
durstig, *thirsty*

gewiß, *certain*
hungrig, *hungry*
reif, *ripe*
scharf, *hot, sharp*
zuckersüß, *as sweet as sugar*

damít (conj.), *so that*
geradeáus, *straight on*
trotzdem, *all the same*
womit? *with what?*

einer nach dem andern, *one after the other*
er faßt Mut, *he summons up his courage*
gesagt, getan, *no sooner said than done*
ich frage nach dem Weg, *I ask the way*
kurz nach 6, *shortly after 6*
laßt mich nur machen, *just leave it to me*
links um die Ecke, *turn left at the corner*
noch einmal so gut, *twice as good*
prosit! *your health!*
was wünschen Sie? *what would you like?*
zum Wohlsein! *your health!*

Grammatik

I. Word order in subordinate sentences

1. Links von dem Eingang ist ein Stand, vor dem viele Leute stehen.
Man ißt Rettiche, wenn man in München ist.
Wir warfen die Rucksäcke auf den Boden, als wir im Quartier waren.
Ich wußte, daß man hier guten Käse bekam.
Ich bleibe zu Hause, weil es heute sehr kalt ist.
Wissen Sie, wo der alte Mann wohnt?
Es tut mir leid, daß Sie nicht kommen können.
Wissen Sie, warum er nicht mit uns gehen will?
Er hat mir gesagt, daß Sie gekommen sind.
Sie hat mir geschrieben, daß er krank gewesen ist.

In all subordinate clauses the verbs stand last. In compound tenses the auxiliary follows the past participle.

2. Wenn man in München ist, ißt man Rettiche.
Als wir im Quartier waren, warfen wir die Rucksäcke auf den Boden.
Weil es heute sehr kalt ist, bleibe ich zu Hause.

If the subordinate sentence precedes the main clause, the main verb must follow immediately, according to the general rule that the main verb must be the second idea in the sentence.

II. The conjunctions wenn and als

Wenn es regnet, gehe ich nicht aus.
Als es gestern regnete, ging ich nicht aus.

Wenn — whenever; als — when, referring to a definite incident in the past.
The interrogative pronoun when? is wann?

III. The verb of mood dürfen — may, to be allowed to (permission)

Present tense

ich darf; du darfst; er, sie, es darf; wir, Sie, sie dürfen; ihr dürft.

Past tense

ich durfte; du durftest; er, sie, es durfte; wir, Sie, sie durften; ihr durftet.

Perfect tense

ich habe gedurft, usw.; ich habe nicht kommen dürfen.

(*Cf.* p. 192.)

Aufgaben

I. Deklinieren Sie im Singular und Plural:

Der schwere Rucksack. Diese moderne Maschine. Ein kleines Paket. Ein freundlicher Polizist. Mein ältester Bruder. Ihre jüngste Schwester.

II. Join the following sentences with the conjunction given in brackets:

(Beispiel: Es ist heute sehr kalt. Ich gehe nicht aus. Weil es heute sehr kalt ist, gehe ich nicht aus.)

1. Ich gehe oft nach München. Ich habe die Stadt sehr gern (weil). 2. Ich war letztes Jahr in meinem Urlaub dort. Ich sah viele Fremde (als). 3. Das Wetter war so heiß. Ich saß mittags oft am Fluß in der Sonne (daß). 4. Ich bin in München. Das Wetter ist fast immer gut (wenn). 5. Meine Frau und die Kinder kamen eine Woche später. Die Kinder bekamen Ferien (als). 6. Wir gingen natürlich um 12 Uhr zum Rathaus. Wir wollten die seltsame Uhr spielen sehen (weil). 7. Wir wohnten bei meinen Eltern. Sie wohnen vor der Stadt (die). 8. Wissen Sie? Wie heißt der Park im Norden der Stadt? (wie). 9. Er heißt der Englische Garten. Er ist ganz natürlich (weil). 10. Wir gingen oft darin spazieren. Wir wurden in der Stadt müde (wenn). 11. Nach einer Woche fuhren wir in die Berge. Die Stadt wurde uns zu heiß (weil). 12. Ich habe Ihnen schon erzählt. Ich stieg auf die Zugspitze (daß). 13. Meine Frau fuhr mit der Bergbahn auf den Gipfel. Sie kann nicht so gut steigen (weil). 14. Ich gehe sehr langsam. Ich steige auf einen Berg (wenn). 15. Das Wetter war schön und klar. Wir hatten eine wunderschöne Aussicht (weil).

III. Wenn, als, oder wann?

1. — man in München ist, muß man in einen Bierkeller gehen. 2. — ich letzte Woche in München war, ging ich in ein gutes Konzert. 3. Wissen Sie, — er nach Hause kommt? 4. — wir gestern ins Kino gingen, sahen wir einen guten Reisefilm. 5. — wir

abends nichts zu tun haben, gehen wir oft ins Kino. 6. — es dunkel und kalt ist, bleibt man abends gern zu Hause. 7. — ich in das Café kam, sah ich einen Bekannten in der Ecke sitzen. 8. Können Sie mir bitte sagen, — das Konzert beginnt? 9. — mein Freund den Polizisten nach dem Weg fragte, grinste der Mann über das ganze Gesicht. 10. Ich spreche natürlich immer deutsch, — ich nach Deutschland gehe. 11. Er fragt uns, — wir dieses Jahr in Urlaub gehen.

IV. Lesen Sie diese Aufgaben im Perfekt:

Kapitel 9, Aufgaben II, IV und VI.

V. Schreiben Sie im Perfekt:

Aufgaben I und III von Kapitel 10.

VI. Lesen oder erzählen Sie Kapitel 8 und 9 im Perfekt.

VII. Geben Sie die richtige Form des Verbs:

„(Dürfen) ich hereinkommen? Ich (wollen) Sie nicht stören, aber ich möchte Sie gern sprechen, wenn ich (dürfen)." „Bitte, (kommen) Sie herein, (nehmen) Sie Platz. (Können) Sie ein wenig bleiben? Gut, ich (wollen) dem Mädchen sagen, sie (sollen) Ihnen eine Tasse Kaffee machen." „Nein, danke, ich (können) abends keinen Kaffee trinken, ich (vertragen) ihn nicht gut. Ich denke, ich (werden) zu alt." „(Dürfen) ich Ihnen eine Zigarre geben, oder (können) Sie die auch nicht vertragen?" „Nein, danke, ich (dürfen) auch keine Zigarren mehr rauchen. Der Doktor sagt, ich (müssen) sehr vorsichtig sein und ich (sollen) nicht einmal Zigaretten rauchen." „Das (müssen) sehr bitter sein, Sie (haben) immer gern und viel geraucht." „Ja, Sie (wissen), ich (haben) eine gute Zigarre immer gern gehabt. Aber was (können) man gegen den Doktor machen?"

„Ja, Sie (haben) recht, man (müssen) tun, was er (sagen)."

VIII. Lesen Sie Aufgabe VIII mit „du" für „Sie".
Read it in parts and act it.

IX. Gehen: er geht, er ging, er ist gegangen. Auch mit: kommen, sagen, schreiben, fragen, geben, können, bringen, denken, kaufen, schlafen, liegen, tun.

X. Fragen Sie einander über das Kapitel:
Wie waren die jungen Leute, als Sie endlich im Quartier ankamen? Wie spät war es? usw. Machen Sie aus jedem Satz eine Frage.

XI. Was ist auf deutsch:
The policeman stood in the middle of the road. He obviously had a lot to do. Tramcars, 'buses and motor cars came [along] one after the other, and a great many people were waiting (because they wanted) to cross (gehen über) the street. But I had to ask him where the Kaiserstrasse was. So I summoned up my courage and went [up] to him. He looked very friendly and I didn't feel frightened. I spoke my best German—I think it was none (not) too good—but he understood what I wanted. He was very patient and told me the way. It was a long story. First I had to go straight on, then round the corner on the right, to the left at the next cross roads, etc., etc.; but it was not as difficult as it seemed and I found my way quite easily. When I got to the house I found that my friends were at home. How glad I was!

XII. Sprechen Sie kurz über ein Picknick, das Sie gehabt haben, und fragen Sie einander darüber.

Zehntausend Mann, die zogen ins Manöver,
warum dideldum, warum dideldum,
die zogen ins Manöver, rum dideldum.
Da kamen sie beim Bauer ins Quartiere.
Der Bauer hatt' 'ne wunderschöne Tochter.
„Bauer, Bauer, Bauer, die möcht' ich gerne haben."
„Reiter, Reiter, Reiter, wie groß ist dein Vermögen?"
„Bauer, Bauer, Bauer, zwei Stiefel ohne Sohlen."
„Reiter, Reiter, Reiter, so kannst du sie nicht haben."
„Bauer, Bauer, Bauer, im Schwarzwald gibt's noch schön're."

ziehen, zog, ist gezogen, *move, march*
der Bauer (n), *farmer*
der Reiter (—), *rider*
das Vermögen (—), *fortune*
der Stiefel (—), *boot*
die Sohle (n), *sole*
es gibt, *there is, there are*
noch schönere, *still more beautiful ones*

Achtzehntes Kapitel

Auf der Post

Herr und Frau Engländer bummeln durch die Straßen einer großen, deutschen Stadt. Es ist ein schöner, warmer Morgen, und sie sind guter Laune.

Frau E.: Aber heute morgen müssen wir endlich auf die Post gehen. Ich habe meine ganze Handtasche voll Ansichtskarten und keine Marken, und übrigens müssen wir auch wegen morgen Abend an Frau Weinberg telefonieren.

Herr E.: Ausgezeichnet. Ich muß meinem teueren Bruder Erich etwas Geld nach Berlin senden. Der Junge ist wieder einmal pleite. Diese Studenten sind immer bis über die Ohren in Schulden.

Frau E.: Du hast es wahrscheinlich zu deiner Zeit auch nicht viel besser gemacht, wie? Aber trotzdem, sende ihm nicht zu viel, wir wollen in unserer letzten Woche hier auch nicht hungern. Weißt du übrigens, wo das Postamt hier ist?

Herr E.: Nein, aber das können wir leicht finden. Dort ist eine blaue Uniform — ein Briefträger. Der sollte es wohl wissen. (Zum Briefträger:) Entschuldigen Sie bitte, ist hier ein Postamt in der Nähe?

Briefträger: Gehen Sie geradeaus, die nächste Querstraße rechts und dann die zweite Querstraße links. Dann fragen Sie besser noch einmal. Sie sehen es bald zur rechten Hand. Sie können gar nicht fehlgehen.

Herr E.: Danke schön. (Zu seiner Frau:) Können gar nicht fehlgehen — hast du das gehört?

Frau E.: So ein Optimist. Der Mann hat keine Idee, was wir in diesem Punkt tun können.

Eine halbe Stunde später.

Frau E.: Geradeaus, links um die Ecke, rechts um die Ecke, zur linken Hand, zur rechten Hand, erste Querstraße links, zweite Querstraße rechts — ich glaube, wir sind inzwischen durch die ganze Stadt gelaufen. Immerhin, das scheint es nun endlich zu sein: „Postamt". Also, zuerst meine Marken.

Herr E.: Hier ist der Schalter. „Postwertzeichen" — so sagt man amtlich für Marken, mußt du wissen. Motto: warum einfach, wenn man es kompliziert auch sagen kann?

Frau E.: Was kostet eine Postkarte nach England bitte? Und ein Brief?

Der Beamte: Postkarten 15 Pfennig, Briefe 25 Pfennig. Wieviele Marken wollen Sie haben?

Frau E.: Das ist billiger, als ich dachte. Also, bitte, zwei zu 25 und — ach Hermann, zähle bitte schnell die Ansichtskarten; wie? 12? Das sind viel mehr, als ich dachte! — also, 12 zu 15, bitte. Wieviel macht das?

Der Beamte: Zwei zu 25 macht 50, 12 zu 15 macht eine Mark achtzig, macht zusammen zwei Mark dreißig.

Frau E.: Hermann, bester Mann, hast du Kleingeld? Ich habe nur einen Zwanzigmarkschein.

Herr E.: Den Schein hast du schon seit einigen Tagen, nicht wahr, meine Teuerste? Du wechselst ihn aus Prinzip nicht, es ist am billigsten so, was? Na, weil's Urlaub ist, hier hast du 5 Mark. Aber ich weiß wirklich nicht, warum du allen deinen Freunden und Bekannten Karten schreiben mußt.

Frau E.: Brumme nur nicht so, Alter, du bist doch recht froh, daß ich an deine Schwestern geschrieben habe. Du hattest doch keine Lust, selbst an sie zu schreiben!

Der Beamte: (zählt Kleingeld auf den Tisch) Zwei Mark zwanzig, dreißig, vierzig, fünfzig, drei Mark, vier Mark, fünf Mark. Danke sehr.

Frau E.: Danke schön, es stimmt. So, und nun will ich telefonieren. Dort in der Ecke sind ein halbes Dutzend Telefonzellen, wie ich sehe. Eine davon wird hoffentlich frei sein.

Herr E.: Das Telefonbuch liegt auf dem kleinen Tisch davor. Oder weißt du die Nummer?

Frau E.: Natürlich nicht, aber dafür hat der Mensch ein Notizbuch.

Herr E.: Umso besser.

Frau E.: Hier: 50 847. Und was muß ich nun mit diesem Automaten tun?

Herr E.: Hier kannst du es lesen: „10 Pfennigstück einwerfen, Hörer abnehmen und wählen. Machen Sie es kurz." Nimm dir das Letztere zu Herzen, ja? Je kürzer desto besser, hörst du? Ich gehe inzwischen an den Geldschalter. (Zu dem Beamten am Geldschalter:) Eine Postanweisung für 50 Mark, bitte. Was macht das?

Der Beamte: 2 Pfennig das Formular und 40 Pfennig die Marke. Danke schön. Sie müssen das Formular selbst ausfüllen.

Herr E.: (geht an einen Tisch beim Fenster und schreibt) Absender — das bin ich; Empfänger — das ist mein teuerer Bruder. Der Betrag — 50 Mark. (Er bringt das Formular an den Schalter zurück.)

Der Beamte: (schneidet ein Stück ab und gibt es ihm zurück:) 50 Mark, bitte.

Herr E.: Hier sind 100 Mark.

Der Beamte: 50 Mark zurück. Danke schön.

Herr E.: Danke schön. (Zu seiner Frau, die eben zurückgekommen ist:) Ah, da bist du ja, das ist schön. Ich bin auch eben hier fertig.

Frau E.: Hast du die Anweisung?

Herr E.: Nein, die brauche ich nicht, das macht alles die Post hier. Der Geldbriefträger trägt das Geld aus, er läutet morgen früh wahrscheinlich bei meinem teueren Bruder an. Viel besser als bei uns zu Hause, nicht wahr?

Frau E.: Ja, viel einfacher und praktischer. Der Geldbriefträger ist ein richtiger Weihnachtsmann. Ehe ich es vergesse: Frau Weinberg hat uns für morgen Nachmittag zum Kaffee eingeladen, und morgen Abend gehen wir zusammen ins Theater. Einverstanden?

Herr E.: Ich muß wohl einverstanden sein. Aber das kann ich dir sagen: Wenn sie wieder von ihrem Rheumatismus beginnt, gehe ich sofort nach Hause!

Vokabeln

der Absender (—), *sender*
" Briefträger (—), *postman*
" Empfänger (—), *recipient*
" Geldbriefträger (—), *money postman*
" Geldschalter (—), *money counter*
" Hörer (—), *receiver, listener*
" 20 Markschein (e), *20-mark note*
" Betrág ("e), *amount*

der Weihnachtsmann ("er), *Father Christmas*

" Automát (en, en), *automatic machine, slot machine*
" Optimíst (en, en), *optimist*
" Studént (en, en), *student*

die Anweisung (en), *order*
" Laune (n), *mood, humour*
" Marke (n), *stamp*
" Postanweisung (en), *postal order*

die Schuld (en), *debt, guilt*
„ Telefónzelle (n), *telephone kiosk*

das Formulár (e), *form*
„ Dutzend (e), *dozen*

„ Postamt ("er), *post-office*
„ Notízbuch ("er), *note-book*
„ Telefónbuch ("er), *telephone directory*

„ Postwertzeichen (—), *stamp*

„ Kleingeld (er), *change*

„ Motto (s), *motto*

„ Prinzip (ien), *principle*

„ Herz (ens, en), *heart*

ab'nehmen, nimmt ab, *take off*
an'läuten, läutet an, *ring*
aus'füllen, *fill in*
aus'tragen, trägt aus, *deliver*
bummeln, *amble, stroll*
einladen, lädt ein, *invite*
ein'werfen, wirft ein, *throw in*
fehl'gehen, *go wrong (fail)*
hungern, *starve, hunger*
stimmen, *tune, be correct*
telefonieren, *telephone*

wählen, *choose, dial*

amtlich, *official*
einfach, *simple*
kompliziert, *complicated*
pleite, *bankrupt*

ehe, *before* (conj).
immerhin, *at any rate*
inzwischen, *meanwhile*
übrigens, *by the way, besides*

aus Prinzip, *on principle*
bis über die Ohren, *up to the ears*
das stimmt, *that is correct*
der, die, das Letztere, *the latter*
eine wird frei sein, *one will be free*
ich bin guter Laune, *I am in a cheerful mood*
ich nehme es mir zu Herzen, *I take it to heart*
je kürzer desto besser, *the shorter the better*
machen Sie es kurz, *be brief*
Sie fragen besser noch einmal, *you had better ask again*
umso besser, *all the better*
wieviel macht es? *how much is it?*
zur rechten Hand, *at your right-hand side*
zwei zu 25, *two at 25 each*

Grammatik

Comparative and superlative of adjectives and adverbs

I. German adjectives form their comparative and superlative very much like the short English adjectives: small, smaller, smallest— klein, kleiner, kleinst. The same endings are used with long adjectives instead of the English more and most:

praktisch, praktischer, praktischst; kompliziert, komplizierter, kompliziertest.

These forms are declined as ordinary adjectives.

der schönere Garten, dem schönsten Haus, einen süßeren Apfel, des sauersten Weines usw.

II. The following adjectives take Umlaut in the comparative and superlative:

alt, älter, ältest; arm, dumm, gesund, groß, hart, hoch; jung, jünger, jüngst; kalt, klug, krank, kurz, lang, nah, rot, scharf, schwach, schwarz, stark, warm.

III. Adjectives ending in -d, -t, -ß, -st, -sch, -z add -est in superlative when the last syllable is stressed:

bunt — buntest; rund — rundest; naß — nassest; rasch — raschest; kurz — kürzest.

Adjectives ending in a vowel may add -est: treu, treu(e)st.

IV. Irregular:

gern, lieber, liebst; gut, besser, best; groß, größer, größt; hoch, höher, höchst; nah, näher, nächst; viel, mehr, meist; bald, früher, früh(e)st.

V. Comparison of adverbs

gut, besser, am besten; schnell, schneller, am schnellsten.

The superlative used as an adverb or as predicate takes am and adds -en: Das ist am besten. Er geht am schnellsten.

Aufgaben

I. Was ist der Komparativ und Superlativ von:

fein, warm, frisch, kalt, gut, teuer, billig, alt, schön, heiß, dünn, groß, klein, hart, weich, lang, nett, reich, arm, dick, bitter, süß, stark, glücklich, schrecklich, schnell, spät, wenig, still, gemütlich, freundlich, schlecht, viel, schwach, weit, breit, stolz, interessant, kühl, praktisch, hell, hoch, nah.

II. Form sentences in which the comparative or superlative of the words in Exercise I is used as adjective or adverb.

III. Geben Sie den Komparativ und Superlativ:

1. Meine Stimme ist laut, Ihre Stimme ist —, aber seine Stimme ist —. 2. Er spricht ganz gut Deutsch, seine Schwester spricht —, aber Sie sprechen —. 3. Englisch ist schwer zu lernen, Französisch ist —, aber Deutsch ist —. 4. Ich schwimme sehr gern, aber ich gehe — spazieren und ich spiele — Tennis. 5. Südengland ist warm und sonnig, Frankreich ist — und —, aber Italien ist — und —. 6. Die Berge im Schwarzwald sind hoch, die bayrischen Alpen sind —, aber die Schweizer Alpen sind —. 7. Mein Wagen ist ziemlich modern, Ihr Wagen ist —, aber sein Wagen ist —. 8. Mein Bruder spielt schlecht, meine Schwester spielt —, aber ich selbst spiele —.

IV. Lesen oder erzählen Sie das elfte und das zwölfte Kapitel im Perfekt.

V. Schreiben oder lesen Sie Aufgabe II und V des 11. Kapitels im Perfekt.

VI. Deklinieren Sie im Singular und Plural:

Der schönste Garten. Eine größere Stadt. Der kürzeste Tag. Die längste Nacht. Die interessanteste Kirche. Die praktischste Küche.

VII. Join the following sentences by means of a suitable conjunction or pronoun:

1. Das Wetter war sehr heiß. Ich schwamm in dem Fluß. 2. Er hat mich schon lange nicht mehr gesehen. Er kennt mich nicht. 3. Man spricht eine fremde Sprache. Man spricht laut und langsam. 4. Ich komme in die Stadt. Ich bestelle das Buch für Sie. 5. Herr Engländer muß ein Formular ausfüllen. Er will Geld senden. 6. Viele Leute wollen telefonieren. Man muß es kurz machen. 7. Haben Sie gehört? Seine Mutter ist schwer krank. 8. Können Sie mir sagen? Wo wohnt Ihr Freund Langemann? 9. Dort geht der alte Mann. Ich habe ihn gestern im Café getroffen. 10. Es ist ein schönes, modernes Haus. Ihre deutschen Freunde wohnen darin. 11. Ich kam zu seinem Haus. Ich konnte ihn nicht finden.

VIII. Lesen Sie das achtzehnte Kapitel mit „Sie" für „du".

IX. Fragen Sie einander über das Kapitel:

Wo sind Herr und Frau E.? usw.

X. Read the chapter in parts, learn and act it.

XI. Was ist auf deutsch:

I had to go to the post office to-day. I did not know where it was, but I soon found the way because a postman told me where (I had) to go. I bought stamps there. I had to wait a long time because there were a lot of people standing at the counter. They all wanted stamps. A man wanted to know how much a letter to England was. A lot of English people seem to be in the town now. They sometimes speak to you and ask you something. When they speak German, I can understand them quite well. But sometimes they cannot speak German at all, and then I find it very difficult. I always say to them: "Please speak more slowly". When I say that in my best English they laugh and speak more clearly and more slowly, and then I understand much better. I can learn a lot from them, and I enjoy talking to them.

XII. Improvise a telephone conversation on some such topic as:

Frau Langemann invites Frau Schmitz.

Hans makes an appointment with Liese.

Ein Studentenlied

Ein Studentenlied

Horch, was kommt von draußen 'rein?
Hollahi, hollaho!
's wird wohl mein Feinsliebchen sein,
hollahiaho!
Geht vorbei und schaut nicht 'rein,
wird's wohl nicht gewesen sein.

Leute haben's oft gesagt, daß ich ein Feinsliebchen hab'.
Laß sie reden, schweig fein still, kann ja lieben, wen ich will.

Sagt mir, Leute, ganz gewiß, was das für ein Lieben ist:
die ich liebe, krieg ich nicht, und 'ne andre mag ich nicht.

Wenn mein Liebchen Hochzeit hat, hab' ich meinen Trauertag.
Geh' dann in mein Kämmerlein, trage meinen Schmerz allein.

Wenn ich dann gestorben bin, trägt man mich zum Grabe hin,
setzt mir keinen Leichenstein, pflanzt nicht drauf Vergißnichtmein.

horch! *hark!*
es wird sein, *it will be*
das Feinsliebchen (—), *sweetheart*
schauen, *look*
schweigen, schwieg, geschwiegen, *be silent*
kriegen, *get, obtain*
mögen, mag, mochte, *like, want*
das Liebchen (—), *darling*
die Trauer, *mourning*
das Kämmerlein (—), *little room*
der Schmerz (en), *pain, grief*
das Grab (¨er), *grave*
setzen, *put, set*
der Leichenstein (e), *tombstone*
pflanzen, *plant*
das Vergißmeinnicht (—) (Vergißnichtmein), *forget-me-not*

Neunzehntes Kapitel

In der Jugendherberge

Ein Brief

Rüdesheim am Rhein, Jugendherberge,
den 20. August 1938

Liebe Eltern!

Ihr habt meine Karte aus Köln wohl bekommen. Der Dom ist in Wirklichkeit noch viel schöner als auf der Ansichtskarte, und der Rhein ist auch viel breiter, aber er ist ziemlich schmutzig. Aber wir dürfen nichts sagen, die Themse ist auch nicht kristallklar. Ich werde Euch von Köln noch viel mehr erzählen, wenn ich zurückkomme. Gestern fuhren wir nun mit dem Dampfer von Koblenz nach Rüdesheim. Die Rheinfahrt war ganz wundervoll, herrliches Wetter, romantische Ruinen, hübsche Dörfer und Städte mit grünen Weinbergen — ganz wie auf den Bildern, die in den englischen Bahnhöfen hängen. Aber ich werde es Euch jetzt nicht weiter beschreiben, Ihr könnt das alles viel besser bei Baedecker lesen. Ich hoffe, Ihr werdet es tun, das wird mir viel Zeit sparen, wenn ich zurückkomme. Aber ich muß Euch unbedingt von der Jugendherberge hier erzählen — Baedecker kennt sie natürlich nicht — denn sie ist ganz wunderschön.

Es war schrecklich heiß, als wir nachmittags um drei Uhr in Rüdesheim ankamen. Wir bummelten durch das reizende alte Städtchen, und dann stiegen wir bergauf durch die sonnigen Weinberge. Die Straße war staubig, die Rucksäcke wurden immer schwerer, und bei jeder Biegung hofften wir auf das bekannte Zeichen „DJH". An einer der ersten Biegungen stand ein Eisverkäufer, und er machte gute Geschäfte mit uns. Endlich, als wir an einer hohen Steinmauer entlang gingen, sahen wir über uns nackte, braune Beine in Wanderschuhen und Sandalen über die Mauer hängen und hörten helles Lachen und Plaudern. Gleich danach bogen wir durch ein breites Tor in einen großen Hof und sahen braungebrannte Jungen und Mädchen auf der breiten Mauer sitzen. Das Haus, das vor uns lag, war die Jugendherberge, ein großes, modernes Haus. Als wir eintraten, kam uns der Hausvater in kurzen Hosen und Hemdärmeln entgegen. „Ziemlich warm heute, was? Und wer seid ihr? Aha, ihr seid die englische Gruppe? Schön, gebt mir eure Karten und laßt die Rucksäcke im Tagesraum. Ich gebe euch auch gleich die Bettkarten für die Schlafräume. Hier, Nummer 251 bis 266. Frau, hier sind deine englischen Gäste, komm' bitte." Die Hausmutter sah freundlich und vergnügt aus. „Seid ihr auch hübsch hungrig?" fragte sie. „Was wollt ihr zum Abendessen haben? Ist euch Rindsbraten und Gurkensalat recht, mit Kartoffeln und Tunke? Gut. Um 7 Uhr wird es fertig sein. Kommt und holt es euch in der Küche, und essen könnt ihr im Tagesraum."

Einige junge Leute kamen auf uns zu und sagten: „Ihr seid aus England, nicht wahr? Könnt ihr deutsch sprechen?" Wir sagten natürlich alle einstimmig: „Wir sprechen alle fließend deutsch, wir haben ein ganzes Jahr lang deutsch gelernt". Sie waren sehr lustig und führten uns zum Niederwalddenkmal. (Siehe Baedecker . . .) Viele von den Jungen und Mädchen

in der Herberge sprechen ein wenig englisch, und wir verstehen einander ganz gut. Wenn ihr Englisch und unser Deutsch nicht genügen, dann kommt die Zeichensprache, und schließlich, wenn alles nicht hilft, singen wir englische und deutsche Lieder. Einer der Jungen ist ganz besonders nett, und er spricht auch ganz gut englisch. Er sagt, er möchte gern manchmal an mich schreiben, und so werden wir nun miteinander korrespondieren. Er wird auf englisch schreiben, und ich werde auf deutsch antworten, dann wird es uns beiden in unseren Sprachstudien helfen. Ich denke, das wird sehr nett werden, und ich bin sehr froh darüber. Er wohnt in Berlin und sagt, ich muß ihn nächstes Jahr besuchen. Er wird seine Eltern fragen, ob ich kommen darf. Fein, nicht wahr? Ich hoffe, Ihr werdet nichts dagegen haben.

Abends saßen wir noch eine Weile auf der großen Mauer und sangen und plauderten. Unten im Tal konnten wir den Rhein sehen, und in der Ferne sahen wir die Lichter von Rüdesheim und auch die von Bingen am anderen Ufer des Flusses. Der Hausvater kam auch, als er mit seiner Arbeit fertig war. Er erzählte uns allerlei von den deutschen Jugendherbergen. Es gibt jetzt über 3000 Jugendherbergen in Deutschland, große und kleine, alte und neue, gute und weniger gute. Die hiesige Jugendherberge hat Platz für 400 Leute, und sie ist nicht die größte. Die Herberge in Frankfurt, die wir morgen sehen werden, ist eine der größten in Deutschland. Mit unseren englischen Herbergskarten können wir die deutschen Herbergen ohne weiteres besuchen.

Zum Schluß standen wir alle in einem großen Kreis im Hof und sangen: „Kein schöner Land", und dann gingen wir schnell zu Bett. Denn um 10 Uhr heißt es „Licht aus".

Morgen werden wir nach Frankfurt fahren. Ich denke, daß es dort auch sehr interessant sein wird, aber es tut uns allen leid, daß wir nicht länger hier bleiben können. In 10 Tagen werden wir schon wieder zu Hause sein, wir können es gar nicht glauben. Aber dann werde ich viel zu erzählen haben. Hoffentlich geht es Euch so gut wie uns.

Mit herzlichen Grüßen,

Euer Hans

P.S. — Der Gurkensalat, den wir zum Abendessen hatten, war so gut, daß ich die Hausmutter um das Rezept bat. Es ist auf deutsch, aber ich werde es übersetzen und es Mutter zeigen, wenn ich nach Hause komme. Es wird sie vielleicht interessieren. Ich hoffe, sie wird ihn manchmal machen, wenn ich wieder zu Hause bin.

Vokabeln

der Ärmel (—), *sleeve*
„ Dampfer (—), *steamer*
„ Eisverkäufer (—), *ice-cream vendor*
„ Rindsbraten (—), *roast beef*
„ Gurkensalat (e), *cucumber salad*
„ Kreis (e), *circle*
„ Wanderschuh (e), *walking shoe*
„ Weinberg (e), *vineyard*
„ Hof (¨e), *yard*

der Schluß (Schlüsse), *end*
„ Tagesraum (¨e), *common room*
„ Hausvater (¨), *house-father, warden*
„ Augúst (kein Pl.), *August*

die Biegung (en), *bend*
„ Gruppe (n), *group*
„ Gurke (n), *cucumber*
„ Herberge (n), *hostel*
„ Mauer (n), *wall (outside)*

die Ruine (n), *ruin*
" Sandále (n), *sandals*
" Sprache (n), *language*
" Studie (n), *study*
" Tunke (n), *gravy*
" Wirklichkeit (en), *reality*

das Zeichen (—), *signal, sign*
" Hemd (en), *shirt*
" Rezépt (e), *recipe*
" Tor (e), *gate*
" Städtchen (—), *small town*
" Denkmal ("er), *monument*

beschréiben, *describe*
biegen, *bend*
bitten, bittet (um + Akk.), *request, ask (for)*
ein'treten, tritt ein, *enter*
entgégen'kommen, *come to meet*
genügen, *suffice, be enough*
hoffen (auf + Akk.), *hope (for)*
interessieren, *interest*
korrespondieren, *correspond*
sparen, *save*
übersétzen, *translate*

bekánnt, *well known*
braungebrannt, *sunburnt*
einstimmig, *unanimous*
fließend, *fluent*
hiesig, *local* (hier)
kristállklar, *crystal clear*
nackt, *naked, bare*
reizend, *charming*
staubig, *dusty*
unbedingt, *absolute*
vergnügt, *cheerful*

DJH = Deutsche Jugendherberge
er schreibt an mich, *he writes to me*
es heißt: Licht aus! *the word goes: lights out!*
ich mache gute Geschäfte, *I do good business*
ist es euch recht? *is it all right for you?*
laßt die Rucksäcke im Tagesraum, *leave your rucksacks in the Common Room*
mit herzlichen Grüßen, *with kind regards, with love*
nachmittags, *in the afternoon*
ohne weiteres, *without more ado*
sie kamen auf uns zu, *they came up to us*
von Koblenz nach Rüdesheim, *from Koblenz to Rüdesheim*
wir gingen an einer Steinmauer entlang, *we walked along a stone wall*
zum Schluß, *at the end, in conclusion*

Grammatik

The future tense

I. The future tense is formed with the verb „werden" in place of the English "will" and "shall", and with the infinitive:

Ich werde morgen Abend kommen. Er wird nicht kommen. Werden Sie kommen?

II. The infinitive stands at the end of its clause:

Diesen Sommer werde ich nach Deutschland gehen. Wir werden den Rhein und den Schwarzwald besuchen. Mein Bruder wird nicht mit uns gehen können, er wird wohl zu Hause bleiben müssen. Werden Sie diesen Brief übersetzen können? Meine Schwester wird ihn für mich übersetzen.

III. What is the difference between:

Ich will ihm bald schreiben — ich werde ihm bald schreiben.
Wollen sie mit uns kommen — werden sie mit uns kommen?

IV. The present tense can be used instead of the future tense if there is an adverb which makes the future meaning clear:

Ich kann heute nicht kommen, aber ich komme morgen. Wir werden Ihnen schreiben. Wir schreiben Ihnen bald.

Aufgaben

I. Lesen Sie im Präsens, Imperfekt, Perfekt und Futur:

Es (sein) ein wunderschöner, warmer Tag, und wir (machen) einen Ausflug an den Rhein. Wir (stehen) sehr früh auf. Die Vögel (singen) und die Sonne (scheinen). Nur wenige Leute (sein) auf den Straßen. Es (sein) Sonntag und sie alle (schlafen) gern ein wenig länger. Aber auf dem Bahnhof (sehen) wir schon viele Menschen. Sie (tragen) Rucksäcke, und viele von ihnen (haben) einen Stock in der Hand. Wir (kaufen) unsere Fahrkarten und (suchen) unseren Zug. Er (stehen) auf Bahnsteig drei und (sein) schon ziemlich besetzt. Ich (finden) ein leeres Abteil, und wir alle (einsteigen). Bald (abfahren) der Zug, und wir (aufmachen) das Fenster. Die frische Luft (hereinkommen) und bald (kommen) wir in die grünen Felder und Wiesen. Nach einer halben Stunde (ankommen) wir in Altdorf, und dort (aussteigen) wir. Dann (beginnen) wir zu wandern.

II. Lesen oder erzählen Sie das dreizehnte Kapitel im Futur und im Perfekt.

III. Lesen Sie Aufgaben II und IV des 12. Kapitels im Perfekt und Futur.

IV. Schreiben Sie Aufgaben III und V des 13. Kapitels im Perfekt und Futur.

V. Geben Sie die richtigen Endungen:

Endlich kamen wir zu d— schön— neu— Jugendherberge. Sie stand auf ein— ziemlich hoh— Berg, und man hatte von d— groß— Hof vor d— Haus ein— wunderschön— Aussicht auf d— breit— Fluß und d— grün— Weinberge auf d— ander— Seite d— breit— Tal—. Auf d— Spitze ein— Berg— stand ein— alt— Ruine. Sie sah sehr romantisch aus. Niemand wohnt jetzt in d— alt— Ruine. Auf d— breit—Fluß fuhren viel— groß— und klein— Schiffe. In d— schön— modern— Herberge trafen wir viel— deutsch— Jungen und Mädchen. Wir sangen deutsch— und englisch— Lieder mit ihnen. Der Hausvater war ein freundlich— Mann und er erzählte uns ein— interessant— Geschichte über d— alt— Ruine. Die Hausmutter war ein— lustig— Frau, und sie kochte uns ein sehr gut— Abendessen. Wenn wir nächstes Jahr wieder nach Deutschland gehen, müssen wir unser— alt— Freunde in d— schön— Jugendherberge gewiß wieder besuchen.

VI. Fragen Sie einander über das Kapitel:

Wann war Hans in Deutschland?
Wo war er? Was sandte er seinen Eltern? usw.

VII. Was ist auf deutsch:

When we arrived at the hotel the landlord was standing at the door. He had a rosy face and looked cheerful and friendly. He greeted us and led us into the house, where we saw his wife. She came from the kitchen, where she was cooking the supper. The landlord showed us our rooms which were quite satisfactory (good enough). From mine I had a fine view of the river which pleased me very much. It was lovely in the evening when it grew dark. I could then see the lights of the little village on the other side of the river. The landlady was an excellent cook, and she gave us a splendid supper which tasted very good. We were extremely hungry, too. The landlord brought us a bottle of Rhinewine and that made us very cheerful. We sat until it was dark and the air grew chilly. Then we went for a walk by the river and by the time (when) we came back it was quite late. We slept well because we were very tired.

VIII. Sprechen Sie kurz über eine englische oder deutsche Jugendherberge, ein Hotel, ein Gasthaus, ein Ferienheim usw., das Sie kennen, und fragen Sie einander darüber.

Volkslied

Kein schöner Land in dieser Zeit,
als hier das uns're weit und breit,
wo wir uns finden
wohl unter Linden
zur Abendzeit.

Da haben wir so manche Stund'
gesessen da in froher Rund'
und taten singen,
die Lieder klingen
im Talesgrund.

Daß wir uns hier in diesem Tal
noch treffen so viel hundertmal,
Gott mag es schenken,
Gott mag es lenken,
er hat die Gnad'.

Jetzt, Brüder, eine gute Nacht,
der Herr im hohen Himmel wacht.
In seiner Güte
uns zu behüten
ist er bedacht.

das Land (¨er), *land*, *country*
die Linde (n), *lime tree*
manch-e, -r, -es, *some*, *many a*
die Runde (n), *round*
klingen, klang, hat geklungen, *ring*, *sound*
der Grund (¨e), *ground*, *bottom*
mögen, mag, mochte, *may*, *like*
die Gnade, *grace*
wachen, *be awake*, *watch*
behüten, behütet, *guard*
bedacht, *thoughtful*, *concerned*

Zwanzigstes Kapitel

Einige alte Freunde besuchen die Klasse

Personen: Der Rattenfänger, Herr und Frau Engländer,
Frau Kaufmann, der Lehrer, die Klasse

Der Lehrer: Aufgabe acht auf Seite hundertdreißig.
Wir übersetzen. Bitte, Herr Fleißig.
Die Klasse: Es klopft, Herr Schmidt. Es scheint uns fast,
wir bekommen heute einen Gast.
Der Lehrer: Es klopft, sagen Sie? Herein! Herein!
Machen Sie bitte die Tür auf, Herr Klein.
Sieh da, nein, nun arbeiten wir nicht länger,
denn hier kommt ja der Herr Rattenfänger.
Die Klasse: Wo haben Sie denn die Mäuse und Ratten,
die Sie alle gefangen hatten?
Rattenfänger: Die lieben Tiere sind auf der Straße.
Wollen Sie sie kaufen? Alles gute Rasse,
sind alle durch die Weser geschwommen,
alle gesund auf der anderen Seite aus dem Wasser gekommen,
fressen viel und können gut laufen.
Ich will sie Ihnen billig verkaufen.

Die Klasse: Nein, heute nicht, haben Sie vielen Dank.
Aber kommen Sie, hier, auf diese Bank,
sitzen Sie hier in unserer Mitte
und spielen Sie auf der Pfeife, bitte!
Der Lehrer: Was können Sie spielen? Die Lorelei?
Gut, Sie spielen und wir singen. Eins, zwei, drei —
Alle: Ich weiß nicht, was soll es bedeuten usw.

Rattenfänger: Das war wirklich sehr, sehr gut.
Ein wenig Musik, wie gut das tut,
wenn man immer allein muß wandern,
von einer Stadt zur andern,
und nur die Ratten als Kameraden.
Nun muß ich weiter, nach Baden-Baden.
Können Sie mir den Weg dahin sagen
oder soll ich den Polizisten fragen?
Die Klasse: Sie gehen erst links, dann geradeaus,
dann kommen Sie zu einem großen Haus.
Dann müssen Sie rechts in den Fußweg biegen
und sehen es dann bald zur rechten Hand liegen.
Der Lehrer: Ei, wer kommt denn da herein,
das müssen Herr und Frau Engländer sein!
Die Klasse: War es bei Frau Weinberg sehr nett?
Frau Engländer: Ach, die Ärmste ist wieder im Bett,
hat wieder über Rheumatismus zu klagen.
Herr Engländer: Gehen Sie nur selbst, sie wird Ihnen alles genau sagen.
Frau E.: Du hast kein Herz. Die Frau ist schwer krank,
und du bist gesund.

Herr E.: Ja, Gott sei Dank.

Die Klasse: Und was macht Ihr Bruder, der Herr Student? Ist das Geld schon wieder zu End'?

Herr E.: Die Anweisung, die ich sandte, war die zweite,
und nun ist der Junge schon wieder pleite.
Wirklich, Sie haben natürlich leicht lachen,
aber was soll ich nur mit ihm machen?
Denn wissen Sie, in meinen Jahren
beginnt man langsam Geld zu sparen,
man denkt daran, daß man älter wird.
Aber der Junge, der ist ein Flirt.

Frau E.: Der richtige alte Onkel, wie er so spricht.
Du tatest das alles natürlich nicht.
Als du jung warst, warst du immer verständig,
zahltest für alles pünktlich und eigenhändig,
machtest niemals Schulden, gingst niemals aus,
bliebst jeden Abend bei Mutter zu Haus.

Herr E.: Gut, ich sende ihm Geld, sehr gut,
aber du bekommst dann keinen neuen Sommerhut, —

Die Klasse: Es klopft, Herr Schmidt! O, das ist gut.

Der Lehrer: Hier ist ein ganz bekanntes Gesicht. Frau Kaufmann, wie nett!

Die Klasse: Kommt Ihr Mann heute nicht?

Frau Kaufmann: Nein, ich komme heute ohne unseren Vater,
er ging mit den Jungen ins Theater.

Die Klasse: Und wollten Sie nicht mit ihnen gehen?

Frau K.: Nein, ich habe das Stück schon zweimal gesehen.

Die Klasse: Wie geht es den Kindern? Und wie dem Hund?

Frau K.: Danke, sie sind alle gesund.
Hans kam am Sonntag von Deutschland zurück.

Die Klasse: Von Deutschland? Der Junge hat wirklich Glück.

Frau K.: Ja, das habe ich auch gedacht.
Er hat viele Karten mitgebracht.

Die Klasse: Hat er auch immer deutsch gesprochen?
Frau K.: Wohl nicht die ganzen langen vier Wochen,
aber doch meistens, das will ich hoffen.
Die Klasse: Hat er viele deutsche Jungen getroffen?
Frau K.: Er hat einen Freund nicht weit von Berlin.
Er ging auf 14 Tage und besuchte ihn,
und dann wanderten sie beide
in der Lüneburger Heide.
Die Klasse: Ist die Lüneburger Heide schön?
Frau K.: Ja, aber Sie müssen selbst dahin geh'n.
Die Klasse: Ja, wir wollen den Rhein und Frankfurt sehen
und natürlich auch in den Schwarzwald gehen,
wir wollen mit dem Schiff über den Bodensee fahren,
Rattenfänger: Ja, dort war ich einmal vor 100 Jahren.
Bayern, die Schweiz oder Österreich,
wohin Sie gehen, das bleibt sich gleich,
die Berge sind überall wunderschön.
Herr E.: Und dann müssen Sie nach Innsbruck geh'n,
Frau E.: Und von dort aus müssen Sie Wien besuchen,
und müssen den Wiener Kaffee versuchen,
er ist ganz herrlich, kann ich Ihnen sagen!
Herr E.: Und dann weiter nach Salzburg nach einigen Tagen.
Frau K.: Dann müssen Sie weiter nach München fahren.
Klasse: Ja, das wollen wir schon seit Jahren.
Herr E.: Aber trinken Sie nicht zu viel Münchener Bier.
Rattenfänger: O doch, es ist ja nicht so stark wie das Ihre hier,
Sie können es gewiß ganz gut vertragen.
Klasse: Und wohin von dort aus?
Lehrer: Wenn Sie mich fragen,
fahren Sie über Berlin und Hamburg zurück,
gehen Sie auch nach Osten ein Stück,
nach Leipzig und Dresden, und dann nach Nordwesten.
Mir gefällt die Nordsee immer am besten.

Vor allem aber eins, wenn Sie nach Deutschland gehen:
Sie sprechen nur deutsch, können nur deutsch verstehen!

Klasse: Nur keine Angst; sind wir einmal dort,
sprechen wir nicht mehr englisch, nein, kein einziges Wort!
Nun warten wir nur noch auf das Geld,
und dann reisen wir rund um die Welt!

Vokabeln

der Flirt (e), *flirt*
die Heide (n), *heath, moor*
Wien (neut.), *Vienna*
verkáufen, *sell*
bekánnt, *familiar, well-known*
eigenhändig, *with one's own hand, independent*
fleißig, *industrious, hard-working*
einzig, *single*
gesúnd, *healthy, well*

dahin, *to there, thither*
der, die, das Ihre, *yours*
meistens, *mostly*
nie(mals), *never*
von dort aus, *from there*
vor allem, *above all*

auf 14 Tage, *for a fortnight*
das bleibt sich gleich, *that is all the same*
herein! *Come in!*
ich gehe dahin, *I go there*
ich habe ihn lieb, *I love him*
ich mache Schulden, *I get into debt*
schwer krank, *seriously ill*

Wiederholung der Vokabeln

der

1. Absender (—)
2. Ärmel
3. Bierkeller
4. Briefträger
5. Dampfer
6. Eisverkäufer
7. Empfänger
8. Geldschalter
9. Helfer
10. Hemdärmel
11. Hörer
12. Käufer
13. Rindsbraten
14. Seufzer

15. Detektiv (e)
16. Dieb
17. Gurkensalat
18. Hauptfilm
19. Heimweg
20. Kassierer
21. Kreis
22. Likör
23. 20 Markschein
24. Pfirsich
25. Rettich
26. Wanderschuh
27. Weinberg

28. Betrag (''e)
29. Bierkrug
30. Eingang
31. Gast

der

32. Gemüsestand
33. Hof
34. Marsch
35. Schluß
36. Stand
37. Tagesraum

38. Kaufmann (Kaufleute)

39. Weihnachtsmann (''er)

40. Hausvater ('')

41. Automat (en, en)
42. Kamerad
43. Optimist
44. Polizist
45. Student

46. August (kein Pl.)
47. Juni
48. Mut

die

49. Anweisung (en)
50. Biegung
51. Bühne
52. Eingangshalle
53. Erleichterung
54. Flotte
55. Geranie
56. Gruppe
57. Gurke

die

58. Heide
59. Herberge
60. Kasse
61. Kellnerin (nen)
62. Kulisse
63. Kusine
64. Laune
65. Marke
66. Maschine
67. Mauer
68. Molkerei
69. Musikkapelle
70. Parade
71. Pension
72. Postanweisung
73. Querstraße
74. Reklame
75. Ruine
76. Sandale
77. Scheibe
78. Schuld
79. Schürze
80. Spirale
81. Sprache
82. Sprachstudie
83. Steinmauer
84. Studie
85. Tasche
86. Taschenlampe
87. Tasse
88. Telefonzelle
89. Terrasse
90. Traube
91. Tunke

Revision of Vocabulary

1. sender
2. sleeve
3. beer-garden
4. postman
5. steamer
6. ice-cream vendor
7. recipient
8. money counter
9. helper
10. shirt sleeve
11. receiver
12. customer
13. roast beef
14. sigh

15. detective
16. thief
17. cucumber salad
18. main film
19. way home
20. treasurer
21. circle
22. liqueur
23. 20-mark note
24. peach
25. radish
26. walking shoe
27. vineyard

28. amount
29. beer-mug
30. entrance
31. guest
32. vegetable stall
33. yard
34. march
35. end
36. stand, stall
37. common room

38. tradesman, merchant

39. Father Christmas

40. house-father

41. slot machine
42. comrade
43. optimist
44. policeman
45. student

46. August
47. June
48. courage

49. order
50. bend
51. stage
52. entrance hall
53. relief
54. navy
55. geranium
56. group
57. cucumber
58. heath, moor
59. hostel
60. cash, cash-desk
61. waitress
62. scenery
63. cousin (fem.)
64. mood
65. stamp
66. machine
67. wall (outside)
68. dairy
69. band
70. parade
71. boarding-house
72. postal order
73. cross-road
74. advertisement
75. ruin
76. sandal
77. disc, slice
78. debt, guilt
79. apron
80. spiral
81. language
82. language study
83. stone wall
84. study
85. pocket, bag
86. flash-lamp
87. cup
88. telephone box
89. terrace
90. grape
91. gravy

die

92. Uniform
93. Weile
94. Wirklichkeit
95. Wochenschau
96. Zeichensprache

97. Hausmutter (")

98. Ziehharmonika (s)

99. Altstadt ("e)

100. Lust (kein Pl.)
101. Schlagsahne

das

102. Abendessen (—)
103. Gemüse
104. Gläschen
105. Manöver
106. Passionstheater
107. Postwertzeichen
108. Städtchen
109. Zeichen

110. Dutzend (e)
111. Formular
112. Kostüm
113. Paket
114. Pfund
115. Quartier
116. Rezept

117. Denkmal ("er)
118. Haupt
119. Kopftuch
120. Notizbuch
121. Postamt
122. Tageblatt
123. Telefonbuch

das

124. Ende (n)
125. Hemd (en)
126. Herz (ens, en)

127. Dunkel (kein Pl.)
128. Militär
129. Salz
130. Tennis
131. Wohlsein

132. Prinzip (ien)

133. Motto (s)

134. Kleingeld (er)

135. ab'nehmen, nimmt
136. an'läuten, läutet
137. an'stoßen, stößt
138. auseinander'ziehen
139. aus'füllen
140. aus'tragen, trägt
141. beladen, belädt
142. beschreiben
143. besetzen
144. bestellen
145. bewundern
146. biegen
147. bitten um (Akk.), bittet
148. brummen
149. bummeln
150. dürfen, darf
151. ein'laden, lädt
152. ein'treten, tritt
153. ein'werfen, wirft
154. enden, endet
155. entgegen'kommen
156. fassen
157. fehl'gehen
158. genügen
159. grinsen
160. hoffen
161. hungern
162. interessieren
163. korrespondieren
164. nicken
165. packen
166. riskieren
167. salzen
168. scheinen
169. senden, sendet
170. seufzen
171. sparen
172. stecken
173. stehlen, stiehlt
174. stellen
175. stimmen
176. telefonieren
177. übersetzen
178. verkaufen
179. versuchen
180. wählen
181. waschen, wäscht
182. werfen, wirft
183. wünschen

184. amtlich
185. bekannt
186. braungebrannt
187. durstig
188. eigen
189. eigenhändig
190. einstimmig
191. einzig
192. fleißig

92. uniform
93. while
94. reality
95. news-reel
96. sign language
97. house-mother
98. accordion
99. old town, city
100. desire
101. whipped cream
102. supper
103. vegetable
104. little glass
105. manœuvre
106. Passion Theatre
107. stamp
108. little town
109. sign, signal
110. dozen
111. form
112. costume
113. parcel, packet
114. pound
115. quarters
116. recipe
117. monument
118. head
119. kerchief
120. note book
121. post office
122. daily paper
123. telephone directory
124. end
125. shirt
126. heart
127. dark(ness)
128. army
129. salt
130. tennis
131. well-being, health
132. principle
133. motto
134. change (money)
135. take off
136. ring
137. toast (glasses)
138. pull apart
139. fill in
140. deliver
141. load
142. describe
143. occupy
144. order
145. admire
146. bend
147. ask for
148. grumble
149. amble, stroll
150. may
151. invite
152. enter
153. throw in
154. end
155. come to meet
156. seize
157. go wrong
158. suffice
159. grin
160. hope
161. starve, be hungry
162. interest
163. correspond
164. nod
165. pack
166. risk
167. salt
168. seem, appear
169. send
170. sigh
171. save
172. stick, put
173. steal
174. place
175. be correct
176. telephone
177. translate
178. sell
179. try
180. choose, dial
181. wash
182. throw
183. wish
184. official
185. well-known
186. sunburnt
187. thirsty
188. own
189. independent
190. unanimous
191. single
192. industrious

193. fließend
194. gesund
195. gewiß
196. hiesig
197. hungrig
198. kompliziert
199. kristallklar
200. lustig
201. nackt
202. pleite
203. reif
204. reizend
205. satt
206. scharf

207. schlau
208. staubig
209. unbedingt
210. vergnügt
211. verständig
212. vorsichtig
213. zuckersüß
214. zufrieden

215. basta
216. dahin
217. damit
218. ehe
219. geradeaus
220. heutzutage
221. der, die, das Ihre
222. immerhin
223. inzwischen
224. meistens
225. nachmittags
226. nie(mals)
227. trotzdem
228. von dort aus
229. vor allem
230. übrigens
231. womit

232. also los!
233. auf 14 Tage
234. aus Prinzip
235. bis über die Ohren
236. das bleibt sich gleich
237. das stimmt
238. der, die, das Letztere
239. einer nach dem andern
240. er faßt Mut
241. er schreibt an mich
242. es heißt: Licht aus!
243. gesagt, getan
244. herein!
245. ich esse zu Abend
246. ich frage nach dem Weg
247. ich habe Lust dazu
248. ich habe es satt
249. ich mache Schulden
250. ich möchte es gern sehen
251. ich nehme es mir zu Herzen
252. ich rauche die Zigarre zu Ende
253. ich stehle ihm Geld
254. im Freien
255. ist es Ihnen recht?
256. je schneller, desto besser
257. kurz nach 6 Uhr
258. lassen Sie mich machen!
259. machen Sie es kurz!
260. mein Herr!
261. mit herzlichen Grüßen
262. nichts anderes
263. ohne weiteres

264. prosit!
265. schwer krank
266. sie fragen besser noch einmal
267. sie kommen auf uns zu
268. sie machen gute Geschäfte
269. sie sind guter Laune
270. umso besser
271. von Anfang an
272. von Köln nach München
273. weiß der Himmel
274. wenn das unser Helmut wäre
275. wieviel macht das?
276. zu meiner Zeit
277. zum Schluß
278. zum Wohlsein!
279. zur rechten Hand
280. zwei zu 20 Pfennig

193. fluent
194. healthy
195. certain
196. local
197. hungry
198. complicated
199. crystal clear
200. merry, gay
201. naked
202. bankrupt
203. ripe
204. charming
205. satisfied
206. sharp, hot (food)
207. cunning
208. dusty
209. absolute
210. cheerful
211. sensible
212. cautious
213. sweet as sugar
214. satisfied

215. that's that
216. thither
217. so that
218. before (conj.)
219. straight on
220. nowadays
221. yours

222. in any case
223. meanwhile
224. mostly
225. in the afternoon
226. never
227. in spite of that
228. from there
229. above all

230. by the way
231. with what

232. come on then !
233. for a fortnight
234. on principle
235. up to the ears
236. it is all the same
237. that is right, correct
238. the latter

239. one after the other
240. he summons up his courage
241. he writes to me

242. the word goes : lights out !
243. no sooner said than done
244. come in !
245. I have supper

246. I ask the way

247. I fancy, have a desire for it
248. I am tired of it
249. I get into debt

250. I should like to see it
251. I take it to heart
252. I finish smoking the cigar
253. I steal money from him
254. in the open air

255. is it all right for you ?
256. the quicker the better
257. shortly after 6
258. leave it to me !
259. be quick, be brief !
260. sir !
261. with kind regards, with love
262. nothing else
263. without more ado
264. your health !
265. seriously ill
266. you had better ask again
267. they come up to us
268. they do good business
269. they are in a cheerful mood
270. all the better
271. from the beginning
272. from Cologne to Munich
273. heaven knows
274. if that were our Helmut
275. how much is it ?
276. in my time
277. in conclusion
278. your health !
279. at the right-hand side
280. two at 20 Pfennigs each

Aufgaben

I. Lesen Sie das siebzehnte Kapitel im Futur.

II. Lesen Sie Aufgabe II des vierzehnten Kapitels im Perfekt.

III. Lesen Sie Aufgabe IV des fünfzehnten Kapitels im Futur und Perfekt.

IV. Make one of the following sentences into a subordinate clause:

1. Der Film gefällt uns nicht. Er ist zu lang. 2. Die Wochenschau ist sehr interessant. Ich sehe sie im Kino. 3. Wissen Sie es? Meine Kusine arbeitet in dem neuen Warenhaus. 4. Die Musikkapelle spielt. Wir sitzen gern auf der Terrasse. 5. Das Obst ist billig und gut. Wir essen es oft und gern. 6. Das Wetter ist gut. Wir sind guter Laune. 7. Er schreibt in seinem Brief. Seine Frau ist schwer krank. 8. Das Wetter war ausgezeichnet. Wir waren in München. 9. Er liest nicht viel. Er hat im Geschäft viel zu tun.

V. Lesen Sie die Sätze in Aufgabe IV auch im Imperfekt, Perfekt und im Futur (nicht den dritten).

VI. Geben Sie die richtigen Endungen:

Gestern gingen wir in d— ausgezeichnet—, modern— Theater d— alt— deutsch— Stadt, wo wir seit einig— Tagen sind. Wir sahen d— berühmt— Drama Schillers „Maria Stuart". Unser— deutsch— Freunde gingen mit uns. Wir hatten sehr gut— Plätze— in d— dritt— Reihe etwa in d— Mitte d— Theaters. D— jüngst— Bruder mein— Freundes kannte eine von d— jung— Schauspielerinnen, und er führte uns am Ende d— Stückes hinter d— Kulissen. Da sahen wir ein interessant— Bild. Da standen viel— Dinge, d— wir auf d— Bühne gesehen hatten. D— alt— Kostüme waren wirklich sehr interessant. Sie hatten wunderschön— Farben. Wir sprachen ein— Weile mit d— hübsch— jung— Schauspielerin. Sie erzählte uns viel von ihr— interessant— Leben und von ihr— Arbeit an d— Theater. Sie war ein reizend— Mädchen, mit schön—, blond— Haaren, rot— Wangen, ein— hübsch—, verständig— Gesicht und ein— hell—, rein— Stimme. Sie sprach auch gut englisch. Ich konnte nun gut verstehen, warum unser jung— Freund dies— Theater sein— Stadt so oft besuchte.

VII. Lesen Sie Aufgabe VI im Perfekt.

VIII. Was ist auf deutsch:

This year I really shall go to Germany. Last year I wanted to go, as you probably know, but I was unable to because mother was taken (became) very ill and I had to stay at home. But she is very much better now and I think I can go away for a fortnight. My friend will probably go with me and I am glad of that, for my German is not very good yet. I have not had a great deal of time for it, but she has worked very hard at it. She can speak quite fluently now, I believe. She will have to talk when we are there. I do not know yet where we are going. Perhaps we shall go to the Rhine or to the Black Forest. I do not know the Black Forest but my friend knows it quite well. Perhaps she will not want to see it again this year, and would rather go to another part of the country. It does not matter much to me for it will probably be just as beautiful elsewhere (anderswo). In any case it will be a splendid holiday; that I know already (now). I shall send you all a picture postcard from the nicest place we visit.

IX. Read the chapter in parts, learn and act it.

X. Let each member of the class choose one of the characters that have appeared in this book and improvise a conversation on such topics as:

Ferien in Deutschland. Ferien in England. Deutsch lernen. Städte in Deutschland und in England. Das Kino und Filme. Das Theater.

Die Stadt

Am grauen Strand, am grauen Meer
und seitab liegt die Stadt;
der Nebel drückt die Dächer schwer,
und durch die Stille braust das Meer
eintönig um die Stadt.

Es rauscht kein Wald, es schlägt im Mai
kein Vogel ohn' Unterlaß;
die Wandergans mit hartem Schrei
nur fliegt in Herbstesnacht vorbei,
am Strande weht das Gras.

Doch hängt mein ganzes Herz an dir,
du graue Stadt am Meer;
Der Jugend Zauber für und für
ruht lächelnd doch auf dir, auf dir,
du graue Stadt am Meer.

Storm (1817 bis 1888).

der Strand ("e), *beach*, *shore*
seitab, *remote*, *hidden*
der Nebel (—), *fog*, *mist*
brausen, *roar*
eintönig, *monotonous*
rauschen, *rustle*
schlagen, schlägt, *sing* (of birds, poetic)
die Wandergans ("e), *wild goose*
der Schrei (e), *cry*
fliegen, flog, *fly*
die Jugend, *youth*
ruhen, *rest*
für und für, *for ever*
lächelnd, *smiling*
(lächeln, *smile*)

GRAMMATICAL TABLES FOR REVISION

I. Declensions

(1) The Article

	Masc.	Fem.	Neut.	Plur.	
Nom.	der	die	das	die	dieser, diese, dieses, diese
Acc.	den	die	das	die	diesen, diese, dieses, diese
Gen.	des	der	des	der	dieses, dieser, dieses, dieser
Dat.	dem	der	dem	den	diesem, dieser, diesem, diesen

Also: jeder, welcher, jener

Nom.	kein	keine	kein	keine	ein, eine, ein
Acc.	keinen	keine	kein	keine	einen, eine, ein
Gen.	keines	keiner	keines	keiner	eines, einer, eines
Dat.	keinem	keiner	keinem	keinen	einem, einer, einem

Also: mein, sein, ihr, unser, Ihr, dein, euer

(2) The Noun

Nom.	der Tag	die Frau	das Fenster	die Tage, Frauen, Fenster
Acc.	den Tag	die Frau	das Fenster	die Tage, Frauen, Fenster
Gen.	des Tag(e)s	der Frau	des Fensters	der Tage, Frauen, Fenster
Dat.	dem Tag(e)	der Frau	dem Fenster	den Tagen, Frauen, Fenstern

(3) The Adjective

Der-declension (also used with: dieser, jeder, welcher, jener)

	Masc.	*Fem.*	*Neut.*	*Plur.*
Nom.	der schöne Tag	die junge Frau	das offene Fenster	die jungen Männer
Acc.	den schönen Tag	die junge Frau	das offene Fenster	die jungen Männer
Gen.	des schönen Tages	der jungen Frau	des offenen Fensters	der jungen Männer
Dat.	dem schönen Tag	der jungen Frau	dem offenen Fenster	den jungen Männern

Ein-declension

Nom.	ein schöner Tag	eine junge Frau	ein offenes Fenster	junge Frauen
Acc.	einen schönen Tag	eine junge Frau	ein offenes Fenster	junge Frauen
Gen.	eines schönen Tag(e)s	einer jungen Frau	eines offenen Fensters	junger Frauen
Dat.	einem schönen Tag(e)	einer jungen Frau	einem offenen Fenster	jungen Frauen

The ein-declension is also used with: kein, mein, sein, unser, ihr, Ihr, dein, euer in the singular.

In the plural the der-declension is used. Thus:

Nom.	*Acc.*	*Gen.*	*Dat.*
keine schönen Tage	keine schönen Tage	keiner schönen Tage	keinen schönen Tagen

II. Comparison of Adjectives and Adverbs (*cf.* Chapter XVIII)

(1)

klein	kleiner	kleinſt	am kleinſten
modern	moderner	modernſt	am modernſten

(2) with Umlaut

alt, arm, dumm, geſund, groß, hart, hoch, jung, kalt, klug, krank, kurz, lang, nah, rot, ſcharf, ſchwach, ſchwarz, ſtark, warm

(3) Adjectives ending in the following letters add -eſt in the superlative instead of -ſt: -d, -t, -ß, -ſt, -ſch, -z. Adjectives ending in a vowel may add -eſt instead of -ſt.

Thus:

bunt bunteſt; rund rundeſt; treu treu(e)ſt

(4) Irregular

gern	lieber	liebſt	am liebſten
gut	beſſer	beſt	am beſten
groß	größer	größt	am größten
hoch	höher	höchſt	am höchſten
nah	näher	nächſt	am nächſten
viel	mehr	meiſt	am meiſten

III. Possessive Adjectives

	Sing.					*Plur.*		
	1st	*2nd*	*3rd M.*	*3rd F.*	*3rd N.*	*1st*	*2nd*	*3rd*
Masc. and Neut.	mein	dein, Ihr	sein	ihr	sein	unser	euer, Ihr	ihr
Fem. and Plural.	meine	deine, Ihre	seine	ihre	seine	unsere	euere, Ihre	ihre

IV. Pronouns

(1) Personal Pronouns

	Sing.					*Plur.*		
	1st	*2nd*	*3rd M.*	*3rd F.*	*3rd N.*	*1st*	*2nd*	*3rd*
Nom.	ich	du, Sie	er	sie	es	wir	ihr, Sie	sie
Acc.	mich	dich, Sie	ihn	sie	es	uns	euch, Sie	sie
Dat.	mir	dir, Ihnen	ihm	ihr	ihm	uns	euch, Ihnen	ihnen

(2) Interrogative Pronouns

	People	*Things*
Nom.	wer?	was?
Acc.	wen?	was?
Dat.	wem?	—

Dative and Accusative with a preposition when referring to things:

womit? wovon? wozu? wofür? wodurch? woraus? worin? etc.

V. Prepositions

(1) Always with accusative :

bis,	durch,	entlang,	für, gegen,
till,	*through,*	*along,*	*for,* *against,*
ohne,		um,	wider
without,		*at, round,*	*against*

(2) Always with dative :

aus,	außer,	bei,	entgegen,
out of,	*except,*	*at,*	*towards,*
gegenüber,	mit,	nach, seit,	von, zu
opposite,	*with,*	*after,* *since,*	*of,* *to*

(3) Always with genitive :

(an)statt,	außerhalb,	diesseits,
instead of,	*outside,*	*on this side of,*
innerhalb,		jenseits
inside,		*on that side of,*
trotz,	während,	wegen
in spite of,	*during,*	*because of*

(4) With accusative if indicating motion to a place, with dative if indicating rest or motion within a place :

an,	auf,	hinter,	in,	neben,
at,	*on,*	*behind,*	*in,*	*beside,*
über,	unter,	vor,		zwischen
over,	*under,*	*before,*		*between*

VI. Conjunctions introducing Subordinate Clauses

als, *when* (past time)
bevor, *before*
bis, *until*
da, *as, since, because*
damit, *in order that, so that*
daß, *that*
ehe, *before*
falls, *in case*
nachdem, *after*
ob, *whether, if*
seit, *since*
seitdem, *since*
während, *whilst, whereas*
weil, *because*
wenn, *when* (present or future tense), *whenever, if*
wie, *as, how*

N.B.—denn (*for*) does not introduce a subordinate clause, and therefore does not affect the Word Order.

VII. Word Order

(1) Main clauses: Wer macht das Fenster auf?
Der Junge macht das Fenster auf.
Warum macht der Junge das Fenster auf?
Der Junge, der im Zimmer ist, macht das Fenster auf.
Mittags macht der Junge das Fenster auf.
Wenn es warm ist, macht der Junge das Fenster auf.
Das Fenster macht der Junge auf.

The verb is the second idea in the main clause.

N.B.—Und, denn, oder, aber and sondern do not affect the Word Order.

Thus: . . und der Junge macht das Fenster auf.
. . denn der Junge macht das Fenster auf.
. . oder der Junge macht das Fenster auf.
. . aber der Junge macht das Fenster auf.
. . sondern der Junge macht das Fenster auf.

(2) Subordinate clauses: Weil es kalt ist, bleibe ich zu Hause.
Wenn es kalt ist, bleibe ich zu Hause.
Der Junge, der dort steht, ist mein Bruder.
Ich weiß nicht, wo er jetzt wohnt.

The conjugated verb comes last in the subordinate clause.

VIII. The Verb

Weak Verb

Present	*Imperfect*	*Perfect*	*Future*
ich ſage	ich ſagte	ich habe geſagt	ich werde ſagen
du ſagſt	du ſagteſt	du haſt geſagt	du wirſt ſagen
Sie ſagen	Sie ſagten	Sie haben geſagt	Sie werden ſagen
er ſagt	er ſagte	er hat geſagt	er wird ſagen
ſie ſagt	ſie ſagte	ſie hat geſagt	ſie wird ſagen
es ſagt	es ſagte	es hat geſagt	es wird ſagen
wir ſagen	wir ſagten	wir haben geſagt	wir werden ſagen
ihr ſagt	ihr ſagtet	ihr habt geſagt	ihr werdet ſagen
Sie ſagen	Sie ſagten	Sie haben geſagt	Sie werden ſagen
ſie ſagen	ſie ſagten	ſie haben geſagt	ſie werden ſagen

Strong Verb

Present	*Imperfect*	*Perfect*	*Future*
ich gebe	ich gab	ich habe gegeben	ich werde geben
du gibſt	du gabſt	du haſt gegeben	du wirſt geben
Sie geben	Sie gaben	Sie haben gegeben	Sie werden geben
er gibt	er gab	er hat gegeben	er wird geben
ſie gibt	ſie gab	ſie hat gegeben	ſie wird geben
es gibt	es gab	es hat gegeben	es wird geben
wir geben	wir gaben	wir haben gegeben	wir werden geben
ihr gebt	ihr gabt	ihr habt gegeben	ihr werdet geben
Sie geben	Sie gaben	Sie haben gegeben	Sie werden geben
ſie geben	ſie gaben	ſie haben gegeben	ſie werden geben

The Imperative

1st person	ſagen wir	geben wir
2nd person (Sie form)	ſagen Sie	geben Sie
(du form)	ſag(e)	gib (gebe)
(ihr form)	ſagt	gebt
Irregular: ſein		
1st person	ſeien wir	
2nd person (Sie form)	ſeien Sie	
(du form)	ſei	
(ihr form)	ſeid	

The Interrogative

ſagt er?	ſagen wir?	ſagen Sie?	ſagen ſie?	etc.
gibt er?	geben wir?	geben Sie?	geben ſie?	etc.

The Negation

ich ſage nicht	ich gebe nicht
er ſagt nicht	er gibt nicht
wir ſagen nicht	wir geben nicht
Sie ſagen nicht, etc.	Sie geben nicht, etc.

The verb *to be*: ſein

Present	*Imperfect*	*Perfect*	*Future*
ich bin	ich war	ich bin geweſen	ich werde ſein
du biſt	du warſt	du biſt geweſen	du wirſt ſein
Sie ſind	Sie waren	Sie ſind geweſen	Sie werden ſein
er iſt	er war	er iſt geweſen	er wird ſein
ſie iſt	ſie war	ſie iſt geweſen	ſie wird ſein
es iſt	es war	uſw.	uſw.
wir ſind	wir waren		
ihr ſeid	ihr wart		
Sie ſind	Sie waren		
ſie ſind	ſie waren		

The verb *to have*: haben

ich habe	ich hatte	ich habe gehabt	ich werde haben
du haſt	du hatteſt	du haſt gehabt	du wirſt haben
Sie haben	Sie hatten	Sie haben gehabt	Sie werden haben
er hat	er hatte	uſw.	uſw.
ſie hat	ſie hatte		
es hat	es hatte		
wir haben	wir hatten		
ihr habt	ihr hattet		
Sie haben	Sie hatten		
ſie haben	ſie hatten		

The verbs of mood, and wissen and werden

Present	ich	kann	muß	will	soll	darf	weiß	werde
	du	kannst	mußt	willst	sollst	darfst	weißt	wirst
	Sie	können	müssen	wollen	sollen	dürfen	wissen	werden
	er	kann	muß	will	soll	darf	weiß	wird
	sie	kann	muß	will	soll	darf	weiß	wird
	es	kann	muß	will	soll	darf	weiß	wird
	wir	können	müssen	wollen	sollen	dürfen	wissen	werden
	ihr	könnt	müßt	wollt	sollt	dürft	wißt	werdet
	Sie	können	müssen	wollen	sollen	dürfen	wissen	werden
	sie	können	müssen	wollen	sollen	dürfen	wissen	werden
Imperfect	ich	konnte	mußte	wollte	sollte	durfte	wußte	wurde
	du	konntest	mußtest	wolltest	solltest	durftest	wußtest	wurdest
	Sie	konnten	mußten	wollten	sollten	durften	wußten	wurden
	er	konnte	mußte	wollte	sollte	durfte	wußte	wurde
	sie	konnte	mußte	wollte	sollte	durfte	wußte	wurde
	es	konnte	mußte	wollte	sollte	durfte	wußte	wurde
	wir	konnten	mußten	wollten	sollten	durften	wußten	wurden
	ihr	konntet	mußtet	wolltet	solltet	durftet	wußtet	wurdet
	Sie	konnten	mußten	wollten	sollten	durften	wußten	wurden
	sie	konnten	mußten	wollten	sollten	durften	wußten	wurden

The verbs of mood, and wissen and werden (*continued*)

Perfect:	ich habe	gekonnt	gemußt	gewollt	gesollt	gedurft	gewußt
	du hast	gekonnt	gemußt	gewollt	gesollt	gedurft	gewußt
	Sie haben	gekonnt	gemußt	gewollt	gesollt	gedurft	gewußt
	er, sie, es hat	gekonnt	gemußt	gewollt	gesollt	gedurft	gewußt
	wir haben	gekonnt	gemußt	gewollt	gesollt	gedurft	gewußt
	ihr habt	gekonnt	gemußt	gewollt	gesollt	gedurft	gewußt
	Sie haben	gekonnt	gemußt	gewollt	gesollt	gedurft	gewußt
	sie haben	gekonnt	gemußt	gewollt	gesollt	gedurft	gewußt

ich bin geworden, du bist geworden, Sie sind geworden usw.

Future: ich werde können, müssen, wollen, sollen, dürfen, wissen, werden
du wirst können, müssen, usw.
Sie werden, usw.
usw.

Table of Strong and Mixed Verbs

Infinitive	*3rd Pers. Present*	*Imperfect*	*Perfect*	*English*
abfahren	er fährt ab	er fuhr ab	er ist abgefahren	*leave, go*
abnehmen	er nimmt ab	er nahm ab	er hat abgenommen	*take off*
abschneiden	er schneidet ab	er schnitt ab	er hat abgeschnitten	*cut off*
ankommen	er kommt an	er kam an	er ist angekommen	*arrive*
anstoßen	er stößt an	er stieß an	er hat angestoßen	*knock against*
aufgehen	er geht auf	er ging auf	er ist aufgegangen	*open, rise* (sun)
aufstehen	er steht auf	er stand auf	er ist aufgestanden	*get up*
ausgehen	er geht aus	er ging aus	er ist ausgegangen	*go out*
aussehen	er sieht aus	er sah aus	er hat ausgesehen	*seem, appear*
aussteigen	er steigt aus	er stieg aus	er ist ausgestiegen	*alight*
austragen	er trägt aus	er trug aus	er hat ausgetragen	*deliver*
ausziehen	er zieht aus	er zog aus	er hat ausgezogen	*pull off*
backen	er bäckt (backt)	er buk (backte)	er hat gebacken	*bake*
bedürfen	er bedarf	er bedurfte	er hat bedurft	*need*
beginnen	er beginnt	er begann	er hat begonnen	*begin*
beißen	er beißt	er biß	er hat gebissen	*bite*
bekommen	er bekommt	er bekam	er hat bekommen	*receive*
beladen	er belädt	er belud	er hat beladen	*load*
bestehen	er besteht	er bestand	er hat bestanden	*exist*
betreten	er betritt	er betrat	er hat betreten	*enter*
biegen	er biegt	er bog	er hat gebogen	*bend, turn*

Infinitive	*3rd Pers. Present*	*Imperfect*	*Perfect*	*English*
bitten	er bittet	er bat	er hat gebeten	*request*
bleiben	er bleibt	er blieb	er ist geblieben	*remain*
brechen	er bricht	er brach	er hat gebrochen	*break*
brennen	er brennt	er brannte	er hat gebrannt	*burn*
bringen	er bringt	er brachte	er hat gebracht	*bring*
denken	er denkt	er dachte	er hat gedacht	*think*
dürfen	er darf	er durfte	er hat gedurft	*may*
einladen	er lädt ein	er lud ein	er hat eingeladen	*invite*
einsteigen	er steigt ein	er stieg ein	er ist eingestiegen	*get in*
eintreten	er tritt ein	er trat ein	er ist eingetreten	*enter*
einwerfen	er wirft ein	er warf ein	er hat eingeworfen	*throw in*
entgegenkommen	er kommt entg.	er kam entg.	er ist entgegengekommen	*come to meet*
ergreifen	er ergreift	er ergriff	er hat ergriffen	*seize*
ertrinken	er ertrinkt	er ertrank	er ist ertrunken	*be drowned*
essen	er ißt	er aß	er hat gegessen	*eat*
fahren	er fährt	er fuhr	er ist gefahren	*ride, drive*
fallen	er fällt	er fiel	er ist gefallen	*fall*
fangen	er fängt	er fing	er hat gefangen	*catch*
finden	er findet	er fand	er hat gefunden	*find*
fliegen	er fliegt	er flog	er ist geflogen	*fly*
fließen	er fließt	er floß	er ist geflossen	*flow*
fressen	er frißt	er fraß	er hat gefressen	*eat* (animal)

frieren	er friert	er fror	er hat gefroren	*freeze*
geben	er gibt	er gab	er hat gegeben	*give*
gefallen	er gefällt	er gefiel	er hat gefallen	*please*
gehen	er geht	er ging	er ist gegangen	*go, walk*
gewinnen	er gewinnt	er gewann	er hat gewonnen	*win, gain*
haben	er hat	er hatte	er hat gehabt	*have*
halten	er hält	er hielt	er hat gehalten	*hold, keep*
hängen (hangen, *arch.*)	er hängt	er hing	er hat gehangen	*hang*
heißen	er heißt	er hieß	er hat geheißen	*be called*
helfen	er hilft	er half	er hat geholfen	*help*
hereinkommen	er kommt herein	er kam herein	er ist hereingekommen	*come in*
hinausgehen	er geht hinaus	er ging hinaus	er ist hinausgegangen	*go out*
kennen	er kennt	er kannte	er hat gekannt	*know*
klingen	er klingt	er klang	er hat geklungen	*ring, sound*
kommen	er kommt	er kam	er ist gekommen	*come*
können	er kann	er konnte	er hat gekonnt	*can*
kriechen	er kriecht	er kroch	er ist gekrochen	*crawl*
lassen	er läßt	er ließ	er hat gelassen	*let, leave*
laufen	er läuft	er lief	er ist gelaufen	*run*
leiden	er leidet	er litt	er hat gelitten	*suffer*
lesen	er liest	er las	er hat gelesen	*read*
liegen	er liegt	er lag	er hat gelegen	*lie*
mögen	er mag	er mochte	er hat gemocht	*may, like*

Infinitive	*3rd Pers. Present*	*Imperfect*	*Perfect*	*English*
müssen	er muß	er mußte	er hat gemußt	*must*
nachgehen	er geht nach	er ging nach	er ist nachgegangen	*be slow* (watch)
nehmen	er nimmt	er nahm	er hat genommen	*take*
raten	er rät	er riet	er hat geraten	*advise*
riechen	er riecht	er roch	er hat gerochen	*smell*
rufen	er ruft	er rief	er hat gerufen	*call*
salzen	er salzt	er salzte	er hat gesalzen	*salt*
scheinen	er scheint	er schien	er hat geschienen	*shine, seem*
schießen	er schießt	er schoß	er hat geschossen	*shoot*
schlafen	er schläft	er schlief	er hat geschlafen	*sleep*
schlagen	er schlägt	er schlug	er hat geschlagen	*strike*
schließen	er schließt	er schloß	er hat geschlossen	*close*
schmelzen	er schmilzt	er schmolz	er ist geschmolzen	*melt*
schneiden	er schneidet	er schnitt	er hat geschnitten	*cut*
schreiben	er schreibt	er schrieb	er hat geschrieben	*write*
schreien	er schreit	er schrie	er hat geschrie(e)n	*cry*
schweigen	er schweigt	er schwieg	er hat geschwiegen	*be silent*
schwimmen	er schwimmt	er schwamm	er ist geschwommen	*swim*
sehen	er sieht	er sah	er hat gesehen	*see*
sein	er ist	er war	er ist gewesen	*to be*
senden	er sendet	er sandte	er hat gesandt	*send*
singen	er singt	er sang	er hat gesungen	*sing*

sinken	er sinkt	er sank	er ist gesunken	*sink*
sitzen	er sitzt	er saß	er hat gesessen	*sit*
sollen	er soll	er sollte	er hat gesollt	*shall*
sprechen	er spricht	er sprach	er hat gesprochen	*speak*
springen	er springt	er sprang	er ist gesprungen	*jump*
stechen	er sticht	er stach	er hat gestochen	*sting, prick*
stehen	er steht	er stand	er hat gestanden	*stand*
stehlen	er stiehlt	er stahl	er hat gestohlen	*steal*
steigen	er steigt	er stieg	er ist gestiegen	*climb*
sterben	er stirbt	er starb	er ist gestorben	*die*
tragen	er trägt	er trug	er hat getragen	*carry*
treffen	er trifft	er traf	er hat getroffen	*meet*
treten	er tritt	er trat	er ist (hat) getreten	*step, tread*
trinken	er trinkt	er trank	er hat getrunken	*drink*
tun	er tut	er tat	er hat getan	*do*
vergehen	er vergeht	er verging	er ist vergangen	*pass away*
vergessen	er vergißt	er vergaß	er hat vergessen	*forget*
verlieren	er verliert	er verlor	er hat verloren	*lose*
vernehmen	er vernimmt	er vernahm	er hat vernommen	*perceive, hear*
verschlingen	er verschlingt	er verschlang	er hat verschlungen	*swallow*
verschwinden	er verschwindet	er verschwand	er ist verschwunden	*disappear*
versprechen	er verspricht	er versprach	er hat versprochen	*promise*
verstehen	er versteht	er verstand	er hat verstanden	*understand*

Infinitive	*3rd Pers. Present*	*Imperfect*	*Perfect*	*English*
vertragen	er verträgt	er vertrug	er hat vertragen	*bear, stand*
vorbeikommen	er kommt vorbei	er kam vorbei	er iſt vorbeigekommen	*come past*
waſchen	er wäſcht	er wuſch	er hat gewaſchen	*wash*
weiterfahren	er fährt weiter	er fuhr weiter	er iſt weitergefahren	*go on*
weitergehen	er geht weiter	er ging weiter	er iſt weitergegangen	*go on*
weiterziehen	er zieht weiter	er zog weiter	er iſt weitergezogen	*move on*
werden	er wird	er wurde	er iſt geworden	*become*
werfen	er wirft	er warf	er hat geworfen	*throw*
wiſſen	er weiß	er wußte	er hat gewußt	*know*
wollen	er will	er wollte	er hat gewollt	*want to*
ziehen	er zieht	er zog	er hat (iſt) gezogen	*draw, move*
zurückkommen	er kommt zurück	er kam zurück	er iſt zurückgekommen	*come back*

WÖRTER IN BILDERN

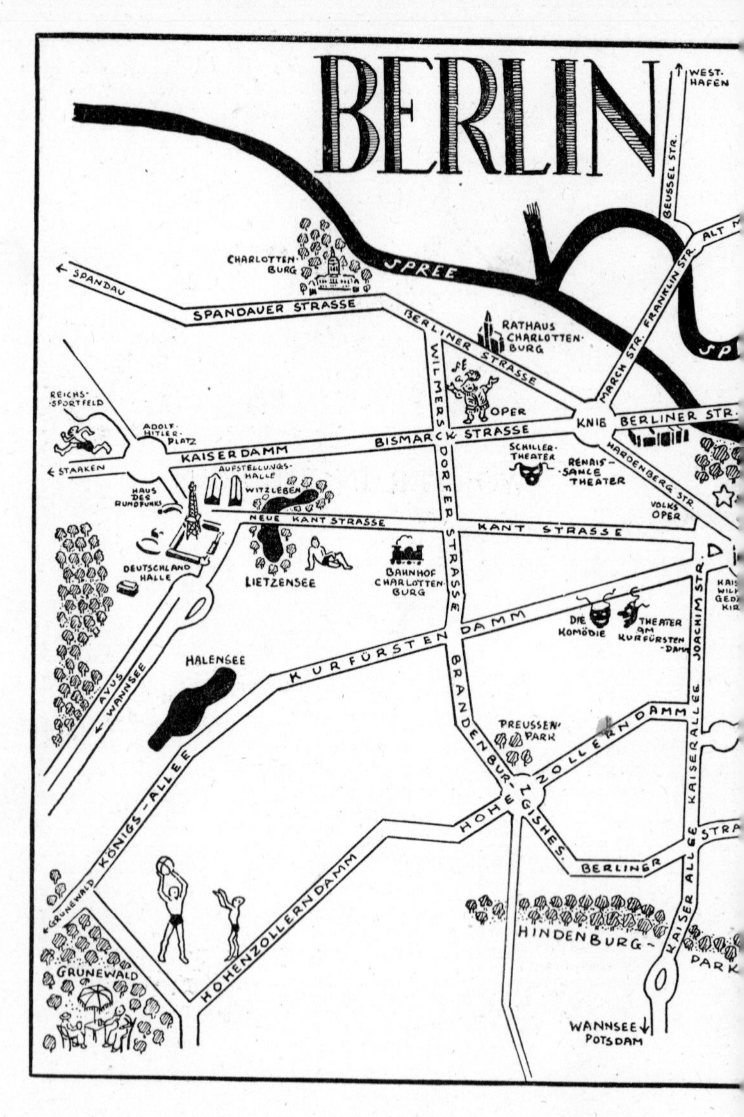
BERLIN
WEST-HAFEN
BEUSSEL STR.
ALT M
SPREE
CHARLOTTEN-BURG
SPANDAU
SPANDAUER STRASSE
BERLINER STRASSE
RATHAUS CHARLOTTEN-BURG
FRANKLIN STR.
MARCH STR.
WILMERSDORFER STRASSE
OPER
KNIE
BERLINER STR.
REICHS-SPORTFELD
ADOLF-HITLER-PLATZ
KAISERDAMM
BISMARCK STRASSE
SCHILLER-THEATER
RENAIS-SANCE THEATER
HARDENBERG STR.
STAAKEN
AUFSTELLUNGS-HALLE
WITZLEBEN
HAUS DES RUNDFUNKS
NEUE KANT STRASSE
KANT STRASSE
VOLKS OPER
DEUTSCHLAND HALLE
LIETZENSEE
BAHNHOF CHARLOTTEN-BURG
JOACHIM STR.
DIE KOMÖDIE
THEATER AM KURFÜRSTEN-DAMM
KURFÜRSTENDAMM
HALENSEE
AVUS
WANNSEE
BRANDENBURGISCHE
PREUSSEN-PARK
HOHENZOLLERNDAMM
KAISERALLEE
KÖNIGS-ALLEE
HOHE
BERLINER
GRUNEWALD
HOHENZOLLERNDAMM
HINDENBURG-PARK
KAISER ALLEE
WANNSEE POTSDAM

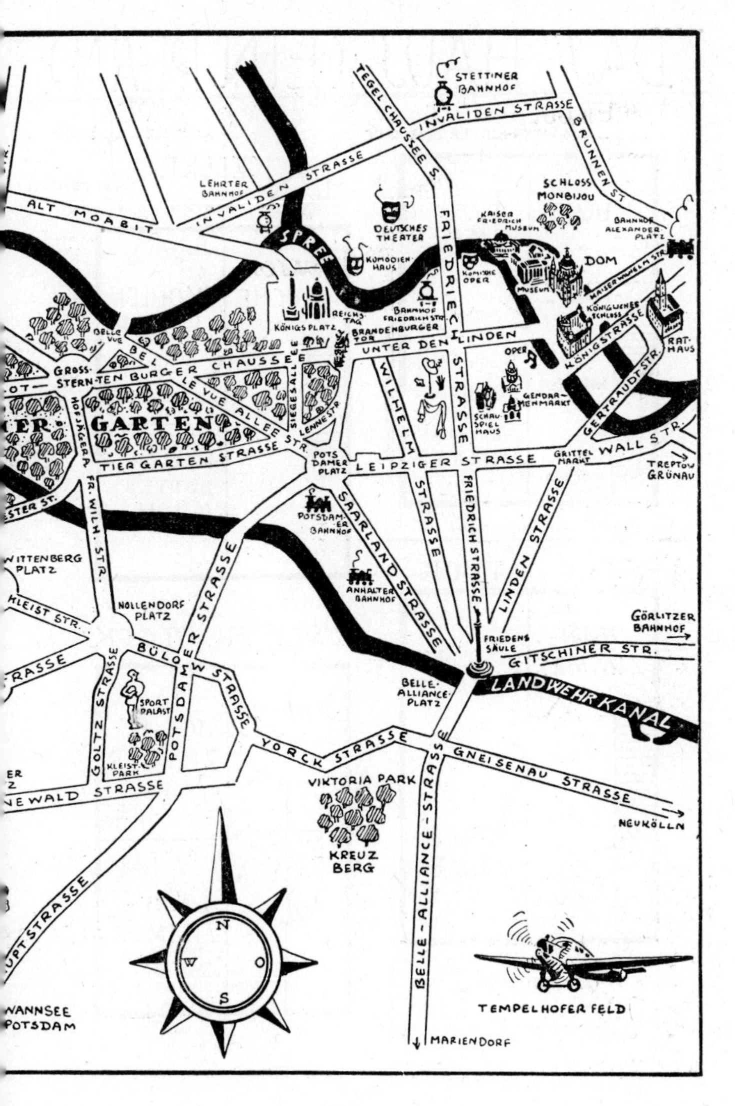
STETTINER BAHNHOF
INVALIDEN STRASSE
TEGEL CHAUSSEE S.
BRUNNEN ST
LEHRTER BAHNHOF
ALT MOABIT
SPREE
DEUTSCHES THEATER
KOMÖDIEN-HAUS
SCHLOSS MONBIJOU
KAISER FRIEDRICH MUSEUM
BAHNHOF ALEXANDER PLATZ
KOMISCHE OPER
MUSEUM
DOM
KAISER WILHELM STR.
KÖNIGLICHES SCHLOSS
KÖNIGSTRASSE
RATHAUS
REICHSTAG
KÖNIGSPLATZ
BAHNHOF FRIEDRICH STR.
BRANDENBURGER TOR
UNTER DEN LINDEN
FRIEDRICH STRASSE
OPER
BELLE VUE
GROSS-STERN
BELLEVUE ALLEE
TEN BURGER CHAUSSEE
SIEGESALLEE
LENNE STR.
WILHELM STRASSE
GENDARMENMARKT
SCHAUSPIEL HAUS
GERTRAUDT STR.
GARTEN
HOFJÄGER A
TIER GARTEN STRASSE
POTSDAMER PLATZ
LEIPZIGER STRASSE
GRITTEL MARKT
WALL STR.
TREPTOW GRÜNAU
FR. WILH. STR.
POTSDAMER BAHNHOF
SAARLAND STRASSE
FRIEDRICH STRASSE
LINDEN STRASSE
WITTENBERG PLATZ
KLEIST STR.
ANHALTER BAHNHOF
NOLLENDORF PLATZ
GÖRLITZER BAHNHOF
FRIEDENS SÄULE
GITSCHINER STR.
BÜLOW STRASSE
POTSDAMER STRASSE
BELLE-ALLIANCE-PLATZ
LANDWEHR KANAL
GOLTZ STRASSE
SPORT PALAST
KLEIST-PARK
YORCK STRASSE
GNEISENAU STRASSE
VIKTORIA PARK
NEWALD STRASSE
NEUKÖLLN
KREUZ BERG
BELLE-ALLIANCE-STRASSE
N
W
O
S
WANNSEE POTSDAM
TEMPELHOFER FELD
MARIENDORF

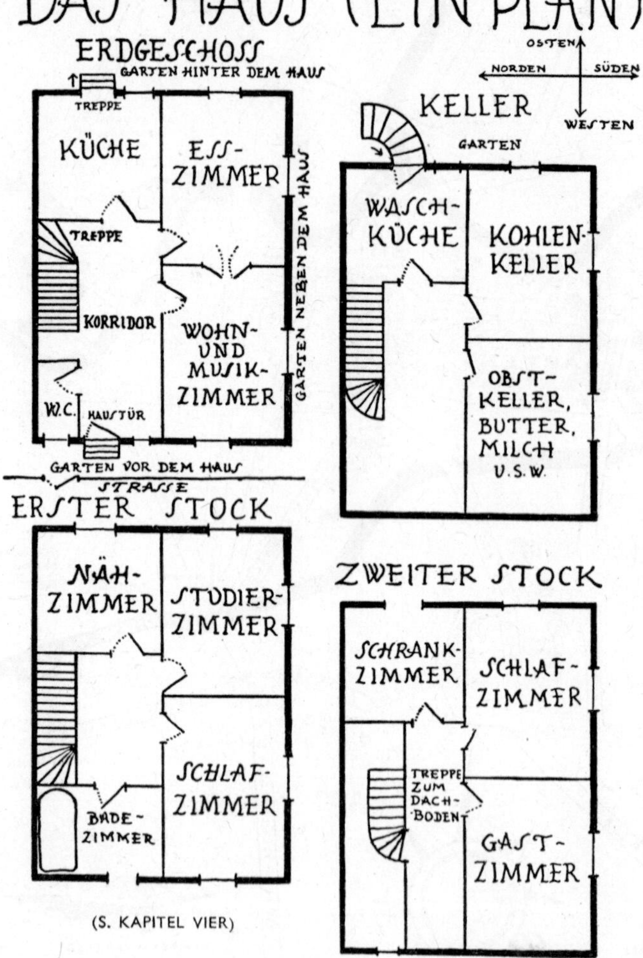

(S. KAPITEL VIER)

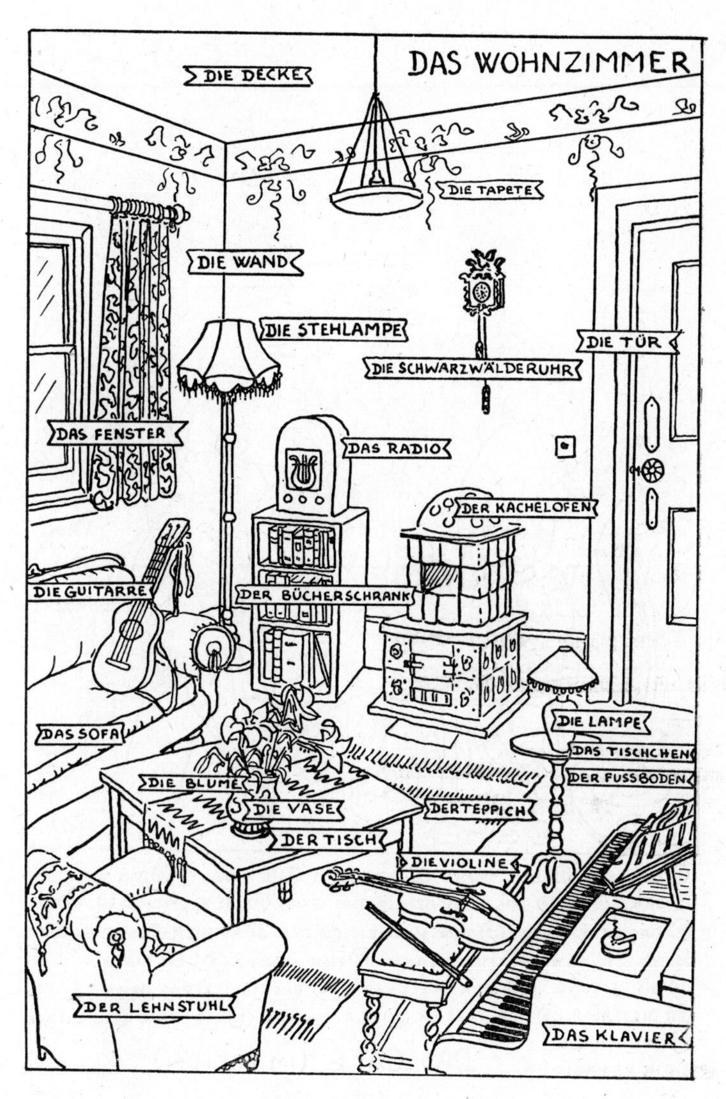
DAS WOHNZIMMER
DIE DECKE
DIE TAPETE
DIE WAND
DIE STEHLAMPE
DIE TÜR
DIE SCHWARZWÄLDERUHR
DAS FENSTER
DAS RADIO
DER KACHELOFEN
DIE GUITARRE
DER BÜCHERSCHRANK
DIE LAMPE
DAS SOFA
DAS TISCHCHEN
DER FUSSBODEN
DIE BLUME
DIE VASE
DERTEPPICH
DER TISCH
DIEVIOLINE
DER LEHNSTUHL
DAS KLAVIER

(1.) DIE SONNE (2) DER HIMMEL. (3) DER BAUM. (4) DER GAST. (5) DER WIRT.
(6) DER JUNGE. (7) DAS MÄDCHEN. (8) DAS GRAS. (9) DIE BLUME. (10) DIE FRAU.
(11.) DAS GLAS WEIN. (12) DER KUCHEN. (13) DAS GLAS BIER. (14) DIE ZIGARETTE.
(15) DIE ZIGARRE. (16) DER MANN. (17) DER STUHL. (18) DER TISCH.
(19) DIE ZEITUNG. (20) DER KELLNER. (21.) DAS EIS (22) DAS GLAS
(23) DIE TASSE (24) DER TELLER (25) DER ZUCKER (26) DER VOGEL (27) DER HUND
(28) DIE KATZE

DAS CAFÉ (IM FREIEN)

DER KOHL
DER BLUMENKOHL
DIE KARTOFFEL
DIE GURKE
DIE TOMATE
DIE BOHNE
DER GEMÜSESTAND
DIE ERBSE
DERKOPFSALAT
DIE BIRNE
DIE STACHELBEERE
DER OBSTSTAND
DIE HIMBEERE
DIE PFLAUME
DIE TULPE
DER APFEL
DIE ERDBEERE
DIE APRIKOSE
DIE HYACINTHE
DER PFIRSICH
DIE DAHLIE
DER MARKT
DIE ROSE
DIE NARZISSE
DAS VEILCHEN
DER BLUMENSTAND
DER MOHN
DIE MARGARETE

KLEIDER

1. der Hut (-̈e)
2. die Mütze (n)
3. der Strassenschuh (e)
4. die Kravatte (n)
5. der Hausschuh (e)
6. der Stiefel (—)
7. die Schnalle (n)
8. der Gürtel (—)
9. das Taschentuch (-̈er)
10. die Wollweste (n)
11. die Weste (n)
12. die kurze Hose (n)
13. das Strumpfband (-̈er)
14. die Socke (n)
15. der Strumpf (-̈e)
16. das Hemd (en)
17. die Hose (n)
18. der Pelz (e)
19. der Kragen (-̈)
20. die Manschette (n)
21. die Brosche (n)
22. die Bluse (n)
23. die Jacke (n)
24. das Kleid (er)
25. die Schürze (n)
26. die Jacke (n)
27. das Halstuch (-̈er)
28. der Knopf (-̈e)
29. der Rock (-̈e)

IN DER KÜCHE

1. die Seife (n)
2. das Streichholz (¨-er)
3. die Kerze (n)
4. das Brot (e)
5. der Käse (—)
6. die Wurst (¨-e)
7. die Kanne (n)
8. der Topf (¨-e)
9. der Wasserkessel (—)
10. das Messer (—)
11. die Gabel (n)
12. der Löffel (—)
13. das Mehl (e)
14. die Schüssel (—)
15. die Weinflasche (n)
16. der Korb (¨-e)
17. der Wasserhahn (¨-e)
18. der Ausguss (¨-e)
19. die Kaffeekanne (n)
20. die Zwiebel (n)
21. der Teller (—)
22. die Platte (n)
23. das weiche Ei (er)
24. der Eierbecher (—)
25. die Marmelade (n)
26. der Speck (e)
27. das Huhn (¨-er)
28. die Kirsche (n)
29. die Konservenbüchse (n)
30. die Honigwabe (n)
31. das Salzfass (¨-er)
32. die Pfefferbüchse (n)
33. der Senf (e)
34. die Tinte (n)
35. die Feder (n)

GERMAN–ENGLISH VOCABULARY

ab, off
ab'drehen, turn off
der Abend (-e), evening
am Abend, in the evening; Abend für Abend, evening after evening; guten Abend, good evening; heute Abend, this evening; ich eſſe zu Abend, I have supper
das Abendeſſen, supper
abends, in the evening
aber, but
ab'fahren, fährt ab, fuhr ab, iſt abgefahren, depart, leave
ab'nehmen, nimmt ab, nahm ab, hat abgenommen, take off
ab'ſchneiden, ſchneidet ab, ſchnitt ab, hat abgeſchnitten, cut off
der Abſender (—), sender
das Abteil (-e), compartment
ach! alas, ah!
acht, eight
das Achtel (—), the eighth part
der Adventskalender (—), Advent calendar
der Adventskranz (¨-e), Advent wreath
der Adventsſonntag (-e), Advent Sunday
ähnlich (wie), similar (to)
ahnungsvoll, full of presentiment
alle, all (pl.)
allein, alone
allerdings, it is true
allerlei, all kinds of (things)
alles, all, everything

die Alpen (Pl.), Alps
als, than, when; größer als ich, bigger than I; als er kam . . . when he came . . .
alſo, therefore, so, well then!
alt, old
der Altar (¨-e), altar
älteſt, oldest, eldest
die Altſtadt (¨-e), old town, city
Amerika (neut.), America
amtlich, official
an (Acc. and Dat.), at, on, by, to
ander, other
die anderen, the others
anders, otherwise, different; das iſt etwas anderes, that is different; einer nach dem andern, one after the other; nichts anderes, nothing else
an'drehen, turn on
der Anfang (¨-e), beginning; von Anfang an, from the beginning
die Angſt (¨-e), fear, anxiety; ich habe Angſt vor ihm (davor), I am afraid of him (it)
an'kommen, kam an, iſt angekommen, arrive
an'läuten, läutet an, ring
der Anſager (—), announcer
die Anſichtskarte (-n), picture postcard
an'ſtoßen, ſtößt an, ſtieß an, hat angeſtoßen, clink glasses, toast
die Antwort (-en), answer
antworten, antwortet, answer

die Anweiſung (-en), order, draft
der Anzug (¨—e), suit
der Apfel (¨—), apple
der Apfelkuchen (—), apple cake
die Aprikoſe (-n), apricot
der Aprikoſenbaum (¨—e), apricot tree
der Aprikoſenkuchen (—), apricot cake
die Arbeit (-en), work
arbeiten, arbeitet, work
ärgerlich, angry
arm, poor
der Ärmel (—), sleeve
die Art (-en), kind, sort; eine Art Kuchen, a kind of cake
die Aſter (-n), aster
auch, also; auch nicht, not either
auf (Acc. and Dat.), on, at; auf und ab, to and fro; auf deutſch, in German; auf 14 Tage, for a fortnight
die Aufgabe (-n), exercise
auf'gehen, ging auf, iſt aufgegangen, rise (sun), open (door)
aufgeregt, excited
auf'machen, open
auf'ſchneiden, ſchneidet auf, ſchnitt auf, hat aufgeſchnitten, cut open
auf'ſtehen, ſtand auf, iſt aufgeſtanden, get up
auf'wachen, awake
auf Wiederſehen, goodbye, au revoir
das Auge (-n), eye
der Auguſt, August
aus (Dat.), out of, from
auseinander'ziehen, zog auseinander, hat auseinandergezogen, pull out
der Ausflug (¨—e), excursion, outing; ich mache einen Ausflug, I make an excursion
aus'füllen, fill in
aus'gehen, ging aus, iſt ausgegangen, go out
ausgezeichnet, excellent
aus'packen, unpack
aus'ſehen, ſieht aus, ſah aus, hat ausgeſehen, look, seem, appear
die Ausſicht (-en), view
aus'ſteigen, ſtieg aus, iſt ausgeſtiegen, get out, alight
aus'tragen, trägt aus, trug aus, hat ausgetragen, take out, deliver
aus'ziehen, zog aus, hat ausgezogen, take off (clothes)
der Automat (-en, -en), automatic machine

backen, bäckt, buk, (backte), hat gebacken, bake
die Bahn (-en), track, railway
der Bahnhof (¨—e), station
der Bahnſteig (-e), platform
bald, soon
der Balkon (-e), balcony
das Band (¨—er), ribbon
die Bank (¨—e), bench
die Banknote (-n), banknote
der Bart (¨—e), beard
der Bauer (-n), farmer
das Bauernbrot (-e), farm bread
das Bauernhaus (¨—er), farm house
der Baum (¨—e), tree
bayriſch, Bavarian
der Beamte (-n, -n), official
bedacht, thoughtful, concerned
bedeckt, covered
bedeuten, bedeutet, mean
bedürfen, bedarf, bedurfte, hat bedurft, need, require
die Beere (-n), berry

das Befinden, well-being, health
beginnen, begann, begonnen, begin
begrüßen, greet
behüten, behütet, hat behütet, guard
bei (Dat.), at, near; sie ist bei mir, she is with me
beide, both
das Bein (-e), leg
beisammen, together
beißen, biß, hat gebissen, bite
bekannt, well known
der Bekannte (-n, -n), acquaintance
bekommen, bekam, hat bekommen, receive
beladen, belädt, belud, hat beladen, load
belegen, hat belegt, lay on, reserve; das belegte Brot, sandwich
bequem, comfortable
die Bequemlichkeit (-en), comfort
der Berg (-e), mountain, hill
bergab, downhill
bergauf, uphill
die Bergwiese (-n), mountain pasture
Berliner, Berlin (adj.)
berühmt, famous
beschreiben, beschrieb, hat beschrieben, describe
besetzen, hat besetzt, occupy
besetzt, occupied
besonders, particularly
besorglich, concerned
besser, better; Sie fragen besser noch einmal, you had better ask again
best, best
bestehen, bestand, hat bestanden, exist
bestellen, hat bestellt, order
der Besuch (-e), visit, visitor; zu Besuch, on a visit
besuchen, hat besucht, visit
der Betrag (⸚e), amount
betreten, betritt, betrat, hat betreten, enter
das Bett (-en), bed
bevor, before (conj.)
bewundern, hat bewundert, admire
die Bibel (-n), bible
biegen, bog, hat gebogen, turn, bend
die Biegung (-en), turning, bend
das Bier (-e), beer
der Bierkeller (—), beer-garden
der Bierkrug (⸚e), beer mug
das Bild (-er), picture
billig, cheap
die Birne (-n), pear
bis (Acc.), until
bitte, please; wie bitte? I beg your pardon?
bitten (um + Acc.), bittet, bat, hat gebeten, ask (for), request
bitter, bitter
blaß, pale
das Blatt (⸚er), leaf, sheet
blau, blue
bleiben, blieb, ist geblieben, remain; ich blieb am Leben, I kept alive
blinken, sparkle, shine
blond, blond, fair
blühen, bloom, blossom
die Blume (-n), flower
das Blumenbeet (-e), flower-bed
der Blumenkohl (kein Pl.), cauliflower
der Boden (⸚), ground, soil, floor
der Bodensee, Lake Constance
die Bohne (-n), bean
der Bohnenkaffee, real coffee
der Boxkampf (⸚e), boxing match
brauchen, use, need
braun, brown
braungebrannt, sunburnt

brausen, roar
brechen, bricht, brach, hat gebrochen, break
breit, broad, wide
breitschultrig, broad-shouldered
brennen, brannte, hat gebrannt, burn
das Bridge, bridge (cards)
der Brief (-e), letter
der Briefträger (—), postman
bringen, brachte, hat gebracht, bring
das Brot (-e), bread
der Bruder (-̈), brother
brummen, grumble
der Brunnen (—), well, fountain
das Buch (-̈er), book
die Buche (-n), beech
der Bückling (-e), bow
die Bühne (-n), stage
bummeln, bummle, stroll
bunt, many-coloured
der Bürgermeister (—), mayor
das Büro (-s), office
der Busch (-̈e), bush
die Butter, butter
das Butterbrot (-e), bread and butter; ein belegtes Butterbrot, sandwich
die Buttermilch, buttermilk

das Café (-s), café
das Cello (-s), cello
das Christkind (-er), Christ Child

da, there, then, as (conj.)
das Dach (-̈er), roof
der Dachboden (-̈), attic
der Dachshund (-e), dachshund
dagegen, against it; ich habe nichts dagegen, I have no objection to it
dahin, to there, thither
die Dahlie (-n), dahlia
damit, so that (conj.)
der Dampfer (—), steamer
der Dank (kein Pl.), thanks
danke, thank you
danken, thank; danke schön, thank you very much; haben Sie vielen Dank, very many thanks
dann, then
darum, therefore
daß, that (conj.)
die Dauer, duration; auf die Dauer, in the long run
die Decke (-n), blanket, ceiling
denken, dachte, hat gedacht, think; denken Sie an mich, think of me
das Denkmal (-̈er), monument
denn, for (conj.), because
der Detektiv (-e), detective
deutsch, German; auf deutsch, in German
Deutschland (neut.), Germany
der Deutschlandsender (—), German National Transmitter
der Dezember, December
dick, thick, stout
der Dieb (-e), thief
der Dienstag (-e), Tuesday
dies-er (-e, -es), this; dies und das, this and that
das Ding (-e), thing
direkt, direct
dirigieren, hat dirigiert, conduct (mus.)
doch, yet, however
der Doktor (-en), doctor
der Dom (-e), cathedral
das Dorf (-̈er), village
dort, there
das Dotter (—), yolk
das Drama (Dramen), drama
draußen, outside
drei, three
dreimal, three times
drinnen, inside
der, die, das dritte, the third

drücken, press, weigh heavily
der Duft (-̈e), scent, fragrance
duften, duftet, smell sweet
dumm, stupid, silly
dunkel, dark
das Dunkel (—), darkness
dunkeln, darken, grow dark
dünn, thin
durch (Acc.), through
dürfen, darf, durfte, hat gedurft, to be allowed, may
der Durst, thirst
durstig, thirsty
das Dutzend (-e), dozen

eben, just (adv.), even
ebenfalls, likewise
das Echo (-s), echo
die Ecke (-n), corner
ehe, before (conj.)
das Ei (-er), egg; das harte Ei, hard-boiled egg
eigen, own
eigenhändig, with one's own hands, independent
ein, eine, a, one
einander, one another
eineinhalb, one and a half
der Eingang (-̈e), entrance
die Eingangshalle (-n), entrance hall
einige, some (pl.)
ein'laden, lädt ein, lud ein, hat eingeladen, invite
einmal, once
einsam, lonely
ein'steigen, stieg ein, ist eingestiegen, get in, board
einstimmig, unanimous
eintönig, monotonous
ein'treten, tritt ein, trat ein, ist eingetreten, enter
einverstanden, agreed; ich bin einverstanden, I agree
ein'werfen, wirft ein, warf ein, hat eingeworfen, throw in

das Eis, ice, ice-cream
die Eisenbahn (-en), railway
der Eisenbahnzug (-̈e), railway train
der Eisverkäufer (—), ice-cream seller
elektrisch, electrical
die Elektrizität (-en), electricity
elf, eleven
die Eltern (kein Sing.), parents
der Empfänger (—), recipient
das Ende (-n), end
enden, endet, end
endlich, at last
endlos, endless; zu Ende, at an end; ich lese es zu Ende, I read to the end; ich rauche die Zigarrette zu Ende, I finish smoking the cigarette
die Energie (-n), energy
eng, narrow, tight
der Engel (—), angel
England (neut.), England
der Engländer (—), Englishman
englisch, English
entgegen'kommen, kam entgegen, ist entgegengekommen, come to meet
entlang (Acc.), along; die Straße entlang, along the street
entschuldigen, hat entschuldigt, excuse; entschuldigen Sie, bitte, excuse me, please
der Enzian (-e), gentian
die Epidemie (-n), epidemic
die Erbse (-n), pea
die Erbsensuppe (-n), pea soup
die Erdbeere (-n), strawberry
die Erde (-n), earth
erglühen, ist erglüht, begin to glow
ergreifen, ergriff, hat ergriffen, seize
die Erleichterung (-en), relief

ernst, serious
erst, first, at first, not until
ertrinken, ertrank, ist ertrunken, drown, be drowned
erzählen, hat erzählt, tell, relate
der Esel (—), ass, donkey
essen, ißt, aß, hat gegessen, eat
das Essen (—), meal, food; ich esse zu Mittag, Abend, I have lunch, supper
das Eßzimmer (—), dining-room
etwa, about, approximately
etwas, something, somewhat
ewig, eternal

die Fabrik (-en), factory
der Faden (¨), thread
fahren, fährt, fuhr, ist gefahren, drive, travel, go (of vehicles)
die Fahrkarte (-n), ticket
der Fahrkartenschalter (—), booking office
die Fahrt (-en), journey, ride
fallen, fällt, fiel, ist gefallen, fall
die Familie (-n), family
fangen, fängt, fing, hat gefangen, catch
die Farbe (-n), colour
fassen, seize, grip; er faßt Mut, he summons up his courage
fast, almost
faul, lazy
fehl'gehen, ging fehl, ist fehlgegangen, go wrong, miss one's way
feiern, celebrate
fein, fine, nice, beautiful
das Feld (-er), field
der Felsen (—), rock
das Fenster (—), window
die Ferien (kein Sing.), school holidays
fern, distant
die Ferne (-n), distance; in der Ferne, in the distance
fertig, ready
das Fest (-e), festival
das Feuer (—), fire
feuerrot, red hot
die Figur (-en), figure
der Film (-e), film
finden, findet, fand, hat gefunden, find
die Flasche (-n), flask, bottle
flattern, flutter
fleißig, diligent
fliegen, flog, ist geflogen, fly
fließen, floß, ist geflossen, flow
fließend, fluent
die Flöte (-n), flute
die Flotte (-n), navy
das Flottenmanöver (—), naval manœuvre, review
der Fluß (Flüsse), river
folgen (Dat.), follow
die Formalität (-en), formality
das Formular (-e), printed form
der Förster (—), forester
der Foxterrier (—), fox terrier
die Frage (-n), question
fragen, ask; ich frage nach dem Weg, I ask the way
die Frau (-en), woman, wife, Mrs.
das Fräulein (—), Miss, young lady
frei, free, vacant; wir haben frei, we are off work; der Platz ist frei, the seat is vacant; im Freien, in the open
freilich, indeed, of course
der Freitag (-e), Friday
der Fremde (-n, -n), stranger
fressen, frißt, fraß, hat gefressen, eat (of animals)
die Freude (-n), joy
der Freund (-e), friend
die Freundin (-nen), friend (fem.)

freundlich, kind
frieren, fror, hat gefroren, freeze
frisch, fresh
froh, glad
fröhlich, cheerful
früh, early
früher, earlier, formerly
das Frühjahr (-e), spring
der Frühling (-e), spring
der Frühsommer (—), early summer
das Frühstück (-e), breakfast
frühstücken, to breakfast
führen, lead
füllen, fill
fünf, five
der, die, das fünfte, the fifth
fünfzig, fifty
funkeln, sparkle
für (Acc.), for (prep.)
für und für, for ever; was für ein Buch? what kind of a book? was für ein Rucksack! what a rucksack!
furchtbar, frightful
der Fuß (Füße), foot
der Fußball (⸚e), football
das Fußballspiel (-e), football match
der Fußboden (⸚), floor
der Fußweg (-e), foot-path

die Gans (⸚e), goose; die Wandergans (⸚e), wild goose
ganz, whole, entire, quite; den ganzen Tag, all day
gar nicht, not at all
der Garten (⸚), garden
der Gärtner (—), gardener
das Gas (-e), gas
der Gasherd (-e), gas oven
der Gasmann (⸚er), gas-man
der Gast (⸚e), guest
das Gasthaus (⸚er), inn, hotel
geben, gibt, gab, hat gegeben, give
die Geburt (-en), birth
das Gedicht (-e), poem
geduldig, patient
gefallen, gefällt, gefiel, hat gefallen, please; es gefällt mir, I like it
gegen (Acc.), against
die Gegend (-en), district
das Gegenteil (-e), contrary, opposite; im Gegenteil, on the contrary
gehen, ging, ist gegangen, go; es geht mir gut, besser, I am well, better; wie geht es Ihnen? how are you?
gelb, yellow
das Geld (-er), money
der Geldschalter (—), money counter
der Geldwechsel (—), exchange office
gemischt, mixed
das Gemüse (—), vegetable
der Gemüsegarten (⸚), vegetable garden
der Gemüsestand (⸚e), vegetable stall
gemütlich, comfortable, cosy
genau, exact
genug, enough
genügen, hat genügt, suffice
das Gepäck (kein Pl.), luggage
der Gepäckschalter (—), luggage office
der Gepäckträger (—), porter
gerade, just, straight
geradeaus, straight on
die Geranie (-n), geranium
gern, gladly; ich habe ihn gern, I like him; ich höre ihn gern, I like to hear him
gesagt, getan, no sooner said than done

das Geschäft (-e), business; er macht gute Geschäfte, he does good business
das Geschenk (-e), present
die Geschichte (-n), story, history
das Geschmeide (—), jewellery
das Geschrei (kein Pl.), clamour, cry
das Gesicht (-er), face
gestern, yesterday
gesund, healthy, well
getüncht, distempered; weiß getüncht, white-washed
gewaltig, powerful
das Gewehr (-e), gun, rifle
gewinnen, gewann, hat gewonnen, win
gewiß, certain
der Gipfel (—), summit, peak
das Glas (⁻̈er), glass
die Glaswand (⁻̈e), glass wall
der Glaube (-n, -ns, -n), faith, belief
glauben, believe, think
gleich, equal; at once
die Glocke (-n), bell
das Glück, luck, happiness; ich habe Glück, I am lucky; viel Glück! good luck! zum Glück, fortunately
glücklich, happy
die Gnade (-n), grace
gnädig, gracious; gnädige Frau, madam
golden, golden
der Gott (⁻̈er), god
göttlich, divine; Gott sei Dank, thank heaven
das Grab (⁻̈er), grave
das Gras (⁻̈er), grass
grau, grey
grinsen, grin
groß, big, great, large, tall
die Großmutter (⁻̈), grandmother
grün, green

der Grund (⁻̈e), ground, bottom
die Gruppe (-n), group
der Gruß (⁻̈e), greeting; mit herzlichen Grüßen, with kind regards, with love
die Guitarre (-n), guitar
die Gurke (-n), cucumber
der Gurkensalat (-e), cucumber salad
gut, good; gute Fahrt, a good journey; guter Himmel, good heavens; guten Morgen, good morning; gute Reise! a good journey! guten Tag, good day, how do you do; ich habe es gut, I am fortunate
die Güte, goodness, kindness
gutmütig, good natured

das Haar (-e), hair
haben, hat, hatte, hat gehabt, have; ich habe es gut, I am lucky; ich habe ihn gern, I like him; ich habe Zeit, I have time; was habe ich? what's the matter with me?
der Hahn (⁻̈e), cock
der Hals (⁻̈e), throat, neck
halt! stop!
halten, hält, hielt, hat gehalten, hold, keep, stop, think; ich halte nicht viel davon, I don't think much of it
die Hand (⁻̈e), hand; zur rechten Hand, at your right-hand side
die Handtasche (-n), hand-bag
hängen (hangen, *arch.*), hing, hat gehangen, hang
die Harfe (-n), harp
das Harmonium (-s), harmonium
hart, hard
der Hase (-n, -n), hare
hassen, hate
das Haupt (⁻̈er), head

der Hauptbahnhof (-̈e), central station
der Hauptfilm (-e), main film
das Haus (-̈er), house; nach Hause, (towards) home; zu Hause, at home
die Hausfrau (-en), housewife
die Hausmutter (-̈), house-mother, warden
das Hausorchester (—), house orchestra
der Hausvater (-̈), house-father, warden
die Heide (-n), heath, moor
heil! hail!
heilig, holy; der Heilige Abend, Christmas Eve
heim, home
der Heimweg, way home
heiß, hot
heißen, hieß, hat geheißen, be called; es heißt: Licht aus! the word goes: lights out!
heizen, heat; die Zentralheizung (-en), central heating
helfen (Dat.), hilft, half, hat geholfen, help
der Helfer (—), helper
hell, light, bright
das Hemd (-en), shirt
der Hemdärmel (—), shirt sleeve
heraus'kommen, kam heraus, ist herausgekommen, come out
die Herberge (-n), hostel
der Herbst (-e), autumn
der Herd (-e), oven
herein! come in!
herein'kommen, kam herein, ist hereingekommen, come in
der Herr (-n, -en), Mr., gentleman; mein Herr! Sir!
herrlich, splendid
das Herz (-ens, -en), heart; ich nehme es mir zu Herzen, I take it to heart
herzlich, hearty
heute, to-day
heute Abend, this evening
heutzutage, nowadays
hier, here
hiesig, local
der Himbeerbusch (-̈e), raspberry bush
die Himbeere (-n), raspberry
der Himmel (—), heaven, sky; guter Himmel, good heavens; weiß der Himmel, heaven knows
himmlisch, heavenly
hinauf'gehen, ging hinauf, ist hinaufgegangen, go up, upstairs
hinaus'gehen, ging hinaus, ist hinausgegangen, go out, outside
hinaus'sehen, sieht, hinaus, sah hinaus, hat hinausgesehen, look out
hinter (Acc. and Dat.), behind
der Hirt(e) ((-e)n, (-e)n), shepherd
hoch, high
höchst, highest, highly
das Hochwasser (—), flood
die Hochzeit (-en), wedding
der Hof (-̈e), courtyard
hoffen, hope
hoffentlich, it is to be hoped
die Höhe (-n), height
höher, higher
die Höhle (-n), cave
hold, gentle
holen, fetch, send for
das Holz (-̈er), wood
die Holzfigur (-en), wooden figure
der Honig, honey
horchen, listen
hören, hear, listen to
der Hörer, listener, telephone receiver
die Hose (-n), trousers

das Hotel (-s), hotel
hübsch, pretty
das Huhn (⸚er), hen
der Hund (-e), dog
hundert, hundred
der Hunger, hunger
hungern, starve; es ist mir schwach vor Hunger, I am faint with hunger
hungrig, hungry
der Hut (⸚e), hat
die Hutschachtel (-n), hat-box
die Hütte (-n) hut
die Hyazinthe (-n), hyacinth

ideal, ideal
die Idee (-n), idea
immer, always, ever; immer heißer, hotter and hotter; wie immer, as always
immerhin, anyway, for all that
in (Acc. and Dat.), in, into
das Instrument (-e), instrument
interessant, interesting
das Interesse (-n), interest
interessieren, hat interessiert, interest
international, international
inzwischen, meanwhile

ja, yes; ich habe es gut, ja? I am lucky, indeed? spielen wir Karten, ja? let us play cards, shall we?
die Jacke (-n), coat, jacket
das Jahr (-e), year
das Jahrhundert (-e), century
der Jazz, jazz
je — desto, the — the; je schneller desto besser, the quicker the better
jedenfalls, in any case
jed-er (-e, -es), every, each
jetzt, now
der Jubel, joy, jubilation
die Jugend (kein Pl.), youth
die Jugendherberge (-n), youth hostel
jung, young
der Junge (-n, -n), boy
die Jungfrau (-en), maiden, virgin
jüngst, youngest
der Juni, June
das Juwel (-en), jewel

der Kachelofen (⸚), tiled stove
der Kaffee (-s), coffee
der Kahn (⸚e), rowing boat
der Kaiser (—), Kaiser, emperor
der Kalender (—), calendar
kalt, cold
das Kamel (-e), camel
der Kamerad (-en, -en), comrade
der Kamin (-e), fireplace
der Kamm (⸚e), comb
kämmen, comb
die Kammer (-n), box-room
der Kampf (⸚e), struggle, fight
das Känguruh (-s), kangaroo
der Kanon (-s), canon, round
das Kapitel (—), chapter
die Kappe (-n), cap
die Karte (-n), card, map
die Kartoffel (-n), potato
der Käse (—), cheese
die Kasse (-n), money-box, cash
der Kassier (-e), cashier, treasurer
die Katze (-n), cat
kaufen, buy
der Käufer (—), customer, buyer
der Kaufmann (Kaufleute), merchant
kaum, scarcely
kein (-e), not one, no, not a
der Keller (—), cellar
der Kellner (—), waiter
die Kellnerin (-nen), waitress
kennen, kannte, hat gekannt, know
die Kerze (-n), candle
die Kiefer (-n), pine tree
das Kind (-er), child

die Kinderei (-en), child's play
die Kinderstimme (-n), child's voice
das Kinderzimmer (—), nursery
das Kino (-s), cinema
die Kirche (-n), church
die Kiste (-n), wooden box
klagen über (Acc.), complain of
klar, clear
die Klasse (-n), class; eine Fahrkarte dritter Klasse, a third class ticket
klassisch, classical
das Klavier (-e), piano; ich spiele Klavier, I play the piano
klein, small
der, die, das Kleine, the little one
das Kleingeld, small change
klingen, klang, hat geklungen, ring, sound
klopfen, knock; es klopft, there is a knock
der Klubsessel (—), armchair
der Knabe (-n, -n), boy
der Knix (-e), curtsey
das Kochbuch (⸚er), cookery book
kochen, cook
der Koffer (—), suit-case, trunk
der Kohl (kein Pl.), cabbage
die Kohle (-n), coal
der Kohlkopf (⸚e), head of cabbage
der Koks, coke
komisch, funny, comical
kommen, kam, ist gekommen, come; sie kommen auf mich zu, they come up to me
das Kompliment (-e), compliment
kompliziert, complicated
der Komponist (-en, -en), composer
der König (-e), king
können, kann, konnte, hat gekonnt, can, be able to
das Konzert (-e), concert
der Kopf (⸚e), head
der Kopfsalat (-e), lettuce
das Kopftuch (⸚er), kerchief
der Korb (⸚e), basket
korrespondieren, hat korrespondiert, correspond
der Korridor (-e), passage, corridor
kostbar, precious
kosten, kostet, cost
das Kostüm (-e), costume
krähen, crow
krank, ill
die Krankheit (-en), illness, disease
der Kranz (⸚e), wreath
der Kredit (-e), credit
der Kreis (-e), circle
die Kreuzung (-en), crossing
kriechen, kroch, ist gekrochen, creep
der Kriminalfilm (-e), thriller
die Krippe (-n), crib, manger
kristallklar, crystal clear
der Krokus (Krokusse), crocus
die Küche (-n), kitchen
der Kuchen (—), cake
der Kuckuck (-e), cuckoo
die Kuh (⸚e), cow
kühl, cool
kühlen, to cool
die Kulisse (-n), scenery, stage property
kund'machen, make known
kurz, short; kurz nach 6 Uhr, shortly after 6 o'clock; machen Sie es kurz, be brief
die Kusine (-n), cousin (fem.)
der Kuß (Küsse), kiss

lächeln, smile
lächelnd, smiling
lachen, laugh; es ist nicht zum lachen, it is no laughing matter; Sie haben gut lachen, it is easy for you to laugh
der Laden (⸚), shop

lahm, lame
die Lampe (-n), lamp
das Land (¨-er), land, country
lang(e), long; 3 Stunden lang, for 3 hours
langsam, slow
lassen, läßt, ließ, hat gelassen, let, leave, allow; lassen Sie es sein, leave it; lassen Sie mich nur machen, just leave it to me
laufen, läuft, lief, ist gelaufen, run
die Laune (-n), mood; sie sind guter Laune, they are in good spirits
laut, loud
läuten, läutet, ring
leben, live
das Leben (—), life; leben Sie wohl, farewell; ich blieb am Leben, I kept alive
das Leder (—), leather
ledern, leather (adj.)
der Lehnstuhl (¨-e), armchair
der Lehrer (—), teacher
der Leichenstein (-e), tombstone
leicht, light, easy
leid: es tut mir leid, I am sorry
leiden, leidet, litt, hat gelitten, suffer
leider, unfortunately
leise, soft, gentle
die Lerche (-n), lark
lesen, liest, las, hat gelesen, read; zum Lesen, for reading
letzt, last
der, die, das Letztere, the latter
leuchten, leuchtet, shine
die Leute (Pl.), people
das Licht (-er), light
lieb, dear; ich habe ihn lieb, I love him
das Liebchen (—), darling
die Liebe, love
lieben, love
lieber, rather
das Lied (-er), song
liegen, lag, hat gelegen, lie
der Likör (-e), liqueur, brandy
die Linde (-n), lime-tree
links, on the left
das Loch (¨-er), hole
lockig, curly
los: also los! come on then!
der Löwenzahn, dandelion
die Luft (¨-e), air
die Lupine (-n), lupin
die Lust (¨-e), desire, inclination; ich habe Lust dazu, I feel like it
lustig, merry

machen, make, do; es macht nichts, it does not matter; ich mache einen Spaziergang, I go for a walk; machen Sie schnell! be quick! was macht der Garten? how is the garden getting on? was macht es? how much is it? was kann ich machen? what can I do?
das Mädchen (—), girl
der Mai, May
das Mal (-e), time; das nächste Mal, next time
die Malerei (-en), painting
die Malve (-n), hollyhock
man, one, you, people
mancher, some, many a
manchmal, sometimes
der Mann (¨-er), man, husband
das Manöver (—), manœuvre
der Mantel (¨), coat
der Mantelsack (¨-e), knapsack
das Märchen (—), fairy tale
die Mark (kein Pl.), Mark
die Marke (-n), stamp
der Markt (¨-e), market

der Marktplatz (⸚e), market-place
der Marsch (⸚e), march
marschieren, ist marschiert, march
die Maschine (-n), machine, engine
die Mauer (-n), wall
die Maus (⸚e), mouse
das Mehl (-e), flour
mehr, more; nicht mehr, no longer
mein (-e), my
meistens, mostly
die Melodie (-n), melody
der Mensch (-en, -en), person, man
menschlich, human
das Messer (—), knife
das Meter (—), metre
der Mieter (—), tenant
die Milch, milk
das Militär, army, military
die Minute (-n), minute
mischen, mix
mit (Dat.), with
miteinander, with one another
mit'kommen, kam mit, ist mitgekommen, come with somebody
der Mittag (-e), midday, noon
das Mittagessen (—), lunch; er ißt zu Mittag, he has lunch
die Mitte (-n), middle
mitten in, in the middle of
der Mittwoch (-e), Wednesday
das Möbel (—), furniture
das Möbelstück (-e), piece of furniture
modern, modern
mögen, mag, mochte, hat gemocht, like, want; ich möchte gern, I should like to
möglich, possible
die Molkerei (-en), dairy
der Moment (-e), moment
der Monat (-e), month
der Montag (-e), Monday
der Montagmorgen (—), Monday morning
das Moos (-e), moss
der Morgen (—), morning; guten Morgen, good morning
morgen, to-morrow
das Morgenland, East
morgens, in the morning
das Motto (-s), motto
müde, tired
der Mund (⸚er), mouth
münden, mündet, flow into
der Muselmann (⸚er), Moslem
die Musik, music
der Musiker (—), musician
die Musikkapelle (-n), band
müssen, muß, mußte, hat gemußt, must
der Mut, courage; er faßt Mut, he summons up his courage
die Mutter (⸚), mother

nach (Dat.), after, to
der Nachbar (-n, -n), neighbour
nach'gehen, ging nach, ist nachgegangen, go after, be slow (of watch); nach Hause (towards) home; nach München, to Munich
der Nachkomme (-n, -n), descendant
der Nachmittag (-e), afternoon
nachmittags, in the afternoon
der Nachmittagskaffee (-s), afternoon coffee
nächst, next, nearest; das nächste Mal, next time
die Nacht (⸚e), night; gute Nacht, good night
der Nachteil (-e), disadvantage
die Nachtigall (-en), nightingale
der Nachtisch (-e), dessert
nackt, naked, bare
die Nadel (-n), needle
nah(e), near
die Nähe (-n), neighbourhood

nähen, sew
näher, nearer
der Name (-n, -ns, -n), name
die Narzisse, (-n), narcissus
die Nase (-n), nose
naß, wet
natürlich, natural, of course
der Nebel (—), mist, fog
neben (Acc. and Dat.), next to, beside
nebenan, next door
nehmen, nimmt, nahm, hat genommen, take; nehmen Sie Platz! take a seat!
nein, no
der Nerv (-en), nerve
das Nest (-er), nest
nett, nice
neu, new
neun, nine
nicht, not; nicht wahr? is it not so?
der Nichtraucher (—), non-smoker
nichts, nothing; nichts als, nothing but
nicken, nod
nie, niemals, never; noch nie, never yet
niemand, nobody
noch, yet, still; noch einmal, once more; noch nicht, not yet
Norddeutschland (neut.), North Germany
der Norden, north
nötig, necessary
das Notizbuch (‿er), note-book
die Nummer (-n), number
nun, now; von nun an, from now on
nur, only
die Nuß (Nüsse), nut

O-Beine (Pl.), bow-legs
oben, above, upstairs
obgenannt, above-mentioned
das Obst (kein Pl.), fruit
der Obstbaum (‿e), fruit tree
der Ochs (-en), ox
oder, or
der Ofen (‿), stove
offen, open (adj.)
offenbar, evident
öffnen, öffnet, to open
oft, often
öfters, sometimes, quite often
ohne (Acc.), without
das Ohr (-en), ear; bis über die Ohren, up to the ears
der Oktober (—), October
die Ölfarbe (-n), oil paint
der Omnibus (-sse), omnibus
der Optimist (-en, -en), optimist
das Orchester (—), orchestra
die Ordnung (-en), order; das ist in Ordnung, that is all right
die Orgel (-n), organ
der Osten, east
Österreich (neut.), Austria
der Ostwind (-e), east wind

packen, pack
das Paket (-e), parcel
die Parade (-n), parade
der Partner (—), partner
der Paß (Pässe), passport
die Pension (-en), boarding-house, pension
die Person (-en), person
der Pfarrer (—), parson
die Pfeife (-n), pipe
der Pfeifer (—), piper
der Pfennig (-e), pfennig
der Pfirsich (-e), peach
die Pflanze (-n), plant
pflanzen, to plant
die Pflaume (-n), plum
der Pflaumenbaum (‿e), plum-tree
pflücken, pick
das Pfund (-e), pound

die Plage (-n), plague
der Platz (⸗e), place, seat, room; nehmen Sie Platz, take a seat! ich habe viel Platz, I have much room
plaudern, chat
pleite, bankrupt
plötzlich, sudden
polieren, hat poliert, polish
poliert, polished
der Polizist (-en, -en), policeman
die Polka (-s), polka
die Post (-en), post
das Postamt (⸗er), post office
die Postanweisung (-en), postal order
die Postkarte (-n), postcard
das Postwertzeichen (—), stamp
praktisch, convenient, practical
der Preis (-e), price, prize
die Primel (-n), primula
das Prinzip (-ien), principle; aus Prinzip, on principle
das Programm (-e), programme
die Programmnummer (-n), item on the programme
profit! your health!
die Provinz (-en), province
der Punkt (-e), point
pünktlich, punctual

das Quartier (-e), quarters
die Quelle (-n), spring
die Querstraße (-n), cross road

das Radio (-s), radio, wireless set
die Radiozeitung (-en), *Radio Times*
rar, rare
rasch, quick
die Rasse (-n), race, breed
der Rat (⸗e), counsel, advice; ich weiß (mir) keinen Rat, I don't know what to do
raten, advise, guess
das Rathaus (⸗er), town hall
das Ratszimmer (—), council chamber
die Ratte (-n), rat
der Rattenfänger (—), rat-catcher
der Rauch, smoke
rauchen, to smoke
der Raum (⸗e), room, space
rauschen, rush, murmur
recht, right; Sie haben recht, you are right; ist es Ihnen recht? is it all right for you?
rechts, on the right
reden, redet, talk; Sie haben leicht reden, it is easy for you to talk
der Regen (kein Pl.), rain
regnen, regnet, to rain
reich, rich
das Reich (-e), empire
der Reichssender (—), German transmitter
reif, ripe
die Reihe (-n), row; ich bin an der Reihe, it is my turn
rein, clean, pure
die Reise (-n), journey
das Reisebüro (-s), travel office
der Reisefilm (-e), travel film
reisen, travel
der Reiter (—), rider
reizend, charming
die Reklame (-n), advertisement
das Restaurant (-s), restaurant
retten, rettet, save
rettend, saving
der Retter (—), saviour
der Rettich (-e), radish
das Rezept (-e), recipe
der Rhein, Rhine
der Rheumatismus, rheumatism
richtig, correct, proper
riechen, roch, hat gerochen, smell
der Rindsbraten (—), roast beef

der Ring (-e), ring, circle
riskieren, hat riskiert, risk
rollen, roll
romantisch, romantic
die Rose (-n), rose
rosig, pink, rosy
das Röslein (—), little rose
rot, red
der Rucksack (⸚e), rucksack
rufen, rief, hat gerufen, call
die Ruhe, rest
ruhen, rest
ruhig, quiet; zur Ruhe, to rest
die Ruine (-n), ruin
Rumänien (neut.), Rumania
rumänisch, Rumanian
rund, round
die Runde, round

die Sache (-n), thing
sagen, say, tell; gesagt, getan, no sooner said than done
der Salat (-e), salad
das Salz (-e), salt
salzen (gesalzen), to salt
der Samstag (-e), Saturday
die Sandale (-n), sandal
satt, satisfied; ich habe es satt, I am tired of it
sauber, clean
sauer, sour
das Schach, chess
die Schachtel (-n), box
schade, pity; es ist schade, it is a pity
das Schaf (-e), sheep
der Schalter (—), booking office, counter
scharf, sharp
der Schatten (—), shade, shadow
der Schatz (⸚e), treasure, sweetheart
schauen, see, look
der Schauspieler (—), actor
die Schauspielerin (-nen), actress
der Scheck (-s), cheque
die Scheibe (-n), slice, disc
der Schein (-e), note, banknote; der 20 Markschein, 20 Mark note
scheinen, schien, hat geschienen, shine, seem, appear
schießen, schoß, hat geschossen, shoot
das Schiff (-e), ship
der Schiffer (—), boatman, sailor
schimmern, shine, glitter, shimmer
der Schlaf, sleep
schlafen, schläft, schlief, hat geschlafen, to sleep
der Schläfer (—), sleeper
das Schlafzimmer (—), bedroom
schlagen, schlägt, schlug, hat geschlagen, strike
die Schlagsahne, whipped cream
die Schlange (-n), snake, queue
schlank, slim, slender
schlau, cunning, clever
schlecht, bad
schlechter, worse
schließen, schloß, hat geschlossen, close
schließlich, finally
der Schluß (Schlüsse), conclusion
zum Schluß, in conclusion
die Schlüsselblume (-n), cowslip
schmecken, taste
schmelzen, schmilzt, schmolz, ist geschmolzen, melt
der Schmerz (-en), pain
schmutzig, dirty
schnarchen, snore
schneiden, schneidet, schnitt, hat geschnitten, cut
schnell, quick
der Schnellzug (⸚e), express train
die Schokolade (-n), chocolate
schon, already
schön, fine, beautiful
der Schornstein (-e), chimney-pot
der Schrank (⸚e), cupboard, wardrobe
schrecklich, terrible

der Schrei (-e), cry, scream
schreiben, schrieb, hat geschrieben, write; er schreibt mir, an mich, he writes to me
schreien, schrie, hat geschrieen, cry
der Schritt (-e), step
die Schuld (-en), guilt, debt; ich mache Schulden, I get into debt
die Schule (-n), school; die Schule ist aus, school is over
die Schürze (-n), apron
schütteln, schüttle, shake
schwach, weak; es ist mir schwach vor Hunger, I am faint with hunger
schwächen, weaken
der Schwanz (⸚e), tail
schwarz, black
schweig(e)! be quiet!
schweigen, schwieg, hat geschwiegen, be silent
die Schweiz, Switzerland
schwer, heavy, difficult; schwer krank, seriously ill
die Schwester (-n), sister
schwimmen, schwamm, ist geschwommen, swim
die Scilla, Scylla
sechs, six
sechzehn, sixteen
die See (-n), sea
der See (-n), lake
seekrank, sea-sick
sehen, sieht, sah, hat gesehen, see
sehr, very
sein, ist, war, ist gewesen, be
sein (-e), his, its
seit (Dat.), since; ich bin schon seit drei Wochen hier, I have been here for three weeks
seitab, remote, hidden
seitdem, since then
die Seite (-n), side, page
selbst, self; ich selbst, I myself
selten, seldom
seltsam, strange
senden, sendet, sandte, hat gesandt (also weak), send
der Sender (—), transmitter
der Sessel (—), armchair
setzen, set, put, place
seufzen, sigh
der Seufzer (—), sigh
das Silber, silver
silbern, silver (adj.)
singen, sang, hat gesungen, sing
sinken, sank, ist gesunken, sink
der Sinn (-e), sense, mind
der Sitz (-e), seat
sitzen, saß, hat gesessen, sit
so, so, thus, such
das Sofa (-s), sofa
sogar, even
die Sohle (-n), sole
der Sohn (⸚e), son
solch-er (-e, -es), such
sollen, soll, sollte, hat gesollt, shall, be to
der Sommer (—), summer
sondern, but (after negation)
der Sonnabend (-e), Saturday
die Sonne (-n), sun
sonnig, sunny
der Sonntag (-e), Sunday
der Sonntagsanzug (⸚e), Sunday suit
die Sorge (-n), care, worry; (haben Sie) keine Sorge, don't worry
sparen, save
spät, late
später, later
der Spaziergang (⸚), walk; ich mache einen Spaziergang, ich gehe spazieren, I go for a walk
der Speck (-e), bacon
das Speisezimmer (—), dining-room

die Sperre (-n), barrier
das Spiel (-e), game, match
ſpielen, play
der Spieler (—), player
die Spielſache (-n), toy
die Spielzeugſchachtel (-n), toy-box
die Spirale (-n), spiral
die Spitze (-n), point
der Sport (-e), sport
die Sprache (-n), language
ſprechen, ſpricht, ſprach, hat geſprochen, speak
das Sprichwort (¨-er), proverb
ſpringen, ſprang, iſt geſprungen, jump
die Stadt (¨-e), town
das Städtchen (—), small town
der Stand (¨-e), stall
ſtark, strong; das iſt ſtark, that is too much
ſtaubig, dusty
ſtechen, ſticht, ſtach, hat geſtochen, prick
ſtecken, put, stick
ſtehen, ſtand, hat geſtanden, stand
ſtehlen, ſtiehlt, ſtahl, hat geſtohlen, steal; ich ſtehle es ihm, I steal it from him
ſteif, stiff
ſteigen, ſtieg, iſt geſtiegen, climb; ich ſteige auf einen Berg, I climb a mountain
ſteil, steep
der Stein (-e), stone
der Steingarten (¨—), rockery
ſteinig, stony
die Stelle (-n), place, spot; an manchen Stellen, in some places
ſtellen, put, place upright
ſterben, ſtirbt, ſtarb, iſt geſtorben, die
der Stern (-e), star
der Stiefel (—), boot
ſtill, still, quiet
die Stille, quiet
die Stimme (-n), voice
ſtimmen, harmonise, be correct; das ſtimmt, that is correct
der Stock (¨-e), stick
ſtolz (auf + Acc.), proud (of)
das Stoppelfeld (-er), stubblefield
ſtören, disturb
der Strand (¨-e), beach
die Straße (-n), street
die Straßenbahn (-en), tramway
der Strauß (¨-e), bunch of flowers
ſtreifen, roam
der Strom (¨-e), large river
das Stück (-e), piece
der Student (-en, -en), student
die Studie (-n), study
der Stuhl (¨-e), chair
ſtumpf, blunt
die Stunde (-n), hour
ſtürmiſch, stormy
ſuchen, seek, look for
der Süden, south
die Suppe (-n), soup
ſüß, sweet
die Symphonie (-n), symphony

der Tag (-e), day
das Tageblatt (¨-er), daily paper
der Tagesraum (¨-e), common room
das Tal (¨-er), valley
die Tanne (-n), fir tree
tanzen, dance
die Tanzmuſik, dance music
die Tapete (-n), wall-paper
tapezieren, hat tapeziert, to paper
tapeziert, papered
die Taſche (-n), pocket, bag
die Taſchenlampe (-n), torch
die Taſſe (-n), cup
tauſend, thousand
das Taxi (-s), taxi

der Tee (-s), tea
das Telefon (-e), telephone
das Telefonbuch (⁼er), telephone directory
telefonieren, hat telefoniert, telephone
die Telefonzelle (-n), telephone-box
der Teller (—), plate; ein Teller Suppe, a plateful of soup
das Tennis, tennis
die Terrasse (-n), terrace
teuer, dear
das Teuflein (—), little devil
das Theater (—), theatre
die Themse, Thames
tief, deep
tiefblau, deep blue
die Tiefe (-n), depth
das Tier (-e), animal
der Tisch (-e), table
die Tochter (⁼), daughter
die Tomate (-n), tomato
der Ton (⁼e), sound, tone
tönen, sound; eintönig, monotonous
der Topf (⁼e), saucepan, pot
das Tor (-e), gate
tot, dead
tragen, trägt, trug, hat getragen, carry, wear
die Träne (-n), tear
die Traube (-n), grape
die Trauer, mourning, grief
der Traum (⁼e), dream
träumen, to dream
traurig, sad
traut, beloved, dear
treffen, trifft, traf, hat getroffen, meet
die Treppe (-n), staircase
treten, tritt, trat, ist getreten, step
treu, faithful
die Treue, loyalty, faithfulness
die Triangel (-n), triangle
trinken, trank, hat getrunken, drink
trocken, dry
die Trockenheit (-en), drought
tropfen, drip
trotzdem, in spite of that, all the same
die Tulpe (-n), tulip
tun, tat, hat getan, do, make
tünchen, distemper
die Tunke (-n), sauce, gravy
die Tür (-en), door
der Turm (⁼e), tower, steeple

über (Acc. and Dat.), over, above
überall, everywhere
die Überfahrt (-en), crossing
übermorgen, the day after tomorrow
übersetzen, hat übersetzt, translate
übrig, remaining
übrigens, by the way
das Ufer (—), bank
die Uhr (-en), watch, clock
um (Acc.), round, at; um 8 Uhr, at 8 o'clock
umso (besser), all the (better)
unbedingt, absolute
und, and
unglücklich, unhappy
die Uniform (-en), uniform
Unkraut (⁼er), weed
das unser (-e), our
unten, below, downstairs
unter (Acc. and Dat.), under
der Unterlaß: ohne Unterlaß, incessant
der Urlaub (-e), holiday, leave

die Vase (-n), vase
der Vater (⁼), father
das Veilchen (—), violet
verboten, forbidden

vergehen, verging, ist vergangen, pass; wie die Zeit vergeht! how the time flies!
das Vergißmeinnicht (—), forget-me-not
das Vergnügen (—), pleasure; viel Vergnügen! have a good time!
vergnügt, cheerful
verkaufen, hat verkauft, sell
verlieren, verlor, hat verloren, lose
vermissen, hat vermißt, miss
das Vermögen (—), fortune
vernehmen, vernimmt, vernahm, hat vernommen, perceive
vernünftig, sensible
verschlingen, verschlang, hat verschlungen, swallow, devour
verschwinden, verschwindet, verschwand, ist verschwunden, disappear
versichern, hat versichert, insure
versprechen, verspricht, versprach, hat versprochen, promise
verständig, sensible
verstecken (sich), hat versteckt, hide (oneself)
verstehen, verstand, hat verstanden, understand
versuchen, hat versucht, try
vertragen, verträgt, vertrug, hat vertragen, bear, endure, stand
verwünschen, hat verwünscht, curse
der Vetter (-n), cousin
viel, much; viel zu viel, far too much; vielen Dank, many thanks; es ist mir zu viel, it is too much for me
viele, many
vielleicht, perhaps
vier, four
das Viertel (—), the fourth part, quarter
vierzehn Tage, a fortnight
die Violine (-n), violin
der Vogel (¨—), bird
voll, full; voll Wasser, full of water
von (Dat.), from, of, by
vor (Acc. and Dat.), before, in front of, ago; 5 Minuten vor 8 Uhr, 5 minutes to 8; vor der Stadt, outside the town
vorbei, past, over
vorbei'kommen, kam vorbei, ist vorbeigekommen, come past
vor'gehen, ging vor, ist vorgegangen, go before, gain (watch)
vorgestern, the day before yesterday
der Vorhang (¨—e), curtain
vornehm, distinguished
vorsichtig, cautious

wach, awake (adj.)
wachen, watch, be awake
das Wachs, wax
wählen, choose, dial (telephone)
wahr, true; nicht wahr? is it not so?
während (Gen.), during
wahrscheinlich, probable
der Wald (¨—er), wood, forest
wallen, float
der Walzer (—), waltz
die Wand (¨—e), wall
wandern, wander, tramp, walk
der Wanderschuh (-e), walking shoe
die Wange (-n), cheek
wann? when?

das Warenhaus (⸗̈er), department store
warm, warm
die Wärme, warmth
warten (auf + Acc.), wartet, wait (for)
warum, why
was, what
waschen, wäscht, wusch, hat gewaschen, wash
die Waschküche (⸗n), wash-house
das Wasser (—), water
der Wasserfall (⸗̈e), waterfall
wechseln, wechsle, change
der Weg (⸗e), way, path
wegen (Gen.), because of
die Wegkreuzung (⸗en), crossroads
der Wegweiser (—), sign-post
das Weh, woe, grief
wehen, blow
sich wehren, defend oneself
weich, soft
die Weihnachten (—), Christmas
weihnachtlich, Christmas-like
der Weihnachtsbaum (⸗̈e), Christmas-tree
die Weihnachtsgeschichte (⸗n), Christmas story
das Weihnachtslied (⸗er), Christmas carol
der Weihnachtsmann (⸗̈er), Father Christmas
der Weihnachtsstollen (—), Yule loaf
die Weile (⸗n), while
der Wein (⸗e), wine
der Weinberg (⸗e), vineyard
weinen, weep, cry
weiß, white
weit, far; das geht zu weit, that is going too far; von weitem, from afar
weiter, further, farther; und so weiter, and so on; ohne weiteres, without any formality
weiter'fahren, fährt weiter, fuhr weiter, ist weitergefahren, go on
weiter'gehen, ging weiter, ist weitergegangen, go on, walk on; so kann es nicht weitergehen, it cannot go on like this
weiter'ziehen, zog weiter, ist weitergezogen, move on
welch⸗er (⸗e, ⸗es), which, who (relat.)
die Welle (⸗n), wave
die Welt (⸗en), world
welsch, Welsh, foreign
wenig, little
wenige, few
wenigstens, at least
wenn, when, whenever; wenn schon, denn schon, a thing that's worth doing . . .
wer? who? wem? to whom? wen? whom?
werden, wird, wurde, ist geworden, become; es wird mir heiß, I am getting hot
werfen, wirft, warf, hat geworfen, throw
der Westen, west
das Wetter (—), weather
die Wettervorhersage (⸗n), weather forecast
wichtig, important
wie, how, as, like; wie bitte? I beg your pardon? wie immer, as always
wieder, again
das Wiedersehen (—), meeting again; auf Wiedersehen! goodbye, au revoir
die Wiese (⸗n), meadow
wild, wild
die Wildnis (⸗se), wilderness
der Wind (⸗e), wind
der Winter (—), winter
wirklich, real

die Wirklichkeit (-en), reality
der Wirt (-e), landlord, host
die Wirtin (-nen), landlady, hostess
wissen, weiß, wußte, hat gewußt, know; so viel ich weiß, as far as I know; weiß der Himmel, was, heaven knows what; wissen Sie was, I tell you what
wo, where
die Woche (-n), week
das Wochenende (-n), week-end
die Wochenschau (-en), news-reel
der Wochentag (-e), week-day
wogen, wave, float
wohin, whither, where to
wohl, well, possibly; es ist mir wohl, I am well
wohlbekannt, well known
das Wohlsein, good health, well-being; zum Wohlsein! your health!
wohnen, dwell, live
die Wohnung (-en), flat
das Wohnzimmer (—), sitting-room
der Wolf (⁼e), wolf
wollen, will, wollte, hat gewollt, want, wish, intend, will
womit? with what?
das Wunder (—), wonder, miracle
wunderbar, wonderful
wunderschön, very beautiful
wundervoll, wonderful
der Wunsch (⁼e), wish
wünschen, wish
die Wurst (⁼e), sausage

zahlen, pay
zählen, count
der Zauber (—), charm
zehn, ten
das Zeichen (—), sign, signal
die Zeichensprache (-n), sign language
zeigen, show
die Zeit (-en), time; zu meiner Zeit, in my time
die Zeitung (-en), newspaper
die Zentralheizung (-en), central heating
der Zickzack (-e), zigzag
ziehen, zog, hat gezogen, draw, pull
die Ziehharmonika (-s), accordion
ziemlich, fairly, rather
die Zigarre (-n), cigar
die Zigarette (-n), cigarette
das Zimmer (—), room
die Zinne (-n), turret
zu, to, towards, (adj.): closed; zwei zu 10 Pfennig, two at 10 pfennigs each
der Zucker, sugar
zuckersüß, sweet as sugar
zuerst, first of all, at first
zufrieden, content
der Zug (⁼e), train
zuguterletzt, at long last
zu'hören, listen
zu'machen, close
zu'nähen, sew together
zurück, back
zurück'bleiben, blieb zurück, ist zurückgeblieben, stay behind
zurück'kommen, kam zurück, ist zurückgekommen, come back
zusammen, together
zu'stopfen, stop up, mend
zwanzig, twenty
zwei, two
der Zweig (-e), twig
zweimal, twice
der, die, das zweite, the second
zwischen, between

ENGLISH–GERMAN VOCABULARY

about, etwa
above, oben
above-mentioned, obgenannt
absolute, unbedingt
accordion, die Ziehharmonika (⸗s)
acquaintance, der Bekannte (⸗n, ⸗n)
admire, bewundern, bewundre, hat bewundert
Advent calendar, der Advents⸗kalender (—)
Advent Sunday, der Advents⸗sonntag (⸗e)
Advent wreath, der Adventskranz (¨—e)
advertisement, die Reklame (⸗n)
advertising film, der Reklamefilm (⸗e)
advice, der Rat (¨—e)
advise, raten, rät, riet, hat geraten
after, nach (Dat.)
afternoon, der Nachmittag (⸗e); in the afternoon, nachmittags
afternoon coffee, der Nachmittags⸗kaffee
again, wieder
against, gegen (Akk.)
ago, vor (Dat.)
agreed, einverſtanden
ah, ach
air, die Luft (¨—e)
alas, ach
all, alle, alles
almost, faſt
alone, allein
along, entlang (Akk.)
Alps, die Alpen (Pl.)
already, ſchon
also, auch; ebenfalls
altar, der Altar (¨—e)
always, immer; as always, wie immer
America, Amerika (neut.)
amount, der Betrag (¨—e)
and, und
angel, der Engel (—)
angry, ärgerlich
animal, das Tier (⸗e)
announcer, der Anſager (—)
answer, die Antwort (⸗en)
answer, antworten, antwortet
anxiety, die Angſt (¨—e)
anyway, immerhin
appear, ſcheinen, ſchien, hat geſchie⸗nen; aus'ſehen, ſieht aus, ſah aus, hat ausgeſehen
apple, der Apfel (¨—)
apple cake, der Apfelkuchen (—)
apricot, die Aprikoſe (⸗n)
apricot cake, der Aprikoſenkuchen (—)
apricot tree, der Aprikoſenbaum (¨—e)
apron, die Schürze (⸗n)
armchair, der Seſſel (—), der Klubſeſſel (—), der Lehnſtuhl (¨—e)
arrive, an'kommen, kam an, iſt angekommen
ask, fragen; bitten, bittet, bat, hat gebeten
ass, der Eſel (—)
aster, die Aſter (⸗n)
at, an (Akk. und Dat.), um (Akk.); not at all, gar nicht
attic, der Dachboden (¨—)
August, der Auguſt
Austria, Öſterreich (neut.)

automatic machine, der Automat (-en, -en)
autumn, der Herbst (-e)
awake, wach (adj.); auf'wachen (verb)
away, fort, weg

back, zurück
bacon, der Speck (-e)
bad, schlecht
bag, die Tasche (-n)
bake, backen, bäckt, buk, hat gebacken
balcony, der Balkon (-e)
bank (river), das Ufer (—)
banknote, die Banknote (-n)
bankrupt, pleite
barrier, die Sperre (-n)
basket, der Korb (⸚e)
Bavarian, bayrisch
be, sein, ist, war, ist gewesen
beach, der Strand (⸚e)
bean, die Bohne (-n)
bear, vertragen, verträgt, vertrug, hat vertragen
beard, der Bart (⸚e)
beautiful, wunderschön, schön
become, werden, wird, wurde, ist geworden
bed, das Bett (-en); garden-bed, das Beet (-e)
bedroom, das Schlafzimmer (—); der Schlafraum (⸚e)
beech, die Buche (-n)
beer, das Bier (-e)
beer garden, der Bierkeller (—)
beer glass, das Bierglas (⸚er); der Bierkrug (⸚e)
before, vor (Akk. und Dat.); bevor, ehe (conj.)
begin, beginnen, begann, hat begonnen
beginning, der Anfang (⸚e); from the beginning, von Anfang an
behind, hinter (Akk. und Dat.)
believe, glauben
bell, die Glocke (-n)
below, unten
bench, die Bank (⸚e)
berry, die Beere (-n)
best, best, am besten
better, besser; all the better, umso besser
between, zwischen (Akk. und Dat.)
Bible, die Bibel (-n)
big, groß
bird, der Vogel (⸚)
birth, die Geburt (-en)
bite, beißen, biß, hat gebissen
bitter, bitter
black, schwarz
Black Forest, der Schwarzwald
blanket, die Decke (-n)
blonde, blond
bloom, blühen
blow, wehen
blue, blau
blunt, stumpf
boarding house, die Pension (-en)
book, das Buch (⸚er)
booking office, der Schalter (—)
boot, der Stiefel (—)
both, beide
bottle, die Flasche (-n)
bow, der Bückling (-e)
bowed legs, die O-Beine
box, die Kiste (-n); die Schachtel (-n)
boxing match, der Boxkampf (⸚e)
boy, der Knabe (-n, -n); der Junge (-n, -n)
brandy, der Likör (-e)
bread, das Brot (-e)
bread and butter, das Butterbrot (-e)
break, brechen, bricht, brach, hat gebrochen
breakfast, das Frühstück (-e); frühstücken
breed, die Rasse (-n)
bridge, das Bridge (cards)
bright, hell
bring, bringen, brachte, hat gebracht

broad, breit
broad shouldered, breitschultrig
brother, der Bruder (⸚)
brown, braun
bunch of flowers, der Strauß (⸚e)
burn, brennen, brannte, hat gebrannt
bush, der Busch (⸚e)
business, das Geschäft (-e); he does good business, er macht gute Geschäfte
but, aber; sondern (after negation)
butter, die Butter
butter milk, die Buttermilch
buy, kaufen

cabbage, der Kohl (kein Pl.); head of cabbage, der Kohlkopf (⸚e)
café, das Café (-s)
cake, der Kuchen (—)
calendar, der Kalender (—)
call, be called, heißen, hieß, hat geheißen; rufen, rief, hat gerufen
camel, das Kamel (-e)
can, können, kann, konnte, hat gekonnt
candle, die Kerze (-n)
canon, der Kanon (-s)
cap, die Kappe (-n); little cap, das Käppchen (—)
card, die Karte (-n)
care, die Sorge (-n)
carry, tragen, trägt, trug, hat getragen
case: in any case, jedenfalls
cash, die Kasse (-n)
cashier, der Kassier (-e)
cat, die Katze (-n)
catch, fangen, fängt, fing, hat gefangen
cathedral, der Dom (-e)
cauliflower, der Blumenkohl (kein Pl.)
cautious, vorsichtig
cave, die Höhle (-n)
ceiling, die Decke (-n)
celebrate, feiern
cellar, der Keller (—)
cello, das Cello (-s)
central heating, die Zentralheizung (-en)
central station, der Hauptbahnhof (⸚e)
century, das Jahrhundert (-e)
certain, gewiß
chair, der Stuhl (⸚e)
change, wechseln, wechsle
chapter, das Kapitel (—)
charm, der Zauber (—)
charming, reizend
chat, plaudern
cheap, billig
cheek, die Wange (-n)
cheerful, vergnügt, fröhlich, lustig
cheese, der Käse (—)
cheque, der Scheck (-s)
chess, das Schach (kein Pl.)
child, das Kind (-er)
child's play, die Kinderei (-en)
chilly, kühl
chimney, der Kamin (-e); der Schornstein (-e)
chocolate, die Schokolade (-n)
choose, wählen
Christ child, das Christkind
Christmas, die Weihnachten (—); like Christmas, weihnachtlich
Christmas carol, das Weihnachtslied (-er)
Christmas Eve, der Heilige Abend (-e); Christmas tree, der Weihnachtsbaum (⸚e)
church, die Kirche (-n)
cigar, die Zigarre (-n)
cigarette, die Zigarette (-n)
cinema, das Kino (-s)
circle, der Kreis (-e)
city, die Altstadt (⸚e)
class, die Klasse (-n)
classical, klassisch

clean, ſauber; rein
clear, hell; klar
climb, ſteigen, ſtieg, iſt geſtiegen
clock, die Uhr (-en)
close, ſchließen, ſchloß, hat geſchloſſen; zu'machen
closed, zu
coal, die Kohle (-n)
coat, die Jacke (-n)
cock, der Hahn (¨-e)
coffee, der Kaffee (-s)
coke, der Koks (kein Pl.)
cold, kalt
colour, die Farbe (-n)
comb, der Kamm (¨-e); kämmen
come, kommen, kam, iſt gekommen
come back, zurück'kommen, kam zurück, iſt zurückgekommen
come in, herein'kommen, kam herein, iſt hereingekommen
come in! herein!
come on! los!
comfort, die Bequemlichkeit (-en)
comfortable, gemütlich; bequem
common room, der Tagesraum (¨-e)
compartment, das Abteil (-e)
complain of, klagen über (Akk.)
complicated, kompliziert
compliment, das Kompliment (-e)
composer, der Komponiſt (-en, -en)
comrade, der Kamerad (-en, -en)
concerned, beſorglich; bedacht
concert, das Konzert (-e)
conclusion, der Schluß (Schlüſſe); in conclusion, zum Schluß
conduct, dirigieren
content, zufrieden
contrary, das Gegenteil (-e); on the contrary, im Gegenteil
convenient, praktiſch
cook, kochen; der Koch (¨-e), die Köchin (-nen)
cookery book, das Kochbuch (¨-er)
cool, kühl; kühlen
corner, die Ecke (-n)
correct, richtig; be correct, ſtimmen; that is correct, das ſtimmt
correspond, korreſpondieren, hat korreſpondiert
cost, koſten, koſtet
costly, koſtbar
costume, das Koſtüm (-e)
council chamber, das Ratszimmer (—)
counsel, der Rat (¨-e)
count, zählen
country, das Land (¨-er)
courage, der Mut (kein Pl.)
cousin, der Vetter (-n); die Kuſine (-n)
covered, bedeckt
cow, die Kuh (¨-e)
cowslip, die Schlüſſelblume (-n)
credit, der Kredit (-e)
creep, kriechen, kroch, iſt gekrochen
crib, die Krippe (-n)
crocus, der Krokus (Krokuſſe)
cross road, die Querſtraße (-n)
crossing, die Überfahrt (-en); die Wegkreuzung (-en); die Kreuzung (-en)
crow, krähen
cry, ſchreien, ſchrie, hat geſchrieen; rufen, rief, hat gerufen; der Schrei (-e); das Geſchrei
cuckoo, der Kuckuck (-e)
cucumber, die Gurke (-n)
cucumber salad, der Gurkenſalat (-e)
cunning, ſchlau
cup, die Taſſe (-n)
cupboard, der Schrank (¨-e)
curly, lockig
curse, verwünſchen, hat verwünſcht
curtain, der Vorhang (¨-e)
curtsey, der Knix (-e)
cut, ſchneiden, ſchneidet, ſchnitt, hat geſchnitten
cut off, ab'ſchneiden, ſchneidet ab, ſchnitt ab, hat abgeſchnitten

cut open, auf'schneiden, schneidet auf, schnitt auf, hat aufgeschnitten

dachshund, der Dachshund (=e)
dahlia, die Dahlie (=n)
daily paper, das Tageblatt (=̈er)
dairy, die Molkerei (=en)
dance, tanzen
dance music, die Tanzmusik (kein Pl.)
dandelion, der Löwenzahn
dark, dunkel
darken, dunkeln
darkness, das Dunkel (—)
darling, das Liebchen (—)
daughter, die Tochter (=̈)
day, der Tag (=e)
dead, tot
dear, lieb; traut; teuer
debt, die Schuld (=en); I get into debt, ich mache Schulden
December, der Dezember
deep, tief
defend oneself, sich wehren
deliver, aus'tragen, trägt aus, trug aus, hat ausgetragen
depart, ab'fahren, fährt ab, fuhr ab, ist abgefahren
department store, das Warenhaus (=̈er)
depth, die Tiefe (=n)
descendant, der Nachkomme (=n, =n)
describe, beschreiben, beschrieb, hat beschrieben
desire, die Lust
dessert, der Nachtisch (=e)
detective, der Detektiv (=e)
devil, der Teufel (—); little devil, das Teuflein (—)
dial, wählen
die, sterben, stirbt, starb, ist gestorben
difficult, schwer
diligent, fleißig
dining room, das Speisezimmer (—)
direct, direkt
dirty, schmutzig
disadvantage, der Nachteil (=e)
disappear, verschwinden, verschwand, ist verschwunden
distance, die Ferne (=n)
distant, fern
distemper, tünchen
distinguished, vornehm
district, die Gegend (=en)
disturb, stören
divine, göttlich
do, tun, tat, hat getan
doctor, der Doktor (=en)
dog, der Hund (=e)
donkey, der Esel (—)
door, die Tür (=en)
downstairs, unten
dozen, das Dutzend (=e)
draw, ziehen, zog, hat gezogen
dream, träumen; der Traum
drink, trinken, trank, hat getrunken
drive, fahren, fährt, fuhr, ist gefahren
drop, tropfen
drought, die Trockenheit (=en)
drown, ertrinken, ertrank, ist ertrunken
dry, trocken (adj.)
duration, die Dauer (kein Pl.); during, während (Gen.)
dusty, staubig
dwell, wohnen

each, jeder, jede, jedes
ear, das Ohr (=en); up to the ears, bis über die Ohren
earlier, früher
early, früh
earth, die Erde (=n)
east, der Osten (kein Pl.); das Morgenland
east wind, der Ostwind (=e)
easy, leicht

eat, essen, ißt, aß, hat gegessen; fressen, frißt, fraß, hat gefressen (animals)
echo, das Echo (-s)
egg, das Ei (-er); hard boiled egg, das harte Ei
eight, acht
the eighth part, das Achtel (—)
electric, elektrisch
electricity, die Elektrizität (-en)
eleven, elf
emperor, der Kaiser (—)
empire, das Reich (-e)
end, das Ende (-n); der Schluß (Schlüsse); enden, endet
endless, endlos
energy, die Energie (-n)
engage, besetzen
engaged, besetzt
England, England (neut.)
English, englisch; in English, auf englisch
Englishman, der Engländer (—)
enter, ein'treten, tritt ein, trat ein, ist eingetreten; betreten, betritt, betrat, hat betreten
entrance, der Eingang (⸗̈e)
entrance hall, die Eingangshalle (-n)
epidemic, die Epidemie (-n)
equal, gleich
eternal, ewig
even, sogar; eben
evening, der Abend (-e); in the evening, abends, am Abend; good evening, guten Abend; this evening, heute Abend
every (one), jeder, jede, jedes
everywhere, überall
exact, genau
excellent, ausgezeichnet
excited, aufgeregt
excursion, der Ausflug (⸗̈e)
excuse, entschuldigen, hat entschuldigt
exercise, die Aufgabe (-n)
exist, bestehen, bestand, hat bestanden
express train, der Schnellzug (⸗̈e)
eye, das Auge (-n)

face, das Gesicht (-er)
factory, die Fabrik (-en)
fair, blond
fairly, ziemlich
fairy tale, das Märchen (—)
faith, der Glaube (-ns, -n, -n)
faithful, treu
faithfulness, die Treue (kein Pl.)
fall, fallen, fällt, fiel, ist gefallen
family, die Familie (-n)
far, weit
farewell! leben Sie wohl!
farm bread, das Bauernbrot (-e)
farm house, das Bauernhaus (⸗̈er)
farmer, der Bauer (-n)
farther, weiter; that is going too far, das geht zu weit
fashionable, vornehm
father, der Vater (⸗̈)
fear, die Angst (⸗̈e)
festival, das Fest (-e)
fetch, holen
field, das Feld (-er)
fifth, der, die, das fünfte
fifty, fünfzig
figure, die Figur (-en)
fill, füllen
fill in, aus'füllen
film, der Film (-e)
finally, endlich
find, finden, findet, fand, hat gefunden
fine, fein; schön
finish, enden, endet; I finish reading the book, ich lese das Buch zu Ende
fir tree, die Tanne (-n)
fir twig, der Tannenzweig (-e)
fire, das Feuer (—)
first of all, at first, zuerst; erst
five, fünf

flat, die Wohnung (-en)
float, wogen, wallen
flood, das Hochwasser (—)
floor, der Fußboden (-̈)
flour, das Mehl (-e)
flow, fließen, floß, ist geflossen
flow into, münden, mündet
flower, die Blume (-n)
flower bed, das Blumenbeet (-e)
fluent, fließend
flute, die Flöte (-n)
flutter, flattern
fly, fliegen, flog, ist geflogen
follow, folgen (Dat.)
foot, der Fuß (-̈e)
foot path, der Fußweg (-e)
football, der Fußball (-̈e)
football match, das Fußballspiel (-e)
for, für (prep. Akk.); denn (conj.)
for an hour, eine Stunde lang
forbidden, verboten
forester, der Förster (—)
forget-me-not, das Vergißmeinnicht (-e)
form, das Formular (-e)
formality, die Formalität (-en)
former, früher
fortnight, vierzehn Tage
fortunately, zum Glück; I am fortunate, ich habe es gut
fortune, das Vermögen (—)
forty, vierzig
fountain, der Brunnen (—); little fountain, das Brünnlein (—)
four, vier
fourth, der, die, das vierte
fox-terrier, der Foxterrier (—)
free, frei
freeze, frieren, fror, hat gefroren
fresh, frisch
Friday, der Freitag (-e)
friend, der Freund (-e); die Freundin (-nen)
friendly, freundlich
frightful, furchtbar
from, von (Dat.)
fruit, das Obst (kein Pl.)
fruit tree, der Obstbaum (-̈e)
full, voll
funny, komisch
furniture, das Möbel (—); piece of furniture, das Möbelstück (-e)
further, weiter

game, das Spiel (-e)
garden, der Garten (-̈)
gardener, der Gärtner (—)
gas, das Gas (-e)
gas fire, das Gasfeuer (—)
gas oven, der Gasherd (-e)
gate, das Tor (-e)
gentian, der Enzian (-e)
gentle, hold
gentleman, der Herr (-n, -en)
geranium, die Geranie (-n)
German, deutsch; der, die Deutsche (-n); in German, auf deutsch
German National Transmitter, der Deutschlandsender (—)
Germany, Deutschland (neut.)
get, bekommen, bekam, hat bekommen; get in, ein'steigen, stieg ein, ist eingestiegen; get out, aus'steigen, stieg aus, ist ausgestiegen; get up, auf'stehen, stand auf, ist aufgestanden
girl, das Mädchen (—)
give, geben, gibt, gab, hat gegeben
glad, froh
glass, das Glas (-̈er); small glass, das Gläschen (—)
glow, erglühen
go, gehen, ging, ist gegangen; go away, fort'gehen, ging fort, ist fortgegangen; go on, weiter'gehen, ging weiter, ist weitergegangen; weiter'fahren, fährt weiter, fuhr weiter, ist weitergefahren; it cannot go on like this, so kann es nicht weitergehen

go out, aus'gehen, ging aus, ist ausgegangen
go wrong, fehl'gehen, ging fehl, ist fehlgegangen
god, der Gott (¨—er)
golden, golden
good, gut
good day, guten Tag; good evening, guten Abend; good gracious, Donnerwetter; good heavens, guter Himmel; a good journey, gute Reise, gute Fahrt; good morning, guten Morgen; good night, gute Nacht
goodbye, auf Wiedersehen
good-natured, gutmütig
goodness, die Güte (kein Pl.)
goose, die Gans (¨—e); wild goose, die Wandergans (¨—e)
grace, die Gnade (-n)
gracious, gnädig
grandmother, die Großmutter (¨—)
grape, die Traube (-n)
grass, das Gras (¨—er)
grave, das Grab (¨—er)
great, groß
green, grün
greet, begrüßen, hat begrüßt; grüßen
greeting, der Gruß (¨—e)
grey, grau
grief, das Weh
grin, grinsen
ground, der Grund (¨—e); der Boden (¨—)
group, die Gruppe (-n)
grumble, brummen
guard, behüten, behütet, hat behütet
guest, der Gast (¨—e)
guitar, die Guitarre (-n)
gun, das Gewehr (-e)

hail! Heil!
hair, das Haar (-e)
halt! halt!
halt, halten, hält, hielt, hat gehalten
hand, die Hand (¨—e); at your right hand side, zur rechten Hand
hang, hängen (hangen, *arch.*), hing, hat gehangen; hängen, hängte, hat gehängt
happiness, das Glück
happy, glücklich
hard, hart
hard-working, fleißig
hardly, kaum
hare, der Hase (-n)
harmonium, das Harmonium (-s)
harp, die Harfe (-n)
hat, der Hut (¨—e)
hat box, die Hutschachtel (-n)
hate, hassen
have, haben, hat, hatte, hat gehabt
head, der Kopf (¨—e); das Haupt (¨—er)
health, die Gesundheit; das Wohlsein; your health! prosit! zum Wohlsein
healthy, gesund
hear, hören
heart, das Herz (-ens, -en); I take it to heart, ich nehme es mir zu Herzen
hearty, herzlich
heat, heizen
heath, die Heide (-n)
heating, die Heizung (-en)
heaven, der Himmel (—); good heavens, guter Himmel; heaven knows what, weiß der Himmel, was
heavenly, himmlisch
heavy, schwer
height, die Höhe (-n)
help, helfen (Dat.), hilft, half, hat geholfen
helper, der Helfer (—)
hen, das Huhn (¨—er)
here, hier
hide (oneself), (sich) verstecken
high, hoch, hoh
higher, höher

highest, höchst
highly, höchst
his, sein, seine
history, die Geschichte (-n)
hold, halten, hält, hielt, hat gehalten
hole, das Loch (⁼er)
holiday, der Urlaub (-e); die Ferien (kein Sing.)
hollyhock, die Malve (-n)
holy, heilig
home, heim; nach Hause; at home, zu Hause
honey, der Honig
hope, hoffen; it is to be hoped, hoffentlich
horse, der Gaul (⁼e); das Pferd (-e)
hostel, die Herberge (-n)
hot, heiß
hotel, das Hotel (-s); das Gasthaus, (⁼er)
hour, die Stunde (-n)
house, das Haus (⁼er)
house-wife, die Hausfrau (-en)
how, wie; how are you? wie geht es Ihnen?
human, menschlich
hundred, hundert
hunger, der Hunger
hungry, hungrig
hut, die Hütte (-n)
hyacinth, die Hyazinthe (-n)

ice, ice-cream, das Eis (kein Pl.)
ice-cream seller, der Eisverkäufer (—)
idea, die Idee (-n)
ideal, ideal
ill, krank
illness, die Krankheit (-en)
immediately, gleich
important, wichtig
in, in (Akk. und Dat.)
inform, kund'machen
inn, das Gasthaus (⁼er)
inside, drinnen
in spite of it, trotzdem
instrument, das Instrument (-e)
insure, versichern, hat versichert
interest, das Interesse (-n); interessieren, hat interessiert
interesting, interessant
international, international
invite, ein'laden, lädt ein, lud ein, hat eingeladen

jazz, das Jazz
jewel, das Juwel (-en)
jewellery, das Geschmeide (—)
journey, die Reise (-n); reisen; fahren, fährt, fuhr, ist gefahren; a good journey! gute Reise!
joy, die Freude (-n)
jump, springen, sprang, ist gesprungen
June, der Juni
just, eben

kangaroo, das Känguruh (-s)
kerchief, das Kopftuch (⁼er)
kinds: of all kinds, all kinds of things, allerlei
king, der König (-e)
kiss, der Kuß (Küsse)
kitchen, die Küche (-n)
knapsack, der Mantelsack (⁼e)
knife, das Messer (—)
knock, klopfen; somebody is knocking, es klopft
know, wissen, weiß, wußte, hat gewußt; kennen, kannte, hat gekannt; as far as I know, so viel ich weiß; heaven knows what, weiß der Himmel, was
known, bekannt; well-known, bekannt

lake, der See (-n)
Lake Constance, der Bodensee
lame, lahm
lamp, die Lampe (-n)
landlady, die Wirtin (-nen)

landlord, der Wirt (-e)
language, die Sprache (-n)
large, groß
lark, die Lerche (-n)
last, letzt
late, spät
the latter, der, die, das Letztere; at last, endlich; at long last, zuguterletzt
laugh, lachen; it is easy for you to laugh, Sie haben gut lachen; it is no laughing matter, es ist nicht zum Lachen
lazy, faul
lead, führen
leaf, das Blatt (-̈er)
learn, lernen
at least, wenigstens [(adj.)
leather, das Leder (—); ledern
leave, lassen, läßt, ließ, hat gelassen; leave it! lassen Sie es sein! leave it to me, lassen Sie mich machen
left, link; on the left, links
leg, das Bein (-e)
less, weniger
let, lassen, läßt, ließ, hat gelassen
letter, der Brief (-e)
lie, liegen, lag, hat gelegen
life, das Leben (kein Pl.)
light, das Licht (-er); leicht; hell
like, lieben; gern haben; mögen, mag, mochte, hat gemocht; I like to hear him, ich höre ihn gern; I like it, es gefällt mir; I should like to come, ich möchte gern kommen
lime tree, die Linde (-n)
listen, zu'hören; horchen; hören
listener, der Hörer (—)
little, klein; wenig; the little one, der, die, das Kleine
live, leben; wohnen; I kept alive, ich blieb am Leben
load, beladen, belädt, belud, hat beladen
local, hiesig
lonely, einsam
long, lang (-e)
look, schauen; aus'sehen, sieht aus, sah aus, hat ausgesehen
look for, suchen
look out, hinaus'sehen, sieht hinaus, sah hinaus, hat hinausgesehen
lose (of watch), nach'gehen, ging nach, ist nachgegangen
lose, verlieren, verlor, hat verloren
loud, laut
love, lieben; lieb haben; die Liebe
lovely, wunderschön
luggage, das Gepäck (kein Pl.)
luggage office, der Gepäckschalter (—)
lunch, das Mittagessen (—); I have lunch, ich esse zu Mittag
lupin, die Lupine (-n)

machine, die Maschine (-n)
Madam, gnädige Frau
maiden, die Jungfrau (-en)
make, machen; tun, tat, hat getan
man, der Mann (-̈er); der Mensch (-en)
manœuvre, das Manöver (—)
many, viele
many coloured, bunt
march, marchieren; der Marsch (-̈e)
market, der Markt (-̈e)
market place, der Marktplatz (-̈e)
matter: it does not matter, es macht nichts; what is the matter with me? was habe ich?
may, dürfen, darf, durfte, hat gedurft
May, der Mai (kein Pl.)
mayor, der Bürgermeister (—)
meadow, die Wiese (-n)

mean, bedeuten, bedeutet; in the meantime, inzwischen
meet, treffen, trifft, traf, hat getroffen
melody, die Melodie (-n)
melt, schmelzen, schmilzt, schmolz, ist geschmolzen
mend, zu'stopfen
merchant, der Kaufmann, (Kaufleute)
merry, lustig
metre, das Meter (—)
midday, der Mittag (-e)
middle, die Mitte (-n); in the middle of, mitten in (Akk. und Dat.)
military, das Militär
milk, die Milch
mind, der Sinn (-e)
minute, die Minute (-n)
Miss, Fräulein (-s)
miss, vermissen, hat vermißt
mist, der Nebel (—)
mix, mischen
mixed, gemischt
modern, modern
moment, der Moment (-e)
Monday, der Montag (-e)
money, das Geld (-er)
money counter, der Geldschalter (—)
money exchange, der Geldwechsel [(—)
monotonous, monoton; eintönig
month, der Monat (-e)
monument, das Denkmal (-̈er)
mood, die Laune (-n)
more, mehr
morning, der Morgen (—); in the morning, morgens, am Morgen; good morning, guten Morgen
Moslem, der Muselmann (-̈er)
moss, das Moos (-e)
mostly, meistens
mother, die Mutter (-̈)
motor car, das Auto (-s)
motto, das Motto (-s)
mountain, der Berg (-e)
mourning, die Trauer
mouse, die Maus (-̈e)
mouth, der Mund (-̈er)
move on, weiter'ziehen, zog weiter, ist weitergezogen
Mr., der Herr (-n, -en)
Mrs., die Frau (-en)
much, viel
music, die Musik (kein Pl.)
music room, das Musikzimmer (—)
musician, der Musiker (—)
must, müssen, muß, mußte, hat gemußt
my, mein, meine

naked, nackt
name, der Name (-n, -ns, -n)
narcissus, die Narzisse (-n)
narrow, eng
nativity play, das Krippenspiel (-e)
natural, natürlich
naval review, das Flottenmanöver (—)
navy, die Flotte (-n)
near, bei (Dat.); neben (Dat. und Akk.); nahe (adj.)
nearer, näher
nearest, nächst
nearly, fast
necessary, nötig
neck, der Hals (-̈e)
need, brauchen; bedürfen, bedarf, bedurfte, hat bedurft
needle, die Nadel (-n)
neighbour, der Nachbar (-n, -n)
neighbourhood, die Nähe (-n)
nerve, der Nerv (-en)
nest, das Nest (-er)
never, nie(mals)
never yet, noch nie
nevertheless, trotzdem
new, neu

newspaper, die Zeitung (-en)
next, nächst
next door, nebenan
nice, nett; schön
night, die Nacht (-̈e); good night, gute Nacht
nightingale, die Nachtigall (-en)
nine, neun
no, nein; kein (-e)
nod, nicken
non-smoker, der Nichtraucher (—)
north, der Norden
North Germany, Norddeutschland (neut.)
nose, die Nase (-n)
not, nicht
not either, auch nicht
note, der Schein (-e)
note-book, das Notizbuch (-̈er)
nothing, nichts
nothing but, nichts als
now, nun; jetzt; from now on, von nun an
nowadays, heutzutage
number, die Nummer (-n)
nursery, das Kinderzimmer (—)
nut, die Nuß (Nüsse)

object, etwas dagegen haben; I object to it, ich habe etwas dagegen
obvious, offenbar
occupied, besetzt
October, der Oktober (—)
off, ab
office, das Büro (-s)
official, der Beamte (-n, -n); amtlich
often, oft
oil, das Öl (-e)
oil paint, die Ölfarbe (-n)
old, alt
oldest, ältest
omnibus, der Omnibus (-se)
on, auf, an (Akk. und Dat.)
once, einmal
one, eins; ein, eine; man
one and a half, eineinhalb
one another, einander
only, nur, erst
open, auf'machen; öffnen, öffnet; auf'gehen, ging auf, ist aufgegangen; offen (adj.); in the open, im Freien
optimist, der Optimist (-en, -en)
or, oder
orchestra, das Orchester (—)
order, die Ordnung (-en); die Anweisung (-en)
order, bestellen, hat bestellt
organ, die Orgel (-n)
other, ander
otherwise, anders
our, unser, unsere
out, heraus, hinaus; aus (prep., Dat.)
out of, aus (Dat.); von (Dat.)
outside, draußen; outside the town, vor der Stadt
oven, der Herd (-e)
own, eigen; with one's own hands, eigenhändig
ox, der Ochs (-en, -en)

pack, packen
page, die Seite (-n)
pain, der Schmerz (-en)
painting, die Malerei (-en)
pale, blaß
paper, tapezieren, hat tapeziert
papered, tapeziert
parade, die Parade (-n)
parcel, das Paket (-e)
pardon? wie bitte?
parents, die Eltern (kein Sing.)
parson, der Pfarrer (—)
particularly, besonders
partner, der Partner (—)
pass, vergehen, verging, ist vergangen

pass, vorbei'kommen, kam vorbei, ist vorbeigekommen
Passion Theatre, das Passionstheater (—)
passport, der Paß (Pässe)
past, vorbei
patient, geduldig
pay, zahlen
pea, die Erbse (-n)
pea soup, die Erbsensuppe (-n)
peach, der Pfirsich (-e)
pear, die Birne (-n)
people, die Leute (kein Sing.)
perceive, vernehmen, vernimmt, vernahm, hat vernommen
perhaps, vielleicht
person, die Person (-en); der Mensch (-en, -en)
pfennig, der Pfennig (-e)
piano, das Klavier (-e)
pick, pflücken
picture, das Bild (-er)
picture postcard, die Ansichtskarte (-n)
piece, das Stück (-e)
pine tree, die Kiefer (-n)
pipe, die Pfeife (-n)
piper, der Pfeifer (—)
pity: it is a pity, es ist schade
place, der Platz (-̈e); die Stelle (-n); in some places, an manchen Stellen
place, stellen
plague, die Plage (-n)
plant, die Pflanze (-n); pflanzen
plate, der Teller (—); a plate of soup, ein Teller Suppe
platform, der Bahnsteig (-e)
play, spielen; das Spiel (-e)
player, der Spieler (—)
please, bitte; gefallen, gefällt, gefiel, hat gefallen (Dat.)
pleasure, das Vergnügen (—)
plum, die Pflaume (-n)
plum tree, der Pflaumenbaum (-̈e)

poem, das Gedicht (-e)
point, die Spitze (-n); der Punkt (-e)
policeman, der Polizist (-en, -en)
polish, polieren
polished, poliert
polka, die Polka (-s)
poor, arm
porter, der Gepäckträger (—)
post, die Post (-en)
postal order, die Postanweisung (-en)
postcard, die Postkarte (-n)
postman, der Briefträger (—)
potato, die Kartoffel (-n)
pound, das Pfund (-e)
powerful, gewaltig
practical, praktisch
precious, kostbar
present, das Geschenk (-e)
presentiment, die Ahnung (-en); full of presentiment, ahnungsvoll
press, drücken
pretty, hübsch
price, der Preis (-e)
prick, stechen, sticht, stach, hat gestochen
primula, die Primel (-n)
principle, das Prinzip (-ien); on principle, aus Prinzip
prize, der Preis (-e)
programme, das Programm (-e)
promise, versprechen, verspricht versprach, hat versprochen
protect, behüten, behütet, hat behütet
proud, stolz
proverb, das Sprichwort (-̈er)
province, die Provinz (-en)
pull, ziehen, zog, hat gezogen
pull asunder, auseinander'ziehen, zog auseinander, hat auseinandergezogen
punctual, pünktlich
put, setzen; stellen; legen

quarter, das Viertel (—)
quarters, das Quartier (=e)
question, die Frage (=n); fragen
queue, die Schlange (=n)
quick, schnell; rasch
quiet, still; die Stille; ruhig; die Ruhe
quite, ganz

race, die Rasse (=n)
radish, der Rettich (=e)
railway, die Eisenbahn (=en)
rain, der Regen (kein Pl.); regnen, regnet
rare, rar
raspberry, die Himbeere (=n)
raspberry bush, der Himbeerbusch (⸚e)
rat, die Ratte (=n)
rat catcher, der Rattenfänger (—)
rate: at any rate, jedenfalls
rather, lieber; ziemlich
read, lesen, liest, las, hat gelesen; for reading, zum Lesen
ready, fertig
real, wirklich
reality, die Wirklichkeit (=en)
receiver (telephone), der Hörer (—)
recipe, das Rezept (=e)
recipient, der Empfänger (—)
red, rot
red hot, feuerrot
regards: with kind regards, mit herzlichen Grüßen
Regional Transmitter, der Reichssender (—)
relief, die Erleichterung (=en)
remain, bleiben, blieb, ist geblieben
remaining, übrig
remote, seitab
request, bitten, bittet, bat, hat gebeten (um + Akk.)
restaurant, das Restaurant (=s)
review (military), das Manöver (—)
rheumatism, der Rheumatismus (kein Pl.)
Rhine, der Rhein
ribbon, das Band (⸚er)
rich, reich
ride, fahren, fährt, fuhr, ist gefahren
ride, die Fahrt (=en)
rider, der Reiter (—)
right, recht, richtig; on the right, rechts; you are right, Sie haben recht; is it all right for you? ist es Ihnen recht?
ring, klingen, klang, hat geklungen; läuten, läutet; an'läuten, läutet an
ring, der Ring (=e)
ripe, reif
rise, auf'gehen, ging auf, ist aufgegangen (sun); auf'stehen, stand auf, ist aufgestanden (get up)
risk, riskieren, hat riskiert
river, der Fluß (Flüsse); der Strom (⸚e)
roam, streifen
roar, brausen
roast beef, der Rindsbraten (—)
rock, der Felsen (—); rocky cliff, das Felsenriff (=e)
romantic, romantisch
roof, das Dach (⸚er)
room, der Raum (⸚e); das Zimmer (—); die Kammer (=n); der Platz (⸚e)
rose, die Rose (=n); little rose, das Röslein (—)
rosy, rosig
round, rund; die Runde (=n)
row, die Reihe (=n)
rowing boat, der Kahn (⸚e)
rucksack, der Rucksack (⸚e)
ruin, die Ruine (=n)
Rumania, Rumänien (neut.)
Rumanian, rumänisch
Rummy, das Rommé

run, laufen, läuft, lief, ist gelaufen; in the long run, auf die Dauer
rush, rauschen

sad, traurig
salad, der Salat (-e)
salt, das Salz (-e); salzen
sand, der Sand (kein Pl.)
sandal, die Sandale (-n)
sandwich, das belegte Brot (-e)
satisfied, satt
Saturday, der Samstag (-e); der Sonnabend (-e)
sauce, die Tunke (-n)
saucepan, der Topf (¨-e)
sausage, die Wurst (¨-e)
save, sparen; retten, rettet
saving, rettend
saviour, der Retter (—)
say, sagen; no sooner said than done, gesagt, getan
scene, die Szene (-n)
scenery, die Kulisse (-n)
scent, der Duft (¨-e); duften, duftet
school, die Schule (-n)
Scylla, die Scilla (-s)
sea, die See (-n), das Meer (-e); sea-sick, seekrank
seat, der Platz (¨-e), der Sitz (-e); take a seat! nehmen Sie Platz!
the second, der, die, das zweite
see, sehen, sieht, sah, hat gesehen
seek, suchen
seem, aus'sehen, sieht aus, sah aus, hat ausgesehen; scheinen
seize, fassen; ergreifen, ergriff, hat ergriffen
seldom, selten
self, selbst; I myself, ich selbst
sell, verkaufen, hat verkauft
send, senden, sendet, sendete, hat gesendet (sandte, hat gesandt)
sender, der Absender (—)
sense, der Sinn (-e)
sensible, verständig, vernünftig
serious, ernst; seriously ill, schwer krank
sew, nähen; sew together, zu'nähen
shade, der Schatten (—)
shadow, der Schatten (—)
shall, sollen, soll, sollte, hat gesollt
sharp, scharf
sheep, das Schaf (-e)
shepherd, der Hirt (-en, -en)
shimmer, schimmern
shine, scheinen, schien, hat geschienen; leuchten, leuchtet; funkeln
ship, das Schiff (-e)
shipman, der Schiffer (—)
shirt, das Hemd (-en)
shirt sleeve, der Hemdärmel (—)
shoot, schießen, schoß, hat geschossen
shop, der Laden (¨)
short, kurz; shortly after 6, kurz nach sechs
shout, rufen, rief, hat gerufen
show, zeigen
sigh, seufzen; der Seufzer (—)
sign, das Zeichen (—)
signal, das Zeichen (—)
sign-post, der Wegweiser (—)
silent: to be silent, schweigen, schwieg, hat geschwiegen
silver, das Silber (—); silbern (adj.)
similar (to), ähnlich (wie)
since, seit; since then, seitdem
sing, singen, sang, hat gesungen
sink, sinken, sank, ist gesunken
Sir! mein Herr!
sister, die Schwester (-n)
sit, sitzen, saß, hat gesessen
sitting room, das Wohnzimmer (—)
six, sechs
the sixth, der, die, das sechste
sixty, sechzig
sleep, schlafen
sleeper, der Schläfer (—)

sleeve, der Ärmel (—)
slender, schlank
slice, die Scheibe (-n)
slim, schlank
slow, langsam
smell, riechen, roch, hat gerochen
smile, lächeln
smiling, lächelnd
smoke, rauchen; der Rauch (kein Pl.)
snake, die Schlange (-n)
snore, schnarchen
so, so; also
so that, damit (conj.)
sofa, das Sofa (-s)
soft, weich; leise
sole, die Sohle (-n)
some, einige; etwas; mancher, manche, manches
something, etwas
sometimes, manchmal; öfters
son, der Sohn (⸚e)
song, das Lied (-er)
soon, bald
sorry: I am sorry, es tut mir leid
sort, die Art (-en)
sound, der Ton (⸚e); tönen
soup, die Suppe (-n)
sour, sauer
south, der Süden
sparkle, funkeln; blinken
speak, sprechen, spricht, sprach, hat gesprochen
specially, besonders
spiral, die Spirale (-n)
splendid, herrlich
sport, der Sport (-e)
spring, der Frühling (-e); das Frühjahr (-e)
spring, die Quelle (-n)
stage, die Bühne (-n)
stairs, die Treppe (-n)
stamp, die Marke (-n)
stand, stehen, stand, hat gestanden
stand, der Stand (⸚e)
star, der Stern (-e)
starve, hungern
station, der Bahnhof (⸚e)
stay, bleiben, blieb, ist geblieben
stay behind, zurück'bleiben, blieb zurück, ist zurückgeblieben
steal, stehlen, stiehlt, stahl, hat gestohlen; I steal it from him, ich stehle es ihm
steamer, der Dampfer (—)
steep, steil
step, treten, tritt, trat, ist getreten; der Schritt (-e)
stick, der Stock (⸚e)
stiff, steif
still, noch
stone, der Stein (-e)
stone wall, die Steinmauer (-n)
stony, steinig
stormy, stürmisch
story, die Geschichte (-n)
stout, dick
stove, der Ofen (⸚)
straight, gerade; straight on, geradeaus
strange, seltsam
stranger, der Fremde (-n, -n)
straw, das Stroh
strawberry, die Erdbeere (-n)
street, die Straße (-n)
strike, schlagen, schlägt, schlug, hat geschlagen
stroll, bummeln, bummle
strong, stark
struggle, der Kampf (⸚e)
stubblefield, das Stoppelfeld (-er)
student, der Student (-en, -en)
study, die Studie (-n)
stupid, dumm
such, so; solch, solcher, solche, solches
sudden, plötzlich
suffer, leiden, leidet, litt, hat gelitten
suffice, genügen
sufficient, genug
sugar, der Zucker (kein Pl.)

suit, der Anzug (⸚e)
suitcase, der Koffer (—)
summer, der Sommer (—)
summer hat, der Sommerhut (⸚e)
summit, der Gipfel (—)
sun, die Sonne (-n)
sunburnt, braungebrannt
Sunday, der Sonntag (-e)
Sunday suit, der Sonntagsanzug (⸚e)
sunny, sonnig
supper, das Abendessen (—); I have supper, ich esse zu Abend
swallow, verschlingen, verschlang, hat verschlungen
sweet, süß; sweet as sugar, zuckersüß
sweetheart, das Feinsliebchen (—); der Schatz (⸚e)
swim, schwimmen, schwamm, ist geschwommen
Switzerland, die Schweiz
symphony, die Symphonie (-n)

table, der Tisch (-e)
tail, der Schwanz (⸚e)
take, nehmen, nimmt, nahm, hat genommen; take a seat! nehmen Sie Platz!
take off, ab'nehmen, nimmt ab, nahm ab, hat abgenommen; aus'ziehen, zog aus, hat ausgezogen
talk, reden, redet; plaudern; it is easy for you to talk, Sie haben leicht reden
taste, schmecken
taxi, das Taxi (-s)
tea, der Tee (-s)
teacher, der Lehrer (—)
tear, die Träne (-n)
telephone, das Telefon (-e); telefonieren, hat telefoniert; telephone box, die Telefonzelle (-n)
tell, sagen; erzählen; I tell you what, wissen Sie was
ten, zehn
tenant, der Mieter (—)
tennis, das Tennis (kein Pl.)
the tenth, der, die, das zehnte
terrace, die Terrasse (-n)
terrible, schrecklich
Thames, die Themse
than, als
thanks, der Dank (kein Pl.); thank you, danke; thank you very much, danke schön; very many thanks, haben Sie vielen Dank
that, das; daß (conj.); that's that, basta
the, der, die, das
the — the —, je — desto; the quicker the better, je schneller desto besser
theatre, das Theater (—)
then, dann
there, dort, da
therefore, also, darum
thick, dick
thief, der Dieb (-e)
thin, dünn
thing, die Sache (-n); das Ding (-e)
think (of), denken (an + Akk.), dachte, hat gedacht; halten (von, Dat.), hält, hielt, hat gehalten; think of me, denken Sie an mich; what do you think of it? was halten Sie davon?
the third, der, die, das dritte
thirst, der Durst (kein Pl.)
thirsty, durstig
this, dieser, diese, dieses
this and that, dies und das
thousand, tausend
thread, der Faden (⸚)
three, drei; three times, dreimal
thriller, der Kriminalfilm (-e)
throat, der Hals (⸚e)
through, durch (Akk.)
throw, werfen, wirft, warf, hat geworfen

throw in, ein'werfen, wirft ein, warf ein, hat eingeworfen
Thursday, Donnerstag (-e)
tiled stove, der Kachelofen (¨—)
till, bis
time, die Zeit (-en); das Mal (-e); next time, das nächste Mal; in my time, zu meiner Zeit
tired, müde
to, zu (Dat.); nach (Dat.); to and fro, auf und ab
toast, an'stoßen, stößt an, stieß an, hat an'gestoßen
together, zusammen; beisammen
to-day, heute
to-morrow, morgen
to-night, heute Abend
tomato, die Tomate (-n)
tombstone, der Leichenstein (-e)
too, auch, ebenfalls, zu
torch, die Taschenlampe (-n)
tower, der Turm (¨—e)
town, die Stadt (¨—e); small town, das Städtchen (—)
town hall, das Rathaus (¨—er)
toy, die Spielsache (-n); das Spielzeug (-e)
toy box, die Spielzeugschachtel (-n)
train, der Zug (¨—e)
tram, die Straßenbahn (-en)
tram car, der Straßenbahnwagen (—)
tramp, wandern, wandre
translate, übersetzen, hat übersetzt
travel, reisen; die Reise (-n)
travel bureau, das Reisebüro (-s)
treasurer, der Kassierer (-e)
tree, der Baum (¨—e)
triangle, die Triangel (-n)
trousers, die Hose (-n)
true, wahr; it is true, allerdings; freilich
try, versuchen, hat versucht
Tuesday, der Dienstag (-e)
tulip, die Tulpe (-n)
Turkish drink, der Türkentrank (¨—e)
turn, biegen, biegt, (hat) ist gebogen
turn off, ab'drehen
turn on, an'drehen
turning, die Biegung (-en)
turret, die Zinne (-n)
twenty, zwanzig; the twentieth, der, die, das zwanzigste
twice, zweimal
twig, der Zweig (-e)
two, zwei

unanimous, einstimmig
under, unter (Dat. und Akk.)
understand, verstehen, verstand, hat verstanden
unfortunately, leider
unhappy, unglücklich
uniform, die Uniform (-en)
unpack, aus'packen
uphill, bergauf
upstairs, oben

vacant, frei
valley, das Tal (¨—er)
vase, die Vase (-n)
vegetable, das Gemüse (—); vegetable garden, der Gemüsegarten (¨—); vegetable stall, der Gemüsestand (¨—e)
very, sehr
village, das Dorf (¨—er)
vineyard, der Weinberg (-e)
violet, das Veilchen (—)
violin, die Violine (-n)
visit, besuchen; der Besuch (-e); on a visit, zu Besuch
voice, die Stimme (-n)

wait (for), warten, wartet (auf + Akk.)
waiter, der Kellner (—)
waitress, die Kellnerin (-nen)
walk, gehen, ging, ist gegangen
walk, der Spaziergang (¨—e); I go for a walk, ich mache einen

Spaziergang; ich gehe spazieren; wandern, wandre
walking shoe, der Wanderschuh (-e)
wall, die Mauer (-n); die Wand (-̈e)
wall-paper, die Tapete (-n)
waltz, der Walzer (—)
want, wollen, will, wollte, hat gewollt; mögen, mag, mochte, hat gemocht
warden, der Hausvater (-̈); die Hausmutter (-̈)
warm, warm
warmth, die Wärme
wash, waschen, wäscht, wusch, hat gewaschen
wash house, die Waschküche (-n)
watch, wachen
water, das Wasser (—)
waterfall, der Wasserfall (-̈e)
wave, die Welle (-n); wogen; flattern
wax, das Wachs (kein Pl.)
way, der Weg (-e)
way home, der Heimweg (-e); by the way, übrigens
we, wir
weak, schwach
weaken, schwächen
weather, das Wetter (—)
weather forecast, die Wettervorhersage (-n)
wedding, die Hochzeit (-en)
Wednesday, der Mittwoch (-e)
weed, das Unkraut (-̈er)
week, die Woche (-n)
week-day, der Wochentag (-e)
week-end, das Wochenende (-n)
well, gut; wohl; I am well, es geht mir gut
well-being, das Wohlsein
well-known, bekannt; wohlbekannt
well then! also los!
Welsh, welsch
west, der Westen
wet, naß
what, was
when, wann? wenn; als
where, wo, wohin
which, welcher, welche, welches
while, die Weile (-n)
whipped cream, die Schlagsahne (-n)
white, weiß
whitewash, tünchen
white-washed, getüncht
who, wer; (*relat.*) welcher, welche, welches; der, die, das
whom?, wen?
why, warum
wide, weit
wild, wild
wilderness, die Wildnis (-sse)
willingly, gern
win, gewinnen, gewann, hat gewonnen
wind, der Wind (-e)
window, das Fenster (—)
wine, der Wein (-e)
winter, der Winter (—)
wireless, das Radio (-s)
wish, wünschen; der Wunsch (-̈e)
with, mit (Dat.); bei (Dat.); with one another, miteinander
without, ohne
with what? womit?
wolf, der Wolf (-̈e)
wonder, das Wunder (—)
wonderful, wundervoll; wunderbar; no wonder, kein Wunder
wood, der Wald (-̈er); das Holz (-̈er)
work, die Arbeit (-en); arbeiten, arbeitet
world, die Welt (-en)
worse, schlechter
wreath, der Kranz (-̈e)
write, schreiben, schrieb, hat geschrieben

yard, der Hof (-̈e)

year, das Jahr (-e)
yellow, gelb
yes, ja
yesterday, gestern
yet, noch, doch; not yet, noch nicht
yolk, das Dotter (—)
you, Sie, du, ihr

young, jung
youngest, jüngst
youth, die Jugend (kein Pl.)
youth hostel, die Jugendherberge (-n)

zigzag, der Zickzack (-e)